꿈틀 중학 국어

Ⅱ

꿈틀 중학 국어 Ⅱ

교재 개발에 도움을 주신 모든 선생님들께 깊이 감사드립니다.

검토진

김옥경 원주
김은옥 서울 강남
김 진 분당, 수원
박수미 안산
박은정 안양 평촌
백승재 경남 김해
신상욱 서울, 화성
신영수 서울 성동
안정광 순천, 광양
오지희 제주
이도실 순천, 광양
이영지 안양 평촌
장은정 부천
조승연 대전
홍보영 서울, 구리

꿈틀 중학 국어 Ⅱ

이 책의 구성

중2가 알아야 할 국어의 필수 내용을 한 권에 담아 국어 기초 능력을 확실히 다질 수 있는 교재

- ♦ 문학, 비문학, 문법을 각 영역의 특성에 맞게 구성하였습니다.
- ♦ 문학, 문법의 필수 개념을 정리하여 기초를 꼼꼼하게 다질 수 있습니다.
- ♦ 독해의 원리와 방법을 익힘으로써 효과적으로 비문학 학습을 할 수 있습니다.
- ♦ 문제 푸는 연습을 하며 문제 유형을 익힘으로써 학교 시험에도 대비할 수 있습니다.

I 문학 | 개념 학습 ➔ 작품 학습

개념 학습

1 시 개념을 알아야 공부를 잘한다

01 시의 개념

마음속에 떠오르는 생각이나 느낌을 운율이 있는 언어로 압축하여 표현한 문학

02 시의 종류

(1) 형식에 따라

정형시	정해진 형식에 맞추어 쓴 시
자유시	정해진 형식 없이 자유롭게 쓴 시
산문시	행을 구분하지 않고 줄글로 쓴 시

(2) 내용에 따라

서정시	개인의 감정과 생각을 주관적으로 표현한 시
서사시	역사적 사건이나 신화, 전설, 영웅의 이야기를 쓴 시
극시	연극의 대본처럼 대사로 이루어진 시

03 시의 3요소

시 — 운율: 시를 읽을 때 느껴지는 말의 가락, 리듬 / 심상: 시를 읽을 때 마음속에 떠오르는 느낌이나 모습 / 주제: 시인이 시에서 말하고자 하는 중심 생각

04 시의 화자

(1) 개념: 시적 화자는 시 속에서 말하는 이로, 시인이 자신의 생각과 느낌을 효과적으로 표현하기 위해 만들어 낸 인물이다. 서정적 자아 혹은 시적 자아라고도 한다.

(2) 특징

- 시적 화자는 시에 직접적으로 드러나는 경우도 있고, 겉으로 드러나지 않는 경우도 있다.
- 시적 화자는 시인과 일치하는 경우도 있고, 일치하지 않는 경우도 있다.
- 시적 화자는 시적 대상과 상황에 대한 정보를 전달하거나 묘사하여, 시의 분위기를 형성하고, 주제를 효과적으로 전달하는 역할을 한다.

05 시의 어조

(1) 개념: 시적 화자가 특징적으로 드러내는 말하기 방식이나 말투를 의미한다.

개념 확인 문제

1 시에 대한 설명을 읽고 ○ 또는 X에 표시하시오.
(1) 시는 생각이나 느낌을 줄글로 표현하는 산문 문학이다. (○, X)
(2) 정해진 형식에 맞추어 쓴 시를 정형시라고 한다. (○, X)
(3) 시는 내용에 따라 서정시, 서사시, 극시로 나뉜다. (○, X)

2 시의 3요소를 쓰시오.

3 (심상, 주제 [illegible])는 시를 읽을 때 마음속에 떠오르는 느낌이나 모습을 뜻한다.

4 시인은 마음속에 떠오르는 생각이나 느낌을 □□ □□의 목소리를 통해 전달한다.

5 다음 시의 화자에 대한 설명으로 알맞지 않은 것은?
[illegible]

008 문학

작품 학습

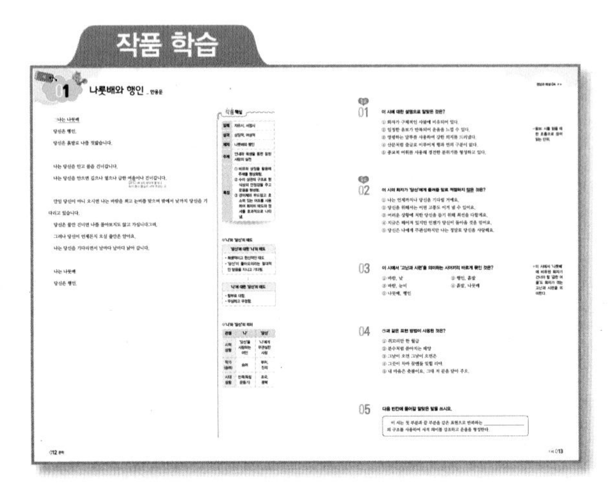

1 나룻배와 행인 _ 한용운

나는 나룻배
당신은 행인.
당신은 흙발로 나를 짓밟습니다.

나는 당신을 안고 물을 건너갑니다.
나는 당신을 안으면 깊으나 옅으나 급한 여울이나 건너갑니다.

만일 당신이 아니 오시면 나는 바람을 쐬고 눈비를 맞으며 밤에서 낮까지 당신을 기다리고 있습니다.
당신은 물만 건너면 나를 돌아보지도 않고 가십니다그려.
그러나 당신이 언제든지 오실 줄만은 알아요.
나는 당신을 기다리면서 날마다 날마다 낡아 갑니다.

나는 나룻배
당신은 행인.

작품 핵심

갈래	자유시, 서정시
성격	상징적, 여성적
제재	나룻배와 행인
주제	[illegible]
특징	[illegible]

관점	'나'	'당신'
시적 상황	'당신'을 사랑하는 여인	'나'에게 무관심한 사람
작가 (승려)	승려	부처, 진리
시대 상황	민족독립 운동가	조국, 광복

01 이 시에 대한 설명으로 알맞은 것은?
① 화자가 구체적인 사물에 비유되어 있다.
② 일정한 음보가 반복되어 운율을 느낄 수 있다.
③ 명령하는 말투를 사용하여 강한 의지를 드러낸다.
④ 산문처럼 줄글로 이루어져 행과 연의 구분이 없다.
⑤ 종교적 어휘를 사용해 경건한 분위기를 형성하고 있다.

02 이 시의 화자가 '당신'에게 들려줄 말로 적절하지 않은 것은?
① 나는 언제까지나 당신을 기다릴 거예요.
② 당신을 위해서는 어떤 고통도 이겨 낼 수 있어요.
③ 어려운 상황에 처한 당신을 돕기 위해 최선을 다할게요.
④ 지금은 떨어져 있지만 언젠가 당신이 돌아올 것을 믿어요.
⑤ 당신은 나에게 무관심하지만 나는 정말로 당신을 사랑해요.

03 이 시에서 '고난과 시련'을 의미하는 시어끼리 바르게 묶인 것은?
① 바람, 낮 ② 행인, 흙발
③ 바람, 눈비 ④ 흙발, 나룻배
⑤ 나룻배, 행인

04 ㉠과 같은 표현 방법이 사용된 것은?
① 쥐꼬리만 한 월급
② 분수처럼 쏟아지는 햇살
③ 그날이 오면 그날이 오면은
④ 그것이 차마 꿈엔들 잊힐 리야
⑤ 내 마음은 촛불이요, 그대 저 문을 닫아 주오.

05 다음 빈칸에 들어갈 알맞은 말을 쓰시오.
이 시는 첫 부분과 끝 부분을 같은 표현으로 반복하는 ________ 의 구조를 사용하여 시적 의미를 강조하고 운율을 형성한다.

012 문학 / 1 시 013

- 시, 소설, 수필, 극으로 나누어 중학교 2학년이 반드시 알아야 할 핵심 개념을 제시하고 '개념 확인 문제'를 수록하였습니다.
- 교과서에 수록되거나 필수적으로 알아야 할 중요 작품들을 제시하고, 작품을 깊이 이해하는 동시에 학교 시험에도 대비할 수 있는 여러 유형의 문제를 수록하였습니다.

비문학 | 독해의 원리와 방법 익히기 → 지문 학습

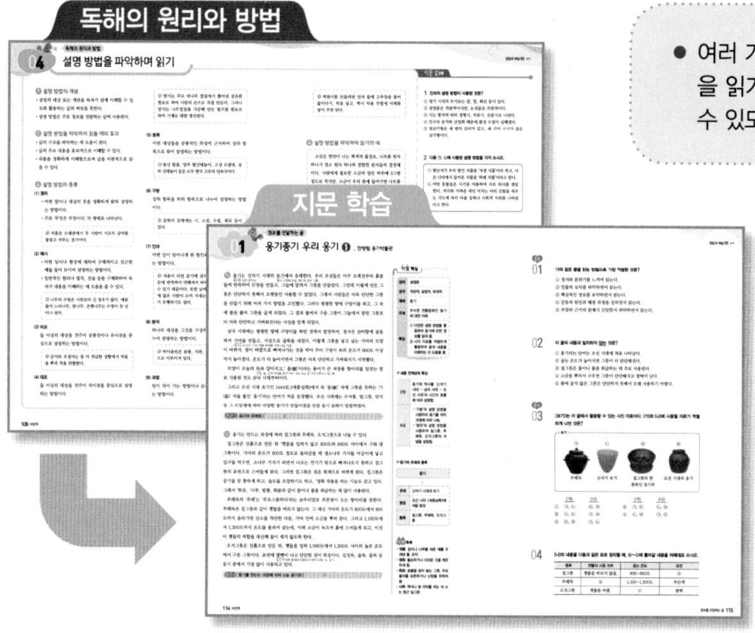

- 여러 가지 독해 원리와 방법을 제시하여 글을 읽기에 앞서 비문학 학습의 기초를 다질 수 있도록 하였습니다.
- 정보를 전달하는 글과 설득하는 글을 제시하고, 글을 깊이 이해하는 동시에 학교 시험에도 대비할 수 있는 여러 유형의 문제를 수록하였습니다.

문법 | 개념 학습 → 실전 문제

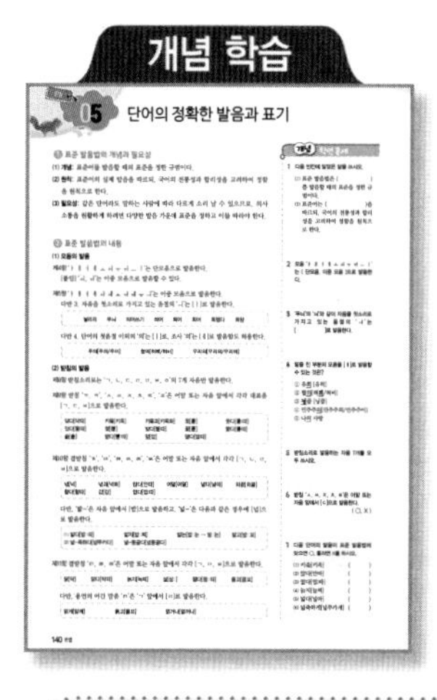

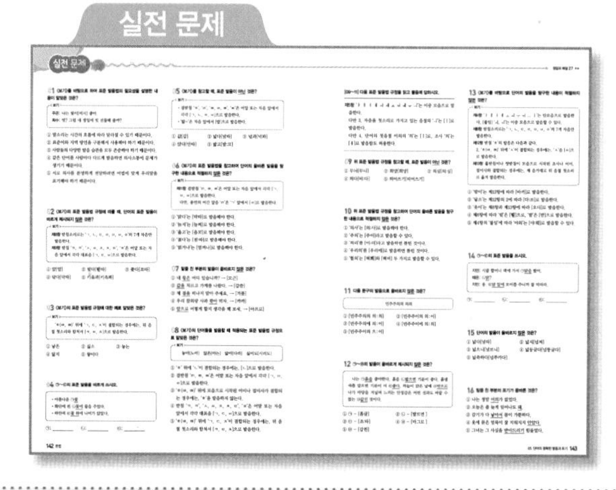

- '언어의 본질, 음운의 체계, 품사의 종류와 특성, 어휘의 체계와 양상, 단어의 정확한 발음과 표기, 문장의 짜임, 담화의 개념과 특성, 한글의 창제 원리'를 모두 수록하여 중학교에서 다루는 문법 전반에 대해 익힐 수 있도록 하였습니다.
- 각 영역별로 '개념 학습'과 '실전 문제'를 제시하여 문법 지식의 이해와 적용, 나아가 실전 대비까지 한번에 할 수 있도록 하였습니다.

이 책의 차례

I 문학

시 개념을 알아야 공부를 잘한다 008

01 나룻배와 행인 한용운 012

02 진달래꽃 김소월 014

03 봄 길 정호승 016

04 고향 백석 018

05 독은 아름답다 함민복 020

06 청포도 이육사 022

07 민지의 꽃 정희성 024

08 성북동 비둘기 김광섭 026

09 훈민가 정철 두꺼비 파리를 물고 작자 미상 028

소설 개념을 알아야 공부를 잘한다 030

01 사랑손님과 어머니 주요섭 034

02 내가 그린 히말라야시다 그림 성석제 042

03 흰 종이수염 하근찬 050

04 원미동 사람들 양귀자 056

05 할머니를 따라간 메주 오승희 062

06 춘향전 작자 미상 066

07 심청전 작자 미상 070

수필 개념을 알아야 공부를 잘한다 074

01 실수 나희덕 076

02 맛있는 책, 일생의 보약 성석제 080

03 두 아들에게 보내는 편지 정약용 082

극 개념을 알아야 공부를 잘한다 084

01 들판에서 이강백 086

02 출세기 윤대성 090

03 달리는 차은 김태용 외 094

비문학

독해의 원리와 방법
01 글의 종류 이해하기 100
02 예측하며 읽기 102
03 요약하며 읽기 104
04 설명 방법을 파악하며 읽기 106
05 논증 방법을 파악하며 읽기 108
06 표현 방법과 의도를 평가하며 읽기 110
07 관점이나 형식의 차이를 파악하며 읽기 112

정보를 전달하는 글
01 옹기종기 우리 옹기 한향림 옹기박물관 114
02 건물에 숨겨진 비밀 정재승 118

설득하는 글
01 꿀벌 없는 지구 이명렬 120
02 내가 원하는 우리나라 김구 122
03 최만리의 반대 상소와 조정의 입장 최만리 외 124

문법

01 언어의 본질 128
02 음운의 체계 130
03 품사의 종류와 특성 134
04 어휘의 체계와 양상 138
05 단어의 정확한 발음과 표기 140
06 문장의 짜임 144
07 담화의 개념과 특성 148
08 한글의 창제 원리 150

I

문학

1 시 개념을 알아야 공부를 잘한다
01 나룻배와 행인
02 진달래꽃
03 봄 길
04 고향
05 독은 아름답다
06 청포도
07 민지의 꽃
08 성북동 비둘기
09 훈민가, 두꺼비 파리를 물고

2 소설 개념을 알아야 공부를 잘한다
01 사랑손님과 어머니
02 내가 그린 히말라야시다 그림
03 흰 종이수염
04 원미동 사람들
05 할머니를 따라간 메주
06 춘향전
07 심청전

3 수필 개념을 알아야 공부를 잘한다
01 실수
02 맛있는 책, 일생의 보약
03 두 아들에게 보내는 편지

4 극 개념을 알아야 공부를 잘한다
01 들판에서
02 출세기
03 달리는 차은

개념을 알아야 공부를 잘한다

❶ 시의 개념

마음속에 떠오르는 생각이나 느낌을 운율이 있는 언어로 압축하여 표현한 문학

❷ 시의 종류

(1) 형식에 따라

정형시	정해진 형식에 맞추어 쓴 시
자유시	정해진 형식 없이 자유롭게 쓴 시
산문시	행을 구분하지 않고 줄글로 쓴 시

(2) 내용에 따라

서정시	개인의 감정과 생각을 주관적으로 표현한 시
서사시	역사적 사건이나 신화, 전설, 영웅의 이야기를 쓴 시
극시	연극의 대본처럼 대사로 이루어진 시

❸ 시의 3요소

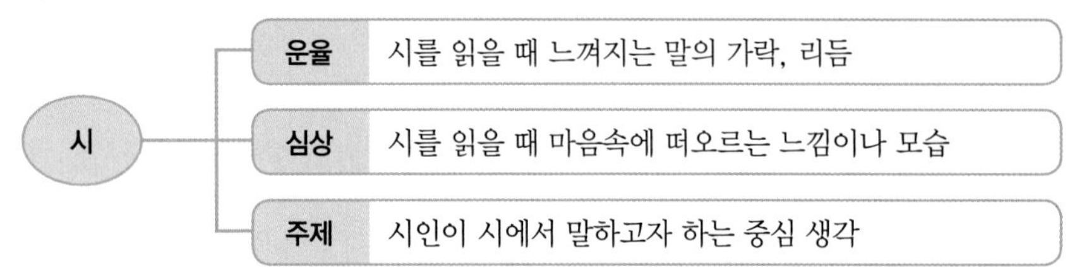

❹ 시적 화자

(1) 개념: 시적 화자는 시 속에서 말하는 이로, 시인이 자신의 생각과 느낌을 효과적으로 표현하기 위해 만들어 낸 인물이다. 서정적 자아 혹은 시적 자아라고도 한다.

(2) 특징

- 시적 화자는 시에 직접적으로 드러나는 경우도 있고, 겉으로 드러나지 않는 경우도 있다.
- 시적 화자는 시인과 일치하는 경우도 있고, 일치하지 않는 경우도 있다.
- 시적 화자는 시적 대상과 상황에 대한 정보를 전달하거나 묘사하며, 시의 분위기를 형성하고, 주제를 효과적으로 전달하는 역할을 한다.

❺ 시의 어조

(1) 개념: 시적 화자가 특징적으로 드러내는 말하기 방식이나 말투를 의미한다.

개념 확인 문제

1 시에 대한 설명을 읽고 ○ 또는 X에 표시하시오.

(1) 시는 생각이나 느낌을 줄글로 표현하는 산문 문학이다. (○, X)

(2) 정해진 형식에 맞추어 쓴 시를 정형시라고 한다. (○, X)

(3) 시는 내용에 따라 서정시, 서사시, 극시로 나눈다. (○, X)

2 시의 3요소를 쓰시오.

3 (심상, 주제)은/는 시를 읽을 때 마음속에 떠오르는 느낌이나 모습을 뜻한다.

4 시인은 마음속에 떠오르는 생각이나 느낌을 □□ □□의 목소리를 통해 전달한다.

5 다음 시의 화자에 대한 설명으로 알맞지 않은 것은?

> 할머니,
> 살구나무가 많이 아픈가 봐요
> 살구꽃 이파리 깜박깜박 저렇게 떨어지는데
> 우두커니 먼 산만 바라봐요
>
> – 안도현, 〈살구꽃 지는 날〉

① 성별은 알 수 없다.
② 시 표면에 직접 드러난다.
③ 높임 표현을 사용하고 있다.
④ 안타까운 어조로 말하고 있다.
⑤ 살구나무의 상태를 추측하고 있다.

(2) **특징:** 어조는 화자의 나이, 성별, 성격 등에 따라 달라지며, 대상에 대한 화자의 태도나 심리적 상황에 따라 달라지기도 한다. 따라서 어조를 통해 화자의 태도나 심리, 시의 분위기를 파악할 수 있다.

6 시어

(1) 시어의 특징

- 일상에서 사용하는 언어는 보통 지시적 · 사전적 의미를 담고 있지만, 시어는 시인이 새롭게 만들어 낸 의미를 담고 있다.
- 시어는 함축적 의미를 지니므로, 시적 상황이나 문맥에 따라 다양한 의미로 해석할 수 있다.

(2) 시어의 기능

- 시어는 시인의 의도에 따라 선택 · 배열되어 리듬감을 형성한다.
- 시어는 시의 분위기를 형성하고 화자의 정서와 태도를 드러낸다.
- 시어는 머릿속에 대상의 모습이나 구체적인 장면을 떠올리게 한다.

'일상어'와 '시어'의 차이를 기억하자!
일상어는 사전적, 지시적, 객관적이고 운율이 없어.
반면에 시어는 함축적, 주관적이고 운율이 있어.

7 운율

(1) 운율의 종류

외형률	규칙적인 리듬이 겉으로 뚜렷하게 드러나는 운율
내재율	시의 겉에 뚜렷하게 드러나지 않고 시 속에서 은근하게 느껴지는 운율로, 시어, 행, 연, 작품 전체를 통해 느껴지는 주관적이고 개성적인 운율

(2) 운율을 형성하는 요소

운율 형성 요소	예
일정한 글자 수 반복	꽃 피는 사월이면 진달래 향기 밀 익는 오월이면 보리 내음새 ➜ 7글자, 5글자의 글자 수가 반복됨.
음보 반복	엄마야 누나야 강변 살자. 뜰에는 반짝이는 금모래빛 ➜ 3음보 율격이 나타남.
같거나 비슷한 소리 반복	갈래갈래 갈린 길 길이라도 ➜ 'ㄱ, ㄹ' 소리가 반복됨.
같은 시어, 시구 반복	해야 솟아라. 해야 솟아라. 말갛게 씻은 얼굴 고운 해야 솟아라. ➜ 시어 '해', 시구 '해야 솟아라'가 반복됨.
일정한 위치에서 같은 말 반복	고요히 다물은 고양이의 입술에 포근한 봄의 졸음이 떠돌아라.
같거나 비슷한 문장 구조 반복	날카롭게 쭉 뻗은 고양이의 수염에 푸른 봄의 생기가 뛰놀아라. ➜ 시행의 끝에 '에', '-아라'가 반복됨. ➜ '~에 ~이/가 ~아라'라는 문장 구조가 반복됨.
의성어나 의태어 사용	흙투성이 감자처럼 울퉁불퉁 살아온 사람의 구불구불 구부러진 삶이 좋다. ➜ 의태어를 사용함.

개념 확인 문제

6 일상어와는 다른 시어의 성격으로 알맞은 것은? (정답 2개)

① 함축적 ② 객관적
③ 사전적 ④ 지시적
⑤ 주관적

7 시어에 대한 설명을 읽고 ○ 또는 X에 표시하시오.

(1) 시어를 통해 음악적 효과를 얻을 수 있다. (○, X)
(2) 같은 단어일지라도 나타내는 의미는 시에 따라 다를 수 있다. (○, X)
(3) 시어를 통해 머릿속에 대상의 모습을 구체적으로 떠올리기는 어렵다. (○, X)

8 (외형률, 내재율)은 겉으로 드러나는 규칙성은 없으나 시 속에서 은근하게 느껴지는 개성적인 운율이다.

9 다음 시에서 운율을 형성하는 요소로 알맞은 것은? (정답 2개)

> 저렇게 많은 중에서
> 별 하나가 나를 내려다본다.
> 이렇게 많은 사람 중에서
> 그 별 하나를 쳐다본다.
> – 김광섭, 〈저녁에〉

① 같은 시어가 반복되고 있다.
② 같은 의성어가 반복되고 있다.
③ 글자 수가 일정하게 반복되고 있다.
④ 비슷한 문장 구조가 반복되고 있다.
⑤ 시행을 네 마디로 끊어 읽는 4음보 율격이 나타난다.

8 심상

(1) **시각적 심상**: 모양, 빛깔, 움직임 등 눈으로 느낄 수 있는 심상

예 하얀 꽃 핀 건 하얀 감자 / 파 보나 마나 하얀 감자

(2) **청각적 심상**: 소리와 같이 귀로 느낄 수 있는 심상

예 눈을 뜨면 멀리 육중한 기계 굴러가는 소리

(3) **후각적 심상**: 냄새와 같이 코로 느낄 수 있는 심상

예 마을마다 진한 / 꽃향기 풍기어라

(4) **미각적 심상**: 맛과 같이 혀를 통해 느낄 수 있고 혀를 자극하는 심상

예 간간하고 짭조름한 미역

(5) **촉각적 심상**: 감촉이나 온도와 같이 피부로 느낄 수 있는 심상

예 연탄은, 일단 제 몸에 불이 옮겨붙었다 하면 / 하염없이 뜨거워지는 것

(6) **공감각적 심상**: 하나의 감각을 다른 감각으로 옮겨서 둘 이상의 감각이 동시에 떠오르게 하는 심상

예 꽃처럼 붉은 울음을 밤새 울었다

9 시의 표현 방법

(1) **비유**: 본래 표현하려고 하는 대상(원관념)을 그것과 유사한 특성을 지닌 다른 대상(보조 관념)에 빗대어 표현하는 방법

직유법	'~처럼', '~같이', '~듯이', '~인 듯', '~인 양' 등과 같은 연결어를 사용하여 원관념을 보조 관념에 직접 연결하는 방법 예 • 나는 찬밥처럼 방에 담겨 • 배춧잎 같은 발소리 타박타박
은유법	연결어 없이 원관념을 보조 관념에 은근히 빗대어 표현하는 방법. 주로 'A(원관념)는 B(보조 관념)이다.'의 형태로 표현됨. 예 나는 한 마리 어린 짐승
의인법	사람이 아닌 대상에 인격을 부여하여 사람처럼 표현하는 방법 예 봄이야 / 라고 말하며 떨어지는 햇빛에 귀를 기울여 본다
대유법	부분으로 전체를 나타내거나, 사물의 속성이나 특징으로 그 사물 전체를 나타내는 방법 예 한라에서 백두까지 / 향그러운 흙가슴만 남고 / 그, 모오든 쇠붙이는 가라 └우리나라를 의미함

(2) **상징**: 추상적인 생각이나 의미를 구체적인 사물로 대신하여 나타내는 방법

- 원관념은 감추고 보조 관념만을 제시한다.
- 원관념이 명확하게 드러나지 않으므로 의미가 여러 가지로 해석될 수 있다.
- 상징은 개인이 독창적으로 만들어 낸 것도 있고, 오랜 세월 동안 되풀이하여 사용되면서 널리 자리 잡은 것도 있다. 또 인류의 역사에서 반복되어 나타남으로써 인간에게 공통적인 의미를 불러일으키는 상징도 있다.

예 내를 건너서 숲으로 / 고개를 넘어서 마을로 //
어제도 가고 오늘도 갈 / 나의 길 새로운 길
→ '인생(삶)'이라는 추상적 개념을 '길'이라는 구체적인 사물로 나타냄.

개념 확인 문제

10 다음 밑줄 친 부분에서 활용된 심상을 쓰시오.

(1) 메마른 입술에 쓰디쓰다. ( )

(2) 한 폭의 그림이 / 질화로같이 따숩다. ( )

(3) 빠알간 보석알을 / 꼬옥 감춘 석류는 ( )

(4) 어마씨 그리운 솜씨에 향그러운 꽃지짐 ( )

(5) 저 동구 밖 느티나무의 / 푸르른 울음소리 ( )

(6) 어디선가 북소리는 / 왜 둥둥 둥둥 울려 나겠니 ( )

11 비유에 대한 설명을 읽고 ○ 또는 X에 표시하시오.

(1) 비유는 표현하려는 대상을 다른 대상에 빗대어 표현하는 것이다. (○, X)

(2) 연결어 없이 원관념을 보조 관념에 은근히 빗대어 표현하는 것은 직유법이다. (○, X)

12 다음 시에 사용된 비유법 두 가지를 쓰시오.

> 밤하늘은
> 별들의 운동장
> 오늘따라 별들 부산하게 바자닌다.
> 운동회를 벌였나
> 아득히 들리는 함성
> – 오세영, 〈유성〉

13 상징에 대한 설명을 읽고 ○ 또는 X에 표시하시오.

(1) 구체적인 사물로 추상적인 의미를 대신하여 나타낸다. (○, X)

(2) 제시된 보조 관념이 나타내는 의미는 하나로 고정된다. (○, X)

(3) 변화: 시에 사용된 문장이 단조롭고 평범하지 않도록 변화를 주는 방법

반어법	전달하고자 하는 의도나 감정을 정반대로 표현하는 방법 예 먼 훗날 당신이 찾으시면 / 그때에 내 말이 "잊었노라."
역설법	논리적으로 이치에 맞지 않는 말이지만 그 속에 진리를 담아 표현하는 방법 예 이것은 소리 없는 아우성
대구법	구조가 비슷한 문장을 나란히 배열하는 방법 예 돌담에 속삭이는 햇발같이 / 풀 아래 웃음 짓는 샘물같이
설의법	당연한 사실이나 결론이 분명한 내용을 물어보는 형식으로 표현하는 방법 예 흔들리지 않고 피는 꽃이 어디 있으랴
도치법	문장 속 말의 배열 순서를 바꾸어 변화를 주는 방법 예 그렇게 가오리다 / 임께서 부르시면

(4) 강조: 자신의 의도를 강하게 드러내는 방법

반복법	같거나 비슷한 단어, 구절, 문장을 되풀이하는 방법 예 물새알은 / 물새알이라서 / 날갯죽지 하얀 / 물새가 된다.
대조법	서로 상대되는 대상이나 내용을 함께 제시하여 차이점을 선명하게 드러내 보이는 방법 예 내 껍질은 연약하나 마음은 단단하다
영탄법	감탄하는 말을 사용하여 놀라움, 슬픔, 기쁨 등의 감정을 나타내는 방법 예 아아, 참으로 맑은 세상 저기 있으니
과장법	대상을 실제보다 매우 크거나 작게, 혹은 많거나 적게 표현하는 방법 예 태산이 평지 되도록 금강이 다 마르도록 / 평생 슬픈 회포 어디에 견주리오
점층법	문장의 뜻을 점점 강하게, 크게, 정도가 높아지게 표현하는 방법 예 버티면서 거부하면서 영하에서 / 영상으로 영상 5도 영상 13도 지상으로 / 밀고 간다, 막 밀고 올라간다

10 시조

(1) 개념: 고려 중기에 발생하여 현재까지 창작되고 있는 우리 고유의 정형시이다.

(2) 기본 형식

- 3장(초장 · 중장 · 종장) 6구 45자 내외이다.
- 3 · 4조 또는 4 · 4조의 4음보 운율이 드러난다.
- 종장의 첫 음보는 3음절로 고정된다.

(3) 종류

시대에 따라	• 고시조: 갑오개혁(1894) 이전에 창작된 시조 • 현대 시조: 개화기부터 현재까지 창작되는 시조
형식에 따라	• 평시조: 3장 6구 45자 내외로 이루어진 시조(시조의 기본형) • 엇시조: 평시조에서 종장의 첫 구절을 제외하고 어느 한 구절이 평시조보다 길어진 시조 • 사설시조: 평시조에서 종장의 첫 구절을 제외하고 두 구절 이상이 길어진 시조
길이에 따라	• 단시조: 평시조 한 수로 된 시조 • 연시조: 두 수 이상의 평시조가 모여 한 작품을 이루는 시조

개념 확인 문제

14 다음 시구에 사용된 표현 방법을 쓰시오.

(1) 아, 들판이 적막하다 — ( )

(2) 흔들리지 않고 가는 사랑이 어디 있으랴. ( )

(3) 믿을 수 없다. 저것들도 먼지와 수분으로 된 사람 같은 생물이란 것을. ( )

(4) 님은 갔지마는 나는 님을 보내지 아니하였습니다. ( )

15 다음 시구에 사용된 표현 방법이 바르게 짝지어진 것은?

> 눈이 오면 눈길을 걸어가고
> 비가 오면 빗길을 걸어가라

① 도치법, 점층법
② 도치법, 설의법
③ 대구법, 설의법
④ 대구법, 반복법
⑤ 반복법, 영탄법

16 시조에 대한 설명을 읽고 ○ 또는 X에 표시하시오.

(1) 시조는 외형률을 지닌다. (○, X)

(2) 시조는 고려 중기에 발생하여 개화기까지 창작되었다. (○, X)

(3) 시조는 초장의 첫 음보가 3음절로 고정되어 있다. (○, X)

평시조와 사설시조는 언제, 누가 창작했을까?
평시조는 조선 전기에 양반들이 주로 창작했고, 사설시조는 조선 중기 이후에 평민들이 주로 창작했어.

나룻배와 행인 _ 한용운

㉠나는 나룻배

당신은 행인.

당신은 흙발로 나를 짓밟습니다.

나는 당신을 안고 물을 건너갑니다.

나는 당신을 안으면 깊으나 옅으나 급한 여울이나 건너갑니다.

여울: 강이나 바다의 바닥이 얕거나 폭이 좁아 물살이 세게 흐르는 곳

만일 당신이 아니 오시면 나는 바람을 쐬고 눈비를 맞으며 밤에서 낮까지 당신을 기다리고 있습니다.

당신은 물만 건너면 나를 돌아보지도 않고 가십니다그려.

그러나 당신이 언제든지 오실 줄만은 알아요.

나는 당신을 기다리면서 날마다 날마다 낡아 갑니다.

나는 나룻배

당신은 행인.

작품 핵심

갈래	자유시, 서정시
성격	상징적, 여성적
제재	나룻배와 행인
주제	인내와 희생을 통한 참된 사랑의 실천
특징	① 비유와 상징을 활용해 주제를 형상화함. ② 수미 상관의 구조로 형식상의 안정감을 주고 운율을 형성함. ③ 경어체와 부드럽고 호소력 있는 어조를 사용하여 화자의 태도와 정서를 효과적으로 나타냄.

'나'와 '당신'의 태도

'당신'에 대한 '나'의 태도
- 희생적이고 헌신적인 태도
- '당신'이 돌아오리라는 절대적인 믿음을 지니고 기다림.

⋮

'나'에 대한 '당신'의 태도
- 함부로 대함.
- 무심하고 무정함.

'나'와 '당신'의 의미

관점	'나'	'당신'
시적 상황	'당신'을 사랑하는 여인	'나'에게 무관심한 사람
작가(승려)	승려	부처, 진리
시대 상황	민족(독립 운동가)	조국, 광복

중요

01

이 시에 대한 설명으로 알맞은 것은?

① 화자가 구체적인 사물에 비유되어 있다.
② 일정한 음보가 반복되어 운율을 느낄 수 있다.
③ 명령하는 말투를 사용하여 강한 의지를 드러냈다.
④ 산문처럼 줄글로 이루어져 행과 연의 구분이 없다.
⑤ 종교적 어휘를 사용해 경건한 분위기를 형성하고 있다.

♥ 음보: 시를 읽을 때 한 호흡으로 끊어 읽는 단위.

02

이 시의 화자가 '당신'에게 들려줄 말로 적절하지 않은 것은?

① 나는 언제까지나 당신을 기다릴 거예요.
② 당신을 위해서는 어떤 고통도 이겨 낼 수 있어요.
③ 어려운 상황에 처한 당신을 돕기 위해 최선을 다할게요.
④ 지금은 헤어져 있지만 언젠가 당신이 돌아올 것을 믿어요.
⑤ 당신은 나에게 무관심하지만 나는 정말로 당신을 사랑해요.

03

이 시에서 '고난과 시련'을 의미하는 시어끼리 바르게 묶인 것은?

① 바람, 낮
② 행인, 흙발
③ 바람, 눈비
④ 흙발, 나룻배
⑤ 나룻배, 행인

♥ 이 시에서 '나룻배'에 비유된 화자가 건너야 할 '급한 여울'도 화자가 겪는 고난과 시련을 의미한다.

04

㉠과 같은 표현 방법이 사용된 것은?

① 쥐꼬리만 한 월급
② 분수처럼 쏟아지는 태양
③ 그날이 오면 그날이 오면은
④ 그곳이 차마 꿈엔들 잊힐 리야.
⑤ 내 마음은 촛불이요, 그대 저 문을 닫아 주오.

05

다음 빈칸에 들어갈 알맞은 말을 쓰시오.

> 이 시는 첫 부분과 끝 부분을 같은 표현으로 반복하는 ______________ 의 구조를 사용하여 시적 의미를 강조하고 운율을 형성한다.

진달래꽃 _ 김소월

나 보기가 역겨워
몹시 싫어서, 마음에 거슬려

가실 때에는

말없이 고이 보내 드리우리다.

영변(寧邊)에 약산(藥山)
평안북도 영변의 서쪽에 있는 산. 봄철의 진달래와 가을철의 단풍이 유명함

㉠진달래꽃

아름 따다 가실 길에 뿌리우리다.
두 팔을 둥글게 모아 만든 둘레 안에 들 만한 분량을 세는 단위

가시는 걸음걸음

놓인 그 꽃을

사뿐히 즈려밟고 가시옵소서.
위에서 내리눌러 밟고

나 보기가 역겨워

가실 때에는

죽어도 아니 눈물 흘리우리다.

작품 핵심

갈래	자유시, 서정시
성격	전통적, 애상적, 민요적
제재	진달래꽃
주제	이별의 슬픔
특징	① 이별의 상황을 가정하여 시상을 전개함. ② 이별의 슬픔을 인내하는 전통적 여인의 정서가 드러남. ③ 7 · 5조와 3음보의 민요적 율격이 드러남. ④ 변형된 수미 상관의 구조를 통해 화자의 정서를 강조함. ⑤ '영변', '약산'과 같은 실제 지명을 제시하여 향토적 분위기를 조성함.

시적 상황과 화자의 태도

시적 상황	이별의 상황(가정)
화자의 태도	• 표면적: 이별을 받아들이고 슬퍼하지 않겠다는 순종적 · 인고적 태도 • 내면적: 임을 보내고 싶지 않은 마음, 이별의 슬픔

'진달래꽃'의 상징적 의미

- 시적 화자의 분신
- 시적 화자의 아름답고 절절한 사랑의 표상
- 임에 대한 헌신과 희생, 순종
- 떠나는 임을 향한 축복
- 버림받은 여인의 애절한 마음, 슬픔과 한

쏙쏙

- **고이**: 성질이나 태도가 순순하게.
- **사뿐히**: 몸과 마음이 아주 가볍고 시원하게.

01

이 시를 읽고 떠올릴 수 있는 장면으로 적절하지 않은 것은?

① 진달래꽃을 한 아름 따는 여인의 모습
② 영변의 약산에 붉게 피어난 진달래꽃의 모습
③ 붉고 여린 진달래 꽃잎이 임에게 밟히는 모습
④ 꽃을 든 화자가 눈물을 흘리며 임을 붙잡는 모습
⑤ 임이 떠나는 길에 꽃을 뿌리며 축복하는 화자의 모습

중요

02

이 시의 화자에 대한 설명으로 알맞은 것은?

① 자연의 아름다움을 예찬하고 있다.
② 안분지족(安分知足)하는 삶을 추구하고 있다.
③ 자신이 처한 상황을 벗어나기 위해 저항하고 있다.
④ 이별의 상황을 가정하여 그에 대한 정서를 드러내고 있다.
⑤ 개인적인 문제를 사회적인 문제로 확대하여 인식하고 있다.

♥ 안분지족: 편안한 마음으로 제 분수를 지키며 만족할 줄을 앎.

03

다음 설명에 해당하는 시행을 찾아 그대로 쓰시오.

> 반어법과 도치법을 사용해 화자의 내면적 슬픔을 함축적으로 제시하고 있다.

____

04

이 시에서 운율을 형성하는 요소가 아닌 것은?

① 3음보의 율격
② 높임 표현의 사용
③ 수미 상관의 구조
④ '-우리다'의 반복
⑤ 7 · 5조의 글자 수 반복

♥ 시에서 운율을 형성하는 주된 요소는 반복이다. 같은 소리나 같은 시어, 시구, 연 등을 반복할 수 있다.

05

㉠의 상징적 의미로 가장 적절한 것은?

① 임에 대한 화자의 희생적 사랑과 정성
② 화자를 떠나야만 하는 임의 애절한 슬픔
③ 이별의 슬픔을 이겨 내게 할 새로운 사랑
④ 자신을 배신한 임에 대한 화자의 원망과 분노
⑤ 임과의 사랑을 이룰 수 없게 하는 비극적인 운명

봄 길 _ 정호승

┌ 길이 끝나는 곳에서도
[A]
└ 길이 있다

ⓐ길이 끝나는 곳에서도

㉠길이 되는 사람이 있다

스스로 봄 길이 되어

끝없이 걸어가는 사람이 있다

ⓑ강물은 흐르다가 멈추고

ⓒ새들은 날아가 돌아오지 않고

하늘과 땅 사이의 모든 꽃잎은 흩어져도

보라

ⓓ사랑이 끝난 곳에서도

사랑으로 남아 있는 사람이 있다

ⓔ스스로 사랑이 되어

한없이 봄 길을 걸어가는 사람이 있다

작품 핵심

갈래	자유시, 서정시
성격	희망적, 긍정적, 의지적
제재	봄 길
주제	절망을 극복하는 사랑과 희망에 대한 믿음과 의지
특징	① 추상적인 관념을 구체적으로 형상화함. ② 단정적인 어조로 확신에 찬 태도를 드러냄. ③ 시어와 시구, 비슷한 문장 구조를 반복하여 의미를 강조하고 운율을 형성함.

이 시에 나타난 '사람'

'사람'의 특징

- 길이 끝나는 곳에서도 길이 되고, 사랑이 끝난 곳에서도 사랑으로 남아 있음.
- 스스로 봄 길이 되어 끝없이 걸어가고, 스스로 사랑이 되어 한없이 봄 길을 걸어감.

삶의 자세

- 절망적인 상황에서 좌절하거나 포기하지 않고 희망과 믿음을 가지고 극복하는 자세
- 자신이 개척한 희망과 믿음을 끊임없이 실천하는 자세
- 다른 사람을 위해 희생하고, 따뜻한 애정을 가지고 사랑을 실천하려는 자세

시어와 시구의 의미

봄 길	희망과 사랑에 대한 믿음
길이 끝나는 곳, 사랑이 끝난 곳	힘들고 절망적인 상황
길이 끝나는 곳에서도 길이 있다	절망적인 상황에서도 '길이 있다'고 믿는 화자의 희망적, 긍정적 세계관을 드러내는 역설적 표현

01 이 시에 대한 설명으로 알맞지 않은 것은?

① 사람과 희망에 대한 믿음과 의지를 드러내고 있다.
② 추상적인 관념을 구체적인 이미지로 형상화하였다.
③ 비슷한 구조의 문장을 반복하여 운율을 형성하고 있다.
④ 과거를 회상하며 후회와 반성, 그리움의 정서를 드러내고 있다.
⑤ 부정적 상황과 긍정적 삶의 태도를 대조하여 주제를 강조하였다.

♥ 형상화: 형체로는 분명히 나타나 있지 않은 것을 어떤 방법이나 매체를 통해 구체적이고 명확한 형상으로 나타냄.

02 다음 속담 중 이 시에서 강조하는 삶의 태도와 관계 깊은 것은?

① 백지장도 맞들면 낫다.
② 죽을 약 곁에 살 약이 있다.
③ 윗물이 맑아야 아랫물이 맑다.
④ 가는 말이 고와야 오는 말이 곱다.
⑤ 구슬이 서 말이라도 꿰어야 보배다.

03 [A]와 같은 표현 방법이 사용된 시구가 아닌 것은?

① 흔들리지 않고 피는 꽃이 어디 있으랴
② 대숲은 좋더라 / 성글어 좋더라 / 한사코 서러워 대숲은 좋더라
③ 분분한 낙화…… / 결별이 이룩하는 축복에 싸여 / 지금은 가야 할 때
④ 모란이 피기까지는 / 나는 아직 기다리고 있을 테요, 찬란한 슬픔의 봄을
⑤ 괴로웠던 사나이, / 행복한 예수 그리스도에게 / 처럼 / 십자가가 허락된다면

04 ㉠이 의미하는 바로 적절한 것은?

① 따뜻하고 포근한 안식처에서 쉬고자 하는 사람
② 힘겨웠던 시간을 극복한 후 행복을 누리는 사람
③ 어려운 이웃들을 물질적 · 정신적으로 도와줄 수 있는 사람
④ 절망적인 상황에서도 포기하지 않고 미래를 개척해 가는 사람
⑤ 사랑하는 사람들이 겪는 어려움을 대신 나서서 해결해 주는 사람

05 ⓐ~ⓔ 중 나타내고 있는 상황의 성격이 이질적인 것은?

① ⓐ ② ⓑ ③ ⓒ ④ ⓓ ⑤ ⓔ

04 고향 - 백석

[A] ┌ 나는 북관에 혼자 앓아누워서
('북관': '함경도'의 다른 이름)
└ 어느 아침 의원을 뵈이었다.

의원은 여래 같은 상을 하고 관공의 수염을 드리워서
('여래': '부처'를 달리 이르는 말 / '관공': '관우'를 높여 부르는 말)

먼 옛적 어느 나라 신선 같은데

새끼손톱 길게 돋은 손을 내어

묵묵하니 한참 맥을 짚더니

문득 물어 ㉠고향이 어데냐 한다.

평안도 정주라는 곳이라 한즉

그러면 ㉡아무개 씨 고향이란다.

그러면 ㉢아무개 씨를 아느냐 한즉

의원은 빙긋이 웃음을 띠고

㉣막역지간이라며 수염을 쓴다.

나는 ㉤아버지로 섬기는 이라 한즉

의원은 또다시 넌지시 웃고

말없이 팔을 잡아 맥을 보는데

손길은 따스하고 부드러워

고향도 아버지도 아버지의 친구도 다 있었다.

작품 핵심

갈래	자유시, 서정시
성격	서사적, 서정적
제재	고향
주제	고향과 혈육에 대한 그리움
특징	① 대화 형식의 서사적 구조로 시상을 전개함. ② 인물에 대한 화자의 느낌을 비유적 표현으로 나타냄. ③ 다정다감한 어조로 고향과 혈육에 대한 그리움을 환기함.

이 시의 서사적 요소

인물	'나', 의원
사건	타향에서 병든 '나'가 의원을 만나 대화를 나누며 그에게서 고향의 따스함을 느낌.
배경	북관(타향)

화자가 본 '의원'의 모습

신비로운 모습
• 여래 같은 상을 함. • 관공의 수염을 드리움. • 먼 옛적 어느 나라 신선 같음.
인자하고 너그러운 모습
• 빙긋이 웃음을 띠고 • 넌지시 웃고

'손길'의 기능

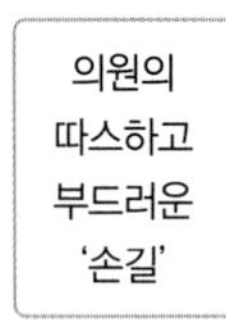

➡ 고향과 같은 따스함을 느낌.

⋮

고향에 대한 그리움의 정서 환기

중요

01

이 시에 대한 설명으로 알맞지 않은 것은?

① 시적 화자가 시에 직접 드러나 있다.
② 인물의 대화로 시상을 전개하고 있다.
③ 다정다감한 어조로 정서를 드러내고 있다.
④ 비유적인 표현을 사용해 인물을 묘사하고 있다.
⑤ 대조적인 의미의 시어를 사용해 주제를 부각하고 있다.

♥ 비유: 표현하려는 대상(원관념)을 다른 대상(보조 관념)에 빗대어 표현하는 것. 직유법, 은유법, 의인법 등이 있다.

02

이 시를 읽고 난 반응으로 보기에 적절하지 않은 것은?

① 효주: '나'는 고향을 떠나 타지에서 지내고 있어.
② 은우: '나'는 고향과 가족들을 그리워하고 있구나.
③ 서영: '나'와 '의원'이 이야기하는 장면이 생생하게 느껴지네.
④ 민호: '나'를 진맥하는 '의원'의 모습이 너그럽고 인자해 보여.
⑤ 희찬: '나'는 고향에서 알고 지내던 '의원'을 만나 반가워하는구나.

중요

03

화자에게 고향의 따뜻함을 느끼게 하는 소재로 알맞은 것은?

① 신선　② 정주　③ 아무개 씨
④ 막역지간　⑤ 손길

♥ 막역지간: 서로 거스르지 않는 사이라는 뜻으로, 허물이 없는 아주 친한 사이를 이르는 말.

04

[A]에서 드러나는 화자의 정서로 알맞은 것은?

① 죄책감　② 고독감
③ 상실감　④ 부끄러움
⑤ 혼란스러움

05

㉠~㉤ 중 '나'가 한 말에 해당하는 것은? (정답 2개)

① ㉠　② ㉡　③ ㉢　④ ㉣　⑤ ㉤

05 독은 아름답다 _ 함민복

은행나무 열매에서 구린내가 난다

주의해 주세요 ㉠구린내가 향기롭다

밤톨이 여물면서 밤송이가 따가워진다
(여물면서: 딴딴하게 잘 익으면서)

㉡날카롭게 찌르는 가시가 너그럽다

복어알을 먹으면 죽는다

㉢복어의 독이 복어의 사랑이다

자식을 낳고 술을 끊은 친구가 있다

㉣친구의 독한 마음이 아름답다

작품 핵심

갈래	자유시, 서정시
성격	서정적, 역설적
제재	은행나무, 밤송이, 복어, 친구
주제	부정적인 속성을 지닌 대상의 가치를 새롭게 인식하기를 바라는 마음
특징	① 역설적인 표현 방법을 사용하여 대상에 대한 인식을 전환함. ② 비슷한 문장 구조를 반복하여 운율을 형성함. ③ 후각적 심상, 촉각적 심상을 사용함.

화자가 새롭게 발견한 대상의 속성

대상	속성
은행나무 열매의 구린내	향기롭다
날카롭게 찌르는 밤송이 가시	너그럽다
먹으면 죽는 복어의 독	사랑이다
술을 끊은 친구의 독한 마음	아름답다

이 시에 사용된 역설적 표현

논리적 모순이 있는 시구

- (은행나무 열매의) 구린내가 향기롭다
- (밤송이의) 날카롭게 찌르는 가시가 너그럽다
- 복어의 독이 복어의 사랑이다
- (자식을 낳고 술을 끊은) 친구의 독한 마음이 아름답다

⬇

- 대상에 대한 기존의 부정적 인식과 대비되는 새로운 인식이 드러남.
- 부정적인 속성을 지닌 대상의 가치를 새롭게 인식하기를 바라는 시적 의미를 강조함.

01

이 시에 대한 설명으로 알맞지 않은 것은?

① 자연물을 소재로 삼아 주제를 전달하고 있다.
② 비슷한 문장 구조를 반복하여 리듬감이 느껴진다.
③ 기존의 인식과는 다른 새로운 시각이 드러나 있다.
④ 촉각적 심상을 사용하여 대상의 속성을 드러내고 있다.
⑤ 반어적 표현으로 대상의 부정적인 측면을 강조하고 있다.

02

〈보기〉의 관점에 따라 파악한 이 시의 주제로 알맞은 것은?

보기

인간의 관점에서 볼 때 은행나무 열매는 고약한 냄새를 풍기는 꺼려지는 대상이고, 밤송이의 가시는 날카롭고 따가워 성가신 대상이며, 복어의 독은 인간에게 해를 가하는 위험한 대상이다. 그러나 이러한 인간의 감각을 잣대로 하지 않을 때 자연은 자연 그대로의 아름다움을 지닌 대상이 될 수 있다. 인간 중심적인 생각을 버리면 은행나무 열매는 향기롭고, 밤송이의 가시는 너그러우며, 복어의 독은 복어의 사랑이 될 수 있다.

♥ 인간 중심주의: 인간을 우주와 세계의 중심에 놓고 인간 이외의 존재에 대해서는 '인간에게 유용한가'라는 도구적 가치 기준에 따라서 평가하는 것.

① 자연과 조화를 이루며 살아야 한다.
② 편견을 갖지 말고 대상을 있는 그대로 보자.
③ 스스로를 보호하려 하는 것은 자연의 이치이다.
④ 자식을 위하는 부모의 사랑은 아름답고 가치 있다.
⑤ 자연을 소중히 여길 때 더 큰 행복을 얻을 수 있다.

03

이 시의 1연에서 두드러지게 나타나는 심상의 종류를 쓰시오.

___

04

㉠~㉣에 담긴 의미를 이해한 내용으로 적절하지 않은 것은?

① ㉠: 은행나무의 구린내는 열매를 지켜 내기 위한 냄새이므로 향기롭다고 표현하였다.
② ㉡: 밤송이의 가시는 밤을 가지려는 자를 날카롭게 찌르지만, 밤톨을 보호하기 위한 것이므로 너그럽다고 표현하였다.
③ ㉢: 복어의 독은 복어알을 먹지 못하게 보호하므로 복어의 사랑이라고 표현하였다.
④ ㉣: 술을 끊은 독한 마음은 자신의 건강을 지키기 위한 바람직한 선택이므로 아름답다고 표현하였다.
⑤ ㉠~㉣: 논리적으로 모순이 있어 보이지만, 그 속에는 대상에서 발견한 새로운 가치가 담겨 있다.

♥ 모순: 어떤 사실의 앞뒤, 또는 두 사실이 이치상 어긋나서 서로 맞지 않음을 이르는 말.

청포도 _ 이육사

내 고장 칠월은

㉠청포도가 익어 가는 시절.

이 마을 전설이 주저리주저리 열리고
(주저리주저리: 작은 물건이 어지럽게 많이 매달려 있는 모양)

먼 데 ㉡하늘이 꿈꾸며 알알이 들어와 박혀,
(알알이: 한 알 한 알마다)

하늘 밑 ㉢푸른 바다가 가슴을 열고

흰 돛단배가 곱게 밀려서 오면,

내가 바라는 손님은 고달픈 몸으로

㉣청포(靑袍)를 입고 찾아온다고 했으니,
(청포: 푸른 빛깔의 도포)

내 그를 맞아 이 포도를 따 먹으면

두 손은 함뿍 적셔도 좋으련.
(함뿍: '흠뻑'의 사투리)

[A] 아이야, 우리 식탁엔 ㉤은쟁반에
하이얀 모시 수건을 마련해 두렴.

작품 핵심

갈래	자유시, 서정시
성격	상징적, 감각적, 의지적
제재	청포도
주제	조국 광복에 대한 염원, 평화로운 삶에 대한 소망
특징	① 흰색과 푸른색을 대비하여 선명한 이미지를 제시함(색채 대비). ② 상징적인 소재를 통해 화자의 소망을 드러냄. ③ 상황을 가정하여 화자의 간절한 마음과 기다림의 정서를 표현함.

이 시에 나타나는 색채 대비

푸른색	
시어	청포도, 하늘, 푸른 바다, 청포
의미	젊음, 희망, 꿈, 생명력

흰색	
시어	흰 돛단배, 은쟁반, 하이얀 모시 수건
의미	맑음, 순수, 깨끗함, 정성스러움

시어의 함축적 의미

청포도	희망, 풍요, 평화
전설	'청포도'를 빗댄 표현. 일제 강점기 이전 고향 마을의 평화로운 삶
하늘	소망, 이상, 꿈
손님	화자가 기다리는 대상(조국의 광복, 민족의 구원자)
청포	희망, 꿈
은쟁반, 하이얀 모시 수건	손님을 맞을 준비(깨끗하고 정갈한 이미지)

01

이 시를 감상한 내용으로 적절하지 않은 것은?

① 지우: 선명한 색채 대비를 통해 아름다운 고향의 모습이 감각적으로 드러나.
② 민서: 청포도가 익어 간다는 부분에서 풍요롭고 넉넉한 고향의 모습을 상상할 수 있어.
③ 경수: 정성스럽게 손님을 맞을 준비를 하는 모습에서 화자의 기다림이 간절하게 느껴져.
④ 은비: 손님이 온다면 자신의 두 손을 함뿍 적셔도 좋다는 표현에서 화자의 희생적 태도를 짐작할 수 있어.
⑤ 지혜: 고달픈 몸으로 청포를 입고 찾아오는 모습에서 고난을 겪고 좌절하는 손님의 모습을 상상할 수 있어.

02

〈보기〉는 이 시를 쓴 이육사에 대한 설명이다. '손님'의 의미를 〈보기〉에 제시된 이육사의 삶과 관련지어 한 문장으로 쓰시오.

보기

이육사는 일제 강점기의 암담한 현실을 깨닫게 된 후 독립운동에 적극적으로 참여하였다. 여러 항일 운동 단체에 가입하였고, 조선 군사 간부 학교도 우수한 성적으로 졸업하였다. 항일 운동과 관련하여 여러 차례 옥살이를 하였으나, 일제에 대한 그의 저항 정신은 변함이 없었다. 이러한 육사의 모습은 그의 문학 작품에 고스란히 반영되어 있다.

03

다음 설명에 해당하는 시어를 찾아 쓰시오.

의도적으로 어법에 맞지 않는 표현을 사용하여 시적 의미를 강조한다.

♥ 시적 허용: 시인이 의도적으로 어법에 어긋난 표현을 사용하는 것. 시의 분위기와 운율을 형성하고 의미를 강조하는 효과를 얻을 수 있다.

04

[A]에서 짐작할 수 있는 화자의 모습으로 적절한 것은?

① 엄격하고 신중하다.
② 부지런하고 활달하다.
③ 의지적이고 미래 지향적이다.
④ 약자를 배려하고 도와줄 줄 안다.
⑤ 순발력이 좋아 임기응변에 뛰어나다.

♥ 임기응변: 그때그때 처한 사태에 맞추어 즉각 그 자리에서 결정하거나 처리함.

05

㉠~㉤ 중 시어가 불러일으키는 색채 및 의미가 다른 것은?

① ㉠ ② ㉡ ③ ㉢ ④ ㉣ ⑤ ㉤

민지의 꽃 _ 정희성

강원도 평창군 미탄면 청옥산 기슭.

덜렁 집 한 채 짓고 살러 들어간 제자를 찾아갔다.

거기서 만들고 거기서 키웠다는

다섯 살배기 딸 민지.

민지가 아침 일찍 눈 비비고 일어나

저보다 큰 물뿌리개를 나한테 들리고

질경이 나싱개 토끼풀 억새……

('냉이'의 사투리)

이런 풀들에게 물을 주며

잘 잤니, 인사를 하는 것이었다.

그게 뭔데 거기다 물을 주니?

꽃이야, 하고 민지가 대답했다.

그건 잡초야, 라고 말하려던 내 입이 다물어졌다.

내 말은 때가 묻어

천지와 귀신을 감동시키지 못하는데

㉠꽃이야, 하는 그 애의 말 한마디가

풀잎의 풋풋한 잠을 흔들어 깨우는 것이었다.

작품 핵심

갈래	자유시, 서정시
성격	체험적, 반성적
제재	산골에 사는 '민지'
주제	민지의 순수함이 주는 삶의 성찰
특징	① 시적 화자의 경험과 깨달음이 구체적으로 드러남. ② 인물의 대화를 그대로 제시하여 생동감을 줌. ③ 시적 화자와 '민지'의 말을 대조적으로 제시하여 주제를 드러냄.

'민지'의 성격

- 아침 일찍 눈 비비고 일어나 풀에 물을 줌.
- 풀들에게 잘 잤냐고 인사함.
- 풀을 꽃으로 여기고 대함.

⬇

맑고 순수함

'풀'을 대하는 '민지'와 '나'의 태도

민지	풀을 꽃으로 여기고, 물을 주며 인사함. → 고정 관념 없이 대상을 대하는 순수한 태도를 지님.
'나'	풀을 잡초로만 여김. → 세속적인 때가 묻어 고정 관념을 갖고 대상을 대함.

시적 화자의 깨달음

꽃이야, 하는 그 애의 말 한마디

⋮

어른인 자신의 말은 때가 묻어 세상을 감동시키지 못하지만, 민지의 순수한 말은 풀잎의 잠을 깨우는 듯한 감동을 줌.

중요
01

이 시에 대한 설명으로 알맞지 않은 것은?

① 화자의 경험과 깨달음이 드러나 있다.
② 배경이 되는 공간이 구체적으로 드러나 있다.
③ 어른이 된 화자가 어린 시절을 회상하고 있다.
④ 화자와 대상의 대화가 있는 그대로 제시되어 있다.
⑤ 대상을 통해 화자 자신의 삶을 반성하는 태도가 드러나 있다.

02

이 시를 읽고 떠올릴 수 있는 장면으로 적절하지 않은 것은?

① 민지가 풀들에게 잘 잤냐고 인사하는 장면
② 화자가 제자를 만나러 강원도 산골에 가는 장면
③ 화자가 풀들을 가리키며 민지에게 잡초라고 알려 주는 장면
④ 아침 일찍 일어난 민지가 화자에게 물뿌리개를 들게 하는 장면
⑤ 민지가 질경이, 토끼풀, 억새 등을 가리키며 꽃이라고 말하는 장면

중요
03

이 시의 화자가 민지의 모습을 보며 깨달은 내용으로 적절한 것은?

① 도시를 떠나 자연에서 살면서 순수함을 회복해야겠다.
② 민지처럼 풀들에게 인사하며 자연을 친구로 여겨야겠다.
③ 평소에 꽃에 관심을 갖고 꽃의 종류에 대해 공부해야겠다.
④ 고정 관념에 얽매이지 말고 대상을 있는 그대로 보아야겠다.
⑤ 같은 대상을 사람마다 다르게 부를 수 있음을 받아들여야겠다.

♥ 고정 관념: 잘 변하지 않는, 행동을 주로 결정하는 확고한 의식이나 관념. 대상에 대한 단순하고 지나치게 일반화된 생각들.

04

다음 설명에 해당하는 시구를 찾아 2어절로 쓰시오.

> 세속적인 고정 관념에 사로잡혀 대상을 대하는 시각이 반영된 표현으로, 민지와 대조되는 시적 화자의 태도가 드러난다.

____

05

㉠에 대한 설명으로 알맞지 않은 것은?

① 화자가 자신을 성찰하는 계기이다.
② 민지의 맑고 순수한 마음을 드러낸다.
③ 세속의 때가 묻은 화자와 대조를 이룬다.
④ 자신을 반성하는 화자에 대한 민지의 위로이다.
⑤ 풀잎의 잠을 깨우고 세상을 감동시킬 수 있는 말이다.

♥ 성찰: 자기의 마음을 반성하고 살핌.

08 성북동 비둘기 _ 김광섭

성북동 산에 ㉠*번지가 새로 생기면서

본래 살던 성북동 비둘기만이 ㉡번지가 없어졌다.

새벽부터 ⓐ돌 깨는 산울림에 떨다가

가슴에 금이 갔다.

그래도 성북동 비둘기는

하느님의 광장 같은 새파란 아침 하늘에

성북동 주민에게 ⓑ축복의 메시지나 전하듯

성북동 하늘을 한 바퀴 휘 돈다.

ⓒ성북동 메마른 골짜기에는

조용히 앉아 콩알 하나 찍어 먹을

널찍한 마당은커녕 가는 데마다

ⓓ*채석장 포성이 메아리쳐서

피난하듯 지붕에 올라앉아

아침 구공탄 굴뚝 연기에서 향수를 느끼다가
구멍이 뚫린 연탄을 통틀어 이르는 말

산 1번지 채석장에 도루 가서

ⓔ금방 따낸 돌 온기에 입을 닦는다.

예전에는 사람을 성자(聖者)처럼 보고

사람 가까이

사람과 같이 사랑하고

사람과 같이 평화를 즐기던

사랑과 평화의 새 비둘기는

이제 산도 잃고 사람도 잃고

사랑과 평화의 사상까지

낳지 못하는 쫓기는 새가 되었다.

작품 핵심

갈래	자유시, 서정시
성격	비판적, 상징적
제재	비둘기
주제	자연 파괴와 인간성 상실에 대한 비판
특징	① 우의적 표현으로 현대 사회의 문제점을 드러냄. ② 문명과 자연의 대립 구조가 드러남. ③ 청각, 시각, 촉각 등 다양한 감각적 이미지를 활용함.

이 시에 반영된 사회의 모습

- 돌 깨는 산울림
- 메마른 골짜기
- 채석장 포성

⬇

산업화, 도시화로 자연이 파괴되고 인간성이 상실된 현대 문명 사회

'비둘기'의 상징적 의미

'비둘기'의 상황

- 번지(삶의 터전)가 없어짐.
- 돌 깨는 산울림에 떨다가 가슴에 금이 감.
- 피난하듯 지붕에 올라앉음.
- 산도 잃고 사람도 잃고 사랑과 평화의 사상까지 낳지 못하는 쫓기는 새가 됨.

⋮

상징적 의미

현대 물질문명에 의해 파괴된 자연, 그로 인해 점점 소외되는 인간의 모습을 상징함.

어휘 쏙쏙

- **번지**: 땅을 일정한 기준에 따라 나누어서 매겨 놓은 번호. 또는 그 땅.
- **채석장**: 석재(石材)로 쓸 돌을 캐거나 떠 내는 곳.

중요

01 이 시에 대한 설명으로 알맞지 않은 것은?

① 문명과 자연이 대립적 구조를 이루고 있다.
② 현대 사회의 문제점을 직접적으로 비판하고 있다.
③ 감각적 시어를 통해 이미지를 생생하게 표현하고 있다.
④ 상징적 소재를 통해 주제를 효과적으로 드러내고 있다.
⑤ 일정한 형식에 구애되지 않고 자유롭게 시상을 전개하고 있다.

♥ 구애되다: 거리끼거나 얽매이게 되다.

02 이 시를 바탕으로 하여 영상물을 제작하기 위한 회의 내용으로 적절하지 않은 것은?

① 수아: 첫 번째 장면은 이른 새벽부터 성북동에 요란하게 울려 퍼지는 돌 깨는 소리로 시작하는 게 좋겠어.
② 현주: 그런 다음 돌 깨는 소리에 고통스러워하는 비둘기의 모습을 영상에 담아야 해.
③ 원영: 이어서 하늘을 맴돌던 비둘기가 지붕 위에 앉았다가 채석장으로 돌아가는 모습을 보여 주면 되겠어.
④ 재경: 지금의 모습과 대비되도록 비둘기가 사람들과 친하게 지냈던 과거 모습을 흑백 영상으로 삽입하면 어때?
⑤ 선미: 좋은 생각이야. 마지막은 비둘기가 다시 평화로운 모습을 되찾는 것으로 마무리하여 주제를 강조하면 되겠지?

03 ㉠과 ㉡에 대한 설명으로 적절한 것은?

① ㉠과 ㉡은 상호 보완적인 관계이다.
② ㉠이 생겨서 ㉡이 사라지게 되었다.
③ ㉠은 현실 세계, ㉡은 이상 세계를 의미한다.
④ ㉠과 ㉡은 자연과 인간이 조화를 이루는 공간이다.
⑤ 화자는 ㉡보다 ㉠이 더 많아져야 한다고 생각한다.

♥ 상호 보완적 관계: 서로 모자라거나 부족한 것을 보충하여 완전하게 하는 관계.

중요

04 ⓐ~ⓔ 중 다음 설명에 해당하는 시어 및 시구를 골라 묶은 것은?

> 인간에 의한 자연 파괴라는 현대 문명의 폭력성을 청각적 심상을 활용해 드러내었다.

① ⓐ, ⓒ ② ⓐ, ⓓ ③ ⓑ, ⓔ
④ ⓒ, ⓓ ⑤ ⓒ, ⓔ

♥ 문명: 인류가 이룩한 물질적, 기술적, 사회 구조적인 발전.

05 다음 빈칸에 들어갈 알맞은 단어를 시에서 찾아 순서대로 쓰시오.

> 이 시는 단순히 현대 물질문명을 비판하는 데 그치는 것이 아니라, 현대 문명 사회에서 자연의 소중함과 더불어 (　　　)와/과 (　　　)(이)라는 인간적 가치의 중요성을 일깨우고 있다.

09 훈민가 _ 정철 두꺼비 파리를 물고 _ 작자 미상

가 오늘도 날이 다 새었다 호미 메고 가자꾸나

내 논 다 매거든 네 논 좀 매어 주마

올 길에(오는 길에) 뽕 따다가 누에 먹여 보자꾸나

나 ㉠두꺼비 파리를 물고 두엄(풀, 짚, 가축의 배설물 등을 썩힌 거름) 위에 치달아 앉아

건너편 산 바라보니 백송골(맷과의 새. 성질이 굳세고 날쌤)이 떠 있거늘 가슴이 끔찍하여 펄쩍 뛰어 내닫다가 두엄 아래 자빠졌구나.

모쳐라('마침'의 옛말) 날랜 나이기 망정이지 멍이 들 뻔했구나.

작품 핵심

가 훈민가 _ 정철

갈래	고시조, 평시조, 연시조(전 16수)
성격	계몽적, 교훈적, 설득적
제재	근면, 상부상조
주제	유교 윤리의 실천 권장
특징	① 청유형 표현을 사용하여 유교 윤리를 실천하도록 권장함. ② 순우리말을 사용하여 이해하기 쉽게 씀.

화자의 특징과 표현 효과

- 화자를 평범한 백성의 한 사람으로 설정함.
- 우리말로 된 청유형 문장으로 표현함.

↓

백성들이 내용을 쉽게 이해하고 친근감을 느끼게 함.

나 두꺼비 파리를 물고 _ 작자 미상

갈래	고시조, 사설시조
성격	풍자적, 우의적, 해학적
제재	두꺼비
주제	양반의 횡포와 허장성세(허세)에 대한 풍자
특징	① 상징적 소재를 사용하여 약육강식의 세태를 풍자함. ② 우의적 수법으로 사회 현실을 풍자하고 대상을 희화화함.

소재의 상징적 의미

두꺼비	약자에게 강하고 강자에게 약한 지방 관리나 무능한 양반층
파리	힘없고 나약한 백성
백송골	큰 권력을 가진 중앙 관리나 외세

01

(가)와 (나)의 공통점으로 알맞지 않은 것은? (정답 2개)

① 형식의 제약을 받는 부분이 있다.
② 갑오개혁 이전에 지어진 고시조이다.
③ 유교적 관념을 표현하기 위해 창작하였다.
④ 초장 · 중장 · 종장의 3장 구조가 기본이다.
⑤ 백성들보다는 양반층에서 즐겨 창작하였다.

02

(가), (나)에서 글자 수가 고정된 부분을 각각 찾아 쓰시오.

(가): ____________________ (나): ____________________

03

(가)의 화자에 대한 설명으로 알맞지 않은 것은?

① 일반 백성으로 설정되어 있다.
② 이해하기 쉬운 어휘를 사용하고 있다.
③ 청유형으로 말하며 실천을 권하고 있다.
④ 근면성과 상부상조 정신을 강조하고 있다.
⑤ 자연에서 유유자적하게 사는 삶을 소망하고 있다.

♥ 상부상조: 서로서로 도움.
♥ 유유자적: 속세를 떠나 아무 속박 없이 조용하고 편안하게 삶.

04

(나)의 종장을 두꺼비의 말로 표현한 작가의 의도로 가장 적절한 것은?

① 두꺼비의 감정을 진솔하게 전달하기 위해서
② 백송골의 무능력한 모습을 강조하기 위해서
③ 두꺼비가 느끼는 자부심을 보여 주기 위해서
④ 사실적인 표현으로 시에 생동감을 불어넣기 위해서
⑤ 자기 합리화를 하는 두꺼비의 허세를 풍자하기 위해서

♥ 풍자: 어떤 사회나 인물의 결함, 죄악, 부조리 등을 우회적으로 폭로함으로써 그를 비판하고 비웃는 태도를 드러내는 것.

05

㉠에 나타난 두꺼비의 모습을 통해 비판하고자 한 것은?

① 동물의 생명을 가볍게 여기는 세태
② 물질적 가치를 최우선으로 여기는 사람
③ 백성을 수탈하고 횡포를 부리는 탐관오리
④ 불우한 이웃을 돌보지 않고 자신의 이익만 추구하는 사람
⑤ 신분이 낮으면 높은 관직에 오를 수 없는 조선 사회의 현실

개념을 알아야 공부를 잘한다

1 소설의 개념

현실에 있음 직한 일을 작가가 상상하여 꾸며 쓴 이야기

2 소설의 특성

(1) **허구성**: 작가가 상상하여 꾸며 낸 이야기이다.

(2) **개연성**: 현실에 있을 법한 이야기를 다룬다.

(3) **모방성**: 현실 세계의 모습을 본뜨거나 반영한다.

(4) **서사성**: 인물, 사건, 배경 등을 갖추고 시간의 흐름에 따라 사건이 전개된다.

(5) **진실성**: 꾸며 낸 이야기지만 인생의 진솔한 이야기를 통해 삶의 진실을 추구하고 바람직한 인간상을 찾고자 한다.

(6) **산문성**: 줄글 형태로 이루어진 산문 문학의 대표적 양식이다.

(7) **예술성**: 문체와 구성 등을 통해 아름다움을 표현하여 예술적인 가치를 지닌다.

3 소설의 3요소

주제	구성	문체
작가가 작품에서 말하고자 하는 중심 생각	인과 관계를 고려하여 이야기를 짜임새 있게 배열하는 것	작가의 개성이 드러나는 문장 표현 방식

소설 구성의 3요소

인물	사건	배경
작가의 상상력으로 창조되어 작품 속에 등장하는 사람(존재)	등장인물이 겪거나 벌이는 일들	사건이 일어나는 시간과 장소, 사회적 상황

4 소설의 구성

(1) 소설 구성의 5단계

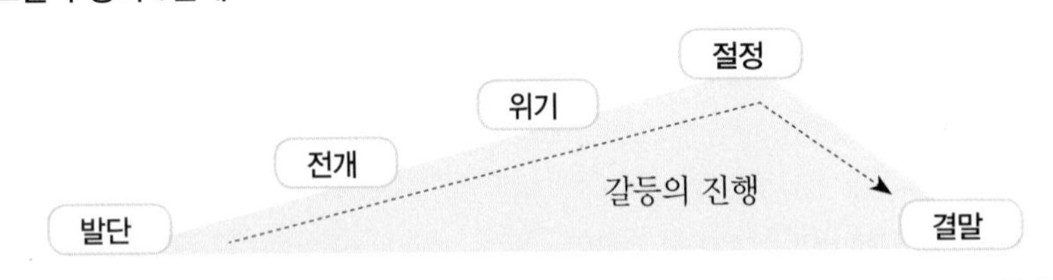

발단	전개	위기	절정	결말
• 인물과 배경 소개 • 사건 시작	• 갈등의 표면화 • 사건 진행	• 갈등의 심화 • 긴장감 고조	• 갈등의 최고조 • 사건 해결의 실마리 제시	• 갈등의 해소 • 사건 마무리, 인물의 운명 결정

개념 확인 문제

1 소설에 대한 설명을 읽고 ○ 또는 X에 표시하시오.

(1) 줄글로 표현하는 산문 문학이다. (○, X)

(2) 대상에 대한 객관적인 정보를 전달하는 것이 목적이다. (○, X)

(3) 실존했던 인물의 삶이나 실제로 일어난 사건을 전달한다. (○, X)

(4) 언어를 통해 형식과 표현의 아름다움을 드러내는 예술이다. (○, X)

2 다음에서 설명하는 소설의 특성은?

> 인생의 진솔한 이야기를 통해 삶의 진실을 추구한다.

① 사실성 ② 진실성 ③ 허구성 ④ 모방성 ⑤ 개연성

3 소설의 3요소 중 작가의 개성이 드러나는 문장 표현 방식을 □□(이)라고 한다.

4 〈보기〉에 주로 드러나는 소설 구성의 요소를 쓰시오.

> 보기
>
> 수남이란 어엿한 이름이 있는데도 꼬마로 통한다. 열여섯 살이라지만 볼은 아직 어린아이처럼 토실하니 붉고, 눈 속이 깨끗하다. 숙성한 건 목소리뿐이다. – 박완서, 〈자전거 도둑〉

5 소설에서 인물과 배경이 제시되는 구성 단계는 (　　　　)이고, 갈등이 최고조에 이르는 단계는 (　　　　)이다.

(2) 구성의 유형

순행적 구성	사건을 '과거 – 현재 – 미래'의 시간 흐름에 따라 구성하는 방법으로, 평면적 구성이라고도 함.
역순행적 구성	사건을 시간이 흐르는 순서가 아니라 작가의 의도에 따라 뒤바꾸어 구성하는 방법으로, 입체적 구성이라고도 함.
액자식 구성	이야기 안에 또 다른 이야기가 들어 있는 구성으로, 보통 '외부 이야기 → 내부 이야기 → 외부 이야기'로 이루어짐.
일대기적 구성	인물이 태어나서 죽기까지 일생 동안 겪는 일로 내용을 전개하는 구성으로, 주로 고전 소설에서 나타남.

5 소설의 인물

(1) 인물의 특징

- 인물은 작가가 창조한 존재로, 사람 외에 동물이나 사물도 될 수 있다.
- 소설의 인물은 상상하여 만들어 낸 존재이지만 현실의 인간상을 반영한다.
- 인물은 사건을 일으키고 행동하는 주체로, 갈등을 일으켜 사건을 전개하고 주제를 드러낸다.

(2) 인물의 유형

중요도에 따라	중심인물	주변 인물
	작품에서 차지하는 비중이 큰 인물. 작품의 주인공, 또는 그와 비슷한 비중을 갖는 인물임.	작품에서 차지하는 비중이 크지 않은 보조적 인물
역할에 따라	주동 인물	반동 인물
	작가가 전달하려는 주제와 같은 방향으로 움직이는 인물. 작품의 주인공이자 중심인물임.	작가가 전달하려는 주제와 반대로 움직이는 인물. 주동 인물과 대립하여 갈등을 일으킴.
성격 변화에 따라	평면적 인물	입체적 인물
	작품의 처음부터 끝까지 성격의 변화가 없는 인물	사건이 전개됨에 따라 성격이 변화하는 인물
집단 대표성에 따라	전형적 인물	개성적 인물
	사회의 특정 계층이나 집단을 대표하는 인물	그 인물만이 지니는 독특한 개성이 드러나는 인물

(3) 인물 제시 방식

직접 제시	서술자가 등장인물의 성격이나 심리를 직접 설명해 주는 방법 예 경호네 내외간이 모두 억척스럽고 성실한 일꾼이었다.
간접 제시	인물의 행동, 대화, 외양 묘사를 통해 독자가 등장인물의 성격이나 심리를 짐작하게 하는 방법 예 여지껏 가무잡잡한 점순이의 얼굴이 이렇게까지 홍당무처럼 새빨개진 법이 없었다.

개념 확인 문제

6 다음에서 설명하는 구성의 유형으로 알맞은 것은?

> 인물의 회상을 통해 현재에서 과거로 거슬러 가거나, 과거로 갔다가 다시 현재로 돌아와 이야기를 서술하기도 한다.

① 순행적 구성
② 입체적 구성
③ 액자식 구성
④ 평면적 구성
⑤ 일대기적 구성

7 소설의 인물은 현실의 인간상을 반영하여 작가가 창조한 존재이다. (○, X)

8 다음 빈칸에 알맞은 말을 쓰시오.

(1) ( ) 인물은 작품 속 상황에 따라 성격이 변하는 인물이다.
(2) 집단을 대표하는지 여부에 따라 ( ) 인물과 개성적 인물로 나눈다.
(3) 작가가 전달하려는 주제와 같은 방향으로 움직이는 인물은 ( ) 인물이다.
(4) 작품에서 비중이 크고 중요한 인물은 ( ) 인물이고, 그렇지 않은 인물은 ( ) 인물이다.

9 ㉠~㉢의 인물 제시 방식을 각각 쓰시오.

> ㉠ 공이 물러가라 하자 그제서야 길동은 침소로 돌아와 슬퍼해 마지않았다.
> ㉡ 눈 하나 깜짝 없이 고대로 앉아서 호드기만 부는 그 꼴에 더욱 치가 떨린다.
> ㉢ 남이는 여느 때와 조금도 다름없이 부엌에서 아침 채비를 하고 있다. 다만 다른 것은 눈시울이 약간 부은 것뿐이다.

6 소설의 갈등

(1) 갈등의 개념: 인물의 내면이나 인물과 다른 대상 사이에서 일어나는 대립 상태를 의미한다.

(2) 갈등의 역할

- 인물의 성격과 역할을 뚜렷하게 드러낸다.
- 사건에 긴장감을 조성하고 필연성을 부여한다.
- 독자의 관심과 흥미를 불러일으킨다.
- 갈등의 해결 과정을 통해 주제를 드러낸다.

(3) 갈등의 종류

① 내적 갈등: 한 인물의 마음속에서 두 가지 이상의 생각이 부딪쳐 일어나는 심리적 갈등

② 외적 갈등: 인물과 그 인물을 둘러싼 외부 요인 사이에서 발생하는 갈등

인물과 인물의 갈등	인물과 사회의 갈등
인물들의 성격, 가치관, 이해관계 등이 대립하여 일어나는 갈등	개인과 사회 제도 · 관습 · 윤리 등이 대립하여 일어나는 갈등

인물과 운명의 갈등	인물과 자연의 갈등
인물이 자신에게 주어진 운명에 반발함으로써 겪는 갈등	인물이 자연재해를 겪거나 자연에 도전하면서 겪는 갈등

7 소설의 배경

(1) 배경의 종류

시간적 배경	사건이 일어나고 인물이 행동하는 시간, 시대, 계절 예 1950년대, 겨울, 비 오는 저녁
공간적 배경	사건이 벌어지고 인물이 행동하는 장소, 지역 예 산골 마을, 어느 아파트
사회적 배경	인물을 둘러싼 사회 현실과 시대적 · 역사적 환경 예 새로운 문물이 들어오며 근대화가 이루어지던 시대, 6 · 25 전쟁이 일어난 때

(2) 배경의 기능

- 작품의 전반적인 분위기를 형성한다.
- 인물의 심리를 간접적으로 나타낸다.
- 사건이 전개될 방향을 암시하는 복선의 기능을 한다.
- 배경 자체가 상징적인 의미를 나타내거나 주제를 드러내기도 한다.
- 구체적인 지역명이나 시대 상황을 드러내어 작품의 사실성을 높인다.

잠깐! '복선'이 무엇일까?

복선은 뒤에 일어날 사건을 독자가 미리 짐작할 수 있도록 넌지시 알려 주는 장치야. 복선은 사건에 필연성을 부여하고 주제를 암시하기도 하지.

개념 확인 문제

10 다음 빈칸에 알맞은 말을 쓰시오.

(1) 인물의 내면이나 인물과 다른 대상 사이에서 일어나는 대립 상태를 (　　　　　)이라고 한다.

(2) 한 인물의 마음속에서 두 가지 이상의 생각이 부딪쳐 일어나는 갈등을 (　　　　　)이라고 한다.

11 갈등에 대한 설명으로 알맞지 않은 것은?

① 갈등은 사건에 긴장감을 조성한다.
② 갈등은 독자의 흥미를 이끌어 낸다.
③ 갈등을 통해 인물의 역할이 뚜렷하게 드러난다.
④ 인물 외의 다른 요소는 갈등의 주체가 될 수 없다.
⑤ 갈등이 진행되고 해결되는 과정에서 주제가 드러난다.

12 〈보기〉에서 뚜렷하게 드러나는 갈등의 종류를 구체적으로 쓰시오.

보기

닭은 푹 엎어진 채 다리 하나 꼼짝 못 하고 그대로 죽어 버렸다. 그리고 나는 멍하니 섰다가 점순이가 매섭게 눈을 흡뜨고 닥치는 바람에 뒤로 벌렁 나자빠졌다.

"이놈아! 너, 왜 남의 닭을 때려죽이니?"

"그럼 어때?"

하고 일어나다가

"뭐, 이 자식아! 누 집 닭인데?"

하고 복장을 떼미는 바람에 다시 벌렁 자빠졌다.

– 김유정, 〈동백꽃〉

13 배경의 종류가 다른 하나는?

① 개울가
② 사흘 전
③ 지난해 봄
④ 눈 오는 밤
⑤ 1930년대 말

8 서술자와 시점

(1) 서술자의 개념: 독자에게 소설의 이야기를 효과적으로 전달하기 위해 작가가 만들어 낸 존재이다.

(2) 시점의 개념: 소설에서 인물이나 사건을 바라보는 서술자의 위치와 태도를 의미한다.

(3) 시점의 종류

관점 / 위치	인물의 내면까지 전달	관찰한 것을 전달
작품 안	1인칭 주인공 시점	1인칭 관찰자 시점
작품 밖	전지적 작가 시점	작가 관찰자 시점

① 1인칭 주인공 시점: 작품 속의 주인공인 '나'가 자신의 이야기를 전달한다. 주인공이 자신의 입장에서 말하므로 내용이 주관적이다.

② 1인칭 관찰자 시점: 작품 속의 '나'가 중심인물을 관찰하여 그 내용을 전달한다. 관찰한 것만 서술하므로 다른 인물의 심리를 서술할 수 없다.

③ 전지적 작가 시점: 작품 밖의 서술자인 작가가 신처럼 모든 것을 아는 입장에서 인물의 행동, 심리, 사건을 서술한다. 서술자가 사건의 모든 부분과 인물의 내면까지 알려 주므로 독자가 상상력을 발휘할 여지가 적다.

④ 작가 관찰자 시점: 작품 밖의 작가가 관찰자가 되어 인물의 행동과 사건을 객관적으로 전달한다.

9 고전 소설

(1) 고전 소설의 개념: 조선 시대에 생겨난 산문 문학의 한 종류로, 갑오개혁(1894) 이전까지 창작된 우리 소설을 현대 소설과 구분하여 이르는 말이다.

(2) 고전 소설의 일반적 특징

주제	착한 사람은 복을 받고 악한 사람은 벌을 받는다는 권선징악의 가치관
구성	• 시간의 흐름에 따라 사건을 전개하는 평면적 구성 • 주인공이 태어나 죽을 때까지의 내용을 다루는 일대기적 구성
인물	• 성격의 변화가 없는 평면적 인물과 특정 집단의 성격을 대표하는 전형적 인물이 주로 등장함. • 중심인물은 대체로 비범한 능력과 빼어난 재주를 지니고 외모가 뛰어난 인물임.
사건	• 우연한 만남이나 상황에 따라 사건이 발생함. • 비현실적인 사건, 기이하고 신비로운 요소가 나타남.
배경	• 시간적 배경이 대부분 막연함. • 공간적 배경이 우리나라, 중국, 또는 비현실적인 공간인 경우가 많음.
시점	작품 밖의 서술자가 사건과 인물에 대해 모두 알고 있는 전지적 작가 시점
결말	주인공이 고난과 시련을 모두 이겨 내고 행복해지는 결말

개념 확인 문제

14 서술자와 시점에 대한 설명을 읽고 ○ 또는 X에 표시하시오.

(1) 작품 속 인물이 서술자가 될 수 있다. (○, X)

(2) 작품에 '나'가 존재하는 것은 1인칭 시점이다. (○, X)

(3) 작품 밖의 작가가 인물의 내면까지 알려 주는 것은 작가 관찰자 시점이다. (○, X)

15 〈보기〉의 시점을 쓰시오.

보기

사실 그다음 시간 교실을 들어갔을 때 문기는 크게 놀랐다. 칠판 한가운데, '김문기는 ○○○했다.'가 커다랗게 쓰여 있다.

뒤미처 선생님이 들어왔다. 일은 간단히, 선생님이 한번 쳐다보고 누구 장난이냐, 하고 쓱쓱 지워 버리고는 고만이었지만 선생님이 들어오고 그것을 지우기까지의 그동안 문기는 실로 앞이 캄캄했다.

– 현덕, 〈하늘은 맑건만〉

16 다음은 고전 소설에 대한 설명이다. ( )의 내용 중 알맞은 것을 고르시오.

(1) 고전 소설의 구성 방식은 대체로 (평면적, 입체적) 구성이다.

(2) 고전 소설의 시간적 배경은 대부분 (막연하다, 구체적이다).

(3) 고전 소설은 (행복하게, 비극적으로) 결말을 맺는 경우가 많다.

17 〈보기〉에 드러나는 고전 소설의 특징을 정리할 때, 빈칸에 알맞은 말을 쓰시오.

보기

길동이 급히 몸을 감추고 주문을 외니, 홀연 한 줄기 음산한 바람이 일어나 집은 간데없고 첩첩한 산속의 풍경이 굉장하였다.

– 허균, 〈홍길동전〉

→ (   )인 사건, 기이하고 신비로운 요소가 나타난다.

사랑손님과 어머니 ① _ 주요섭

가 나는 금년 여섯 살 난 처녀 애입니다. 내 이름은 박옥희이고요. 우리 집 식구라고는 세상에서 제일 예쁜 우리 어머니와 나, 이렇게 단 두 식구뿐이랍니다. 아차 큰일났군, 외삼촌을 빼놓을 뻔했으니.

지금 중학교에 다니는 외삼촌은 어디를 그렇게 싸돌아다니는지 집에는 *끼니때 외에는 별로 붙어 있지를 않으니까 어떤 때는 한 주일씩 가도 외삼촌 코빼기도 못 보는(도무지 나타나지 않아 전혀 볼 수 없는) 때가 많으니까요, 깜박 잊어버리기도 예사(보통 있는 일)지요, 무얼.

우리 어머니는, 그야말로 세상에서 둘도 없이 곱게 생긴 우리 어머니는, 금년(올해) 나이 스물네 살인데 과부(남편을 잃고 혼자 사는 여자)랍니다. 과부가 무엇인지 나는 잘 몰라도, 하여튼 동리(마을) 사람들이 나더러 '과부 딸'이라고들 부르니까, 우리 어머니가 과부인 줄을 알지요. 남들은 다 아버지가 있는데, 나만은 아버지가 없지요. 아버지가 없다고 아마 '과부 딸'이라나 봐요.

나 나는 그 아저씨가 어떠한 사람인지는 몰랐으나 첫날부터 내게는 퍽 고맙게 굴고, 나도 그 아저씨가 꼭 마음에 들었어요.

어른들이 저희끼리 말하는 것을 들으니까, 그 아저씨는 돌아가신 우리 아버지와 어렸을 적 친구라고요. 어디 먼 데 가서 공부를 하다가 요새 돌아왔는데, 우리 동리 학교 교사로 오게 되었대요. 또, 우리 큰외삼촌과도 동무인데, 이 동리에는 하숙도 별로 깨끗한 곳이 없고 해서 윗사랑으로 와 계시게 되었다고요. 또, 우리도 그 아저씨한테서 밥값을 받으면 살림에 보탬도 좀 되고 한다고요.

그 아저씨는 그림책들을 얼마든지 가지고 있어요. 내가 사랑방으로 나가면, 그 아저씨는 나를 무릎에 앉히고 그림책들을 보여 줍니다. 또, 가끔 과자도 주고요.

발단 (   )네 가족과 그 집에서 하숙하게 된 (   )에 대한 소개

다 어느 날은 점심을 먹고 이내 살그머니 *사랑에 나가 보니까, 아저씨는 그때에야 점심을 잡수셔요. 그래 가만히 앉아서 점심 잡숫는 걸 구경하고 있노라니까, 아저씨가

"옥희는 어떤 반찬을 제일 좋아하노?"

하고 묻겠지요. 그래 삶은 달걀을 좋아한다고 했더니, 마침 상에 놓인 삶은 달걀을 한 알 집어 주면서 나더러 먹으라고 합니다.

나는 그 달걀을 벗겨 먹으면서, / "아저씨는 무슨 반찬이 제일 맛나요?"

하고 물으니까, 아저씨는 한참이나 빙그레 웃고 있더니, / "나도 삶은 달걀."

하겠지요. 나는 좋아서 손뼉을 짤깍짤깍 치고,

"아, 나와 같네. 그럼 가서 어머니한테 알려야지."

하면서 일어서니까, 아저씨가 꼭 붙들면서, / "그러지 마라."

그러시겠지요. 그래도 나는 한번 맘을 먹은 다음엔 꼭 그대로 하고야 마는 성미지요. 그래 안마당으로 뛰어들어가면서,

"엄마, 엄마, 사랑 아저씨도 나처럼 삶은 달걀을 제일 좋아한대."

하고 소리를 질렀지요. / "떠들지 마라."

작품 핵심

갈래	현대 소설, 단편 소설
성격	서정적, 낭만적
시점	1인칭 관찰자 시점
배경	• 시간: 1930년대 • 공간: 시골의 작은 마을 • 사회: 봉건적 가치관에서 개방적 가치관으로 바뀌는 과도기
제재	사랑손님과 어머니의 사랑
주제	사랑과 보수적 윤리관 사이에서 갈등하는 어머니와 사랑손님의 애틋한 사랑과 이별
특징	① 시간의 흐름에 따라 사건이 전개됨. ② 어린아이(옥희)의 시선으로 어른들의 사랑을 아름답고 순수하게 그려 냄.

이 글의 구성

- **발단**: '나'는 올해 여섯 살로 과부 어머니와 중학교에 다니는 외삼촌과 함께 살고 있는데, 어느 날 아버지의 친구였던 아저씨가 '나'의 집 사랑방에 하숙을 들게 된다.
- **전개**: 아저씨와 어머니가 서로 관심을 가지게 되고, 아저씨가 자신의 아빠였으면 좋겠다는 옥희의 말에 아저씨가 당황한다.
- **위기**: 아저씨와 어머니는 예배당에서 서로를 의식하고 부끄러워한다. 아저씨가 주라고 했다며 옥희가 준 꽃을 받은 어머니는 심한 내적 갈등을 겪는다.
- **절정**: 아저씨의 편지를 받고 갈등하던 어머니는 결국 사랑을 포기하기로 결심한다.
- **결말**: 어머니의 편지를 본 뒤 아저씨가 떠나고, 어머니도 아저씨에 대한 마음을 정리한다.

어휘 쏙쏙

- **끼니때**: 끼니(아침, 점심, 저녁과 같이 날마다 일정한 시간에 먹는 밥)를 먹을 때.
- **사랑**: 집의 안채와 떨어져 있는, 집안의 남자 주인이 거처하며 손님을 접대하는 곳.

하고 어머니는 눈을 흘기십니다. 그러나 사랑 아저씨가 달걀을 좋아하는 것이 내게는 썩 좋게 되었어요. 그다음부터는 어머니가 달걀을 많이씩 사게 되었으니까요. 달걀 장수 노파(늙은 여자)가 오면 한꺼번에 열 알도 사고 스무 알도 사고, 그래선 두고두고 삶아서 아저씨 상에도 놓고, 또 으레(틀림없이 언제나) 나도 한 알씩 주고 그래요. 그뿐만 아니라, 아저씨한테 놀러 나가면 가끔 아저씨가 책상 서랍 속에서 달걀을 한두 알 꺼내서 먹으라고 주지요. 그래 그담부터는 나는 아주 실컷 달걀을 많이 먹었어요.

중요

01

이 글의 '나'에 대한 설명으로 알맞지 않은 것은?

① 여섯 살의 여자아이이다.
② 이야기의 주인공이자 서술자이다.
③ '과부'의 의미를 짐작으로만 알고 있다.
④ 하숙을 하러 온 아저씨를 마음에 들어 한다.
⑤ 아버지를 여의고 어머니, 외삼촌과 함께 살고 있다.

♥ 서술자: 독자에게 소설의 내용을 전달해 주는 존재로, 작품 속에 등장할 경우 글에서 '나'로 드러난다.

02

아저씨가 옥희네 사랑에서 하숙하게 된 이유와 관련 없는 것은?

① 아저씨의 친절함에 옥희가 친근감을 느낌.
② 아저씨가 옥희네 동리 학교의 교사로 오게 됨.
③ 아저씨에게 밥값을 받으면 옥희네 살림에 보탬이 됨.
④ 옥희네 동리에는 하숙을 할 만한 깨끗한 곳이 별로 없음.
⑤ 아저씨가 옥희의 돌아가신 아버지와 큰외삼촌과 아는 사이임.

03

이 글에서 알 수 있는 '나'의 성격으로 알맞은 것은? (정답 2개)

① 소심함 ② 순진함 ③ 영악함
④ 고집이 셈 ⑤ 욕심이 많음

04

다음 설명에 해당하는 소재를 찾아 2어절로 쓰시오.

• '나'와 아저씨를 더욱 가까워지게 하는 매개체
• 아저씨에 대한 어머니의 관심과 정성을 드러내는 소재

사랑손님과 어머니 ❷ _ 주요섭

중간 부분 줄거리 아저씨는 옥희에게 어머니에 대해 이것저것 물어보고, 어머니는 '나'가 아저씨 방에 놀러 갈 때면 '나'를 곱게 단장시킨다. 어느 날 아저씨와 뒷동산에 놀러간 '나'는 아저씨가 아빠였으면 좋겠다고 말하고, 아저씨는 이 말을 듣고 몹시 당황한다.

라 '아저씨가 아직도 성이 났나?' 하고 가만히 방 안을 들여다보았더니 책상에 앉아서 무엇을 쓰고 있던 아저씨가 내다보면서 빙그레 웃었습니다. 그 웃음을 보고 나는 마음을 놓았습니다. 아저씨가 지금은 성이 풀린 것이 확실하니까요. 아저씨는 나를 이리 보고 저리 보고 훑어보더니,

"옥희, 오늘 어디 가노? 저렇게 곱게 채리고." / 하고 물었습니다.

"엄마하고 예배당에 가." / "예배당에?" / 하고 물었습니다.

"요 앞에 예배당에 가지 뭐." / "응? 요 앞이라니?" / 이때 안에서

"옥희야." / 하고 부드럽게 부르는 어머니 목소리가 들리었습니다. 나는 얼른 안으로 뛰어 들어오면서 돌아다보니까, ㉠아저씨는 또 얼굴이 빨갛게 성이 났겠지요. ㉡내 원, 참으로 무슨 일로 요새는 아저씨가 그렇게 성을 잘 내는지 알 수 없었습니다.

마 예배당에 가서 *찬미하고 기도하다가 기도하는 중간에 갑자기 나는 '혹시 아저씨도 예배당에 오지 않았나?' 하는 생각이 나서 눈을 뜨고 고개를 들어 남자석을 바라보았습니다. 그랬더니 하, 바로 거기에 아저씨가 와 앉아 있겠지요. 그런데 ⓐ아저씨는 어른이면서도 눈 감고 기도하지 않고 우리 아이들처럼 눈을 *번히 뜨고 여기저기 두리번두리번 바라봅니다. 나는 얼른 아저씨를 알아보았는데 아저씨는 나를 못 알아보았는지 내가 빙그레 웃어 보여도 웃지도 않고 *멀거니 보고만 있겠지요. 그래 나는 손을 흔들었지요. 그러니까 ㉢아저씨는 얼른 고개를 숙이고 말더군요. 그때에 어머니는 내가 팔 흔드는 것을 깨닫고 두 손으로 나를 붙들고 끌어당기더군요. 나는 어머니 귀에다 입을 대고, "저기 아저씨도 왔어." 하고 속삭이니까 어머니는 흠칫하면서 내 입을 손으로 막고 막 끌어 잡아다가 앞에 앉히고 고개를 누르더군요. 보니까 어머니도 얼굴이 홍당무처럼 빨개졌더군요.

바 그날 예배는 아주 젬병이었어요(형편없는 것을 속되게 이르는 말). 웬일인지 예배가 다 끝날 때까지 ㉣어머니는 성이 나서 *강대만 향하여 앞으로 바라보고 앉았고, 이전 모양으로 가끔 나를 내려다보고 웃는 일이 없었어요. 그리고 아저씨를 보려고 남자석을 바라다보아도 아저씨도 한 번도 바라다보아 주지도 않고 성이 나서 앉아 있고, 어머니는 나를 보지도 않고 *공연히 꽉꽉 잡아당기지요. ㉤왜 모두들 그리 성이 났는지! 나는 그만 '으아.' 하고 울고 싶었어요. 그러나 바로 멀지 않은 곳에 우리 유치원 선생님이 앉아 있는 고로 울고 싶은 것을 아주 억지로 참았답니다.

중간 부분 줄거리 어느 날 '나'는 유치원에서 가져온 꽃을 아저씨가 주라고 했다며 어머니에게 주고, 어머니는 꽃을 보며 어쩔 줄 몰라 한다. 그날 어머니는 아버지가 세상을 떠난 후 한 번도 타지 않았던 풍금을 타면서 운다. 하루는 아저씨가 지나간 달 밥값이라며 '나'를 통해 하얀 봉투를 어머니에게 준다. 어머니는 그 속에 든 하얀 종이에 쓰인 글을 읽으며 어쩔 줄 몰라 하고, 그날 밤 기도를 하며 '시험에 들지 말게'를 되풀이한다.

작품 핵심

✪ 서술자의 특징과 효과

서술자 '나'

- '옥희'라는 이름의 여섯 살 난 여자아이
- 천진난만하고 활달하며 어른스러운 면도 있음.
- 나이가 어려 어머니와 아저씨 사이에서 일어나는 일을 정확하게 파악하지 못함.

효과

- 이해력과 판단력에 한계가 있는 어린아이의 서술로 독자에게 웃음과 재미를 줌.
- 서술자가 미처 파악하지 못한 내용을 독자가 상상하고 추리하며 읽게 함.
- 통속적인 어른들의 사랑 이야기를 순수하고 아름답게 전달함.

쏙쏙

- **찬미하다**: 아름답고 훌륭한 것이나 위대한 것 따위를 기리어 칭송하다.
- **번히**: 바라보는 눈매가 뚜렷하게.
- **멀거니**: 정신없이 물끄러미 보고 있는 모양.
- **강대**: 책 따위를 올려놓고 강의나 설교를 할 수 있도록 만든 도구.
- **공연히**: 아무 까닭이나 실속이 없게.

05

이 글을 효과적으로 감상하기 위한 방법으로 적절하지 않은 것은?

① 인물들의 심리 변화를 살피며 읽는다.
② 갈등의 종류와 양상을 파악하며 읽는다.
③ 구성 단계에 따른 사건의 전개 과정을 파악하며 읽는다.
④ 서술자가 관찰하여 제시한 내용을 있는 그대로 받아들이며 읽는다.
⑤ 시대적 배경을 고려하여 작품에 나타난 사회상을 파악하며 읽는다.

06

이 글에서 남녀가 내외하던 사회적 배경을 보여 주는 소재는?

① 강대　② 예배당　③ 홍당무
④ 남자석　⑤ 유치원

♥ 내외하다: 남의 남녀 사이에 서로 얼굴을 마주 대하지 않고 피하다.

07

(마)를 〈보기〉와 같이 바꾸었을 때 달라진 점으로 알맞은 것은?

보기

예배당의 모든 사람들이 눈을 감고 기도하기 시작했다. 옥희 어머니가 어디에 앉아 있는지 찾기 위해 여자석을 둘러보았다. 그때 나를 먼저 알아보고 손을 흔드는 옥희가 보였다. 옥희 어머니를 보기 위해 예배당에 따라온 걸 들킨 것 같은 부끄러움에 고개를 숙였다.

① 주인공이 아닌 다른 인물이 사건을 전달하고 있다.
② 작품 밖의 서술자가 사건을 관찰하여 객관적으로 전달하고 있다.
③ 주인공이 자신의 이야기를 전달하고 있어 독자에게 신뢰감을 주고 있다.
④ 작품 밖의 서술자가 마치 신처럼 인물의 심리까지 파악하여 전달하고 있다.
⑤ 두 가지 이상의 시점을 사용해 동일한 사건을 여러 각도에서 제시하고 있다.

08

㉠~㉤ 중 어린 서술자의 한계가 드러나는 부분이 아닌 것은?

① ㉠　② ㉡　③ ㉢　④ ㉣　⑤ ㉤

09

아저씨가 ⓐ와 같이 행동한 까닭을 쓰시오.

____

소설 01

사랑손님과 어머니 ③ _ 주요섭

사 어떤 일요일날, 그렇지요, 그것은 유치원 방학하고 난 그 이튿날이었어요. 그날 ⓐ어머니는 갑자기 머리가 아프시다고 예배당에를 그만두었습니다. 사랑에서는 아저씨도 어디 나가고 외삼촌도 나가고 집에는 어머니와 나와 단둘이 있었는데, 머리가 아프다고 누워 계시던 어머니가 갑자기 나를 부르시더니, / "옥희야, 너 아빠가 보고 싶니?" 하고 물으십니다. / "응, ⓑ우리도 아빠 하나 있으면."

나는 혀를 까불고 어리광을 좀 부려 가면서 대답을 했습니다. 한참 동안을 어머니는 아무 말씀도 아니하시고 천장만 바라보시더니,

"옥희야, 옥희 아버지는 옥희가 세상에 나오기도 전에 돌아가셨단다. 옥희도 아빠가 없는 건 아니지. 그저 일찍 돌아가셨지. ⓒ옥희가 이제 아버지를 새로 또 가지면 세상이 욕을 한단다. 옥희는 아직 철이 없어서 모르지만 세상이 욕을 한단다. 사람들이 욕을 해. '옥희 어머니는 화냥년이다.' 이러고 세상이 욕을 해. '옥희 아버지는 죽었는데 옥희는 아버지가 또 하나 생겼대. 참 *망측도 하지.' 이러고 세상이 욕을 한단다. 그리되면 ⓓ옥희는 언제나 손가락질 받고, 옥희는 커도 시집도 훌륭한 데 못 가고, 옥희가 공부를 해서 훌륭하게 돼도, '에, 그까짓 화냥년의 딸.'이라고 남들이 욕을 한단다."

(화냥년: 자기 남편이 아닌 남자와 정을 통한 여자를 속되게 이르는 말)

아 ㉠그날 밤, 저녁밥 먹고 나니까 어머니는 나를 불러 앉히고 머리를 새로 빗겨 주었습니다. *댕기도 새 댕기를 드려 주고, 바지, 저고리, 치마, 모두 새것을 꺼내 입혀 주었습니다. / "엄마, 어디 가?" / 하고 물으니까,

(댕기를 드려 주고: 땋은 머리 끝에 댕기를 물려 주고)

"아니." / 하고 웃음을 띠면서 대답합니다. 그러더니 새로 다린 하얀 손수건을 내리어 내 손에 쥐여 주면서,

"이 손수건, 저 사랑 아저씨 손수건인데, 이것 아저씨 갖다드리고 와, 응? 오래 있지 말고 손수건만 갖다드리고 이내 와, 응?" / 하고 말씀하셨습니다.

손수건을 들고 사랑으로 나가면서, 나는 ⓔ접어진 손수건 속에 무슨 발각발각하는 종이가 들어 있는 것처럼 생각되었습니다마는, 그것을 펴 보지 않고 그냥 갖다가 아저씨에게 주었습니다.

아저씨는 방에 누워 있다가 벌떡 일어나서 손수건을 받는데, ㉡웬일인지 아저씨는 이전처럼 나보고 빙긋 웃지도 않고 얼굴이 몹시 파래졌습니다. 그러고는 입술을 질근질근 깨물면서 말 한마디 아니하고 그 수건을 받더군요.

나는 어째 이상한 기분이 들어서 아저씨 방에 들어가 앉지도 못하고 그냥 되돌아서 안방으로 도로 왔지요. 어머니는 풍금 앞에 앉아서 무엇을 그리 생각하는지 가만히 있더군요. 나는 풍금으로 가서 가만히 그 옆에 앉아 있었습니다. 이윽고 어머니는 조용조용히 풍금을 타십니다. 무슨 곡조인지는 몰라도 *구슬픈 곡조예요.

㉢밤이 늦도록 어머니는 풍금을 타셨습니다. 그 구슬픈 곡조를 계속하고 또 계속하면서.

절정 어머니는 사랑을 포기하기로 결심하고 아저씨에게 (   )을 전함.

작품 핵심

이 글에 나타나는 주된 갈등

개인의 사랑	과부인 옥희 어머니와 아저씨의 사랑

↕ 외적 갈등

사회의 봉건적 윤리관	과부의 재혼을 부정적으로 여기는 사회 분위기

소재의 의미

어머니가 아저씨에게 보내는 '하얀 손수건'
아저씨와의 사랑을 포기하는 어머니의 마음(이별을 상징함.)
아저씨에게 손수건을 전한 뒤 어머니가 타는 '풍금'
어머니의 심리적 갈등을 드러내는 한편, 어머니의 괴롭고 안타까운 마음을 달래 주는 소재

어휘 쏙쏙

- **망측하다**: 정상적인 상태에서 어그러져 어이가 없거나 차마 보기가 어렵다.
- **댕기**: 길게 땋은 머리 끝에 드리는 장식용 헝겊이나 끈.
- **구슬프다**: 처량하고 슬프다.

중요
10

이 글에 대한 설명으로 적절하지 <u>않은</u> 것은?

① 시간의 흐름에 따라 이야기가 전개된다.
② 개인과 사회 사이의 갈등이 주로 드러난다.
③ 인내하고 순종하는 전통적 여성상을 예찬한다.
④ 남녀 관계에 보수적이었던 시대를 배경으로 한다.
⑤ 주인공의 심리가 주로 대화와 행동을 통해 간접적으로 나타난다.

♥ 예찬하다: 훌륭하거나 좋거나 아름답다고 찬양하다.
♥ 보수적: 새로운 것이나 변화를 반대하고 전통적인 것을 옹호하며 유지하려는 것.
→ 남녀 관계에 보수적이었다는 것은 남녀를 엄격히 구분하고 여성의 정절을 중시했던 전통적 가치관을 유지하려는 사회 분위기가 강했음을 의미함.

11

어머니가 ㉠과 같이 행동한 이유로 알맞은 것은? (정답 2개)

① 옥희가 여자다워지기를 바라서
② 옥희의 옷이 너무 낡아 미안해서
③ 옥희를 자신의 대리인으로 여겨서
④ 아저씨가 옥희를 귀여워해 주기를 원해서
⑤ 예의를 갖추어 아저씨에게 이별의 뜻을 전달하고 싶어서

12

㉡에서 짐작할 수 있는 아저씨의 심리로 알맞은 것은?

① 긴장감　　② 자책감　　③ 쓸쓸함
④ 미안함　　⑤ 부끄러움

13

㉢에서 짐작할 수 있는 어머니의 심리로 알맞은 것은? (정답 2개)

① 서글픈 자신의 마음을 달램.
② 옥희 아버지를 잊기로 결심함.
③ 이별하기로 결정한 것을 후회함.
④ 떠나야 하는 아저씨의 안녕을 기원함.
⑤ 사랑을 억눌러야 하는 현실을 안타까워함.

14

ⓐ~ⓔ 중 어머니가 아저씨에 대한 사랑을 포기하는 이유끼리 바르게 묶인 것은?

① ⓐ, ⓒ　　② ⓐ, ⓔ　　③ ⓑ, ⓓ
④ ⓒ, ⓓ　　⑤ ⓒ, ⓔ

사랑손님과 어머니 ❹ _ 주요섭

중간 부분 줄거리 어머니의 편지를 받은 아저씨는 어머니와의 사랑을 포기하고 떠나기로 한다. 마지막으로 아저씨는 옥희에게 인형을 선물하고 어머니는 아저씨에게 삶은 달걀을 챙겨 보낸다.

자 나는 인형을 안고 어머니 손목을 잡고 뒷동산으로 올라갔습니다. 뒷동산에 올라가면 정거장이 빤히 내려다보입니다.

"엄마, 저 정거장 봐. 기차는 없네."

어머니는 아무 말씀도 없이 가만히 서 계십니다. 사르르 바람이 와서 어머니 모시 치맛자락을 산들산들 흔들어 주었습니다. 그렇게 산 위에 가만히 서 있는 어머니는 다른 때보다 더 한층 예쁘게 보였습니다.

저편 산모퉁이에서 기차가 나타났습니다.

"아, 저기 기차 온다."

하고 ㉠나는 좋아서 소리쳤습니다.

기차는 정거장에서 잠시 머물더니 금시에 '빽' 하고 소리를 지르면서 움직였습니다.

"기차 떠난다."

하면서 ㉡나는 손뼉을 쳤습니다. 기차가 저편 산모퉁이 뒤로 사라질 때까지, 그리고 그 굴뚝에서 나는 연기가 하늘 위로 모두 흩어져 없어질 때까지, 어머니는 가만히 서서 그것을 바라다보았습니다.

차 뒷동산에서 내려오자 어머니는 방으로 들어가시더니 이때까지 늘 열어 두었던 풍금 뚜껑을 닫으십니다. 그러고는 거기 쇠를 채우고 그 위에다가 이전 모양으로 반짇고리를 얹어 놓으십니다. 그러고는 그 옆에 있는 찬송가를 *맥없이 들고 뒤적뒤적하시더니 빼빼 마른 꽃송이를 그 갈피에서 집어내시더니,

"옥희야, 이것 내다 버려라."

하고 그 마른 꽃을 내게 주었습니다. 그 꽃은 내가 유치원에서 갖다가 어머니께 드렸던 그 꽃입니다. 그러자 옆 대문이 삐꺽하더니,

"달걀 사소."

하고 매일 오는 달걀 장수 노파가 달걀 *광주리를 이고 들어왔습니다.

"이젠 우리 달걀 안 사요. 달걀 먹는 이가 없어요."

하시는 ⓐ어머니 목소리는 맥이 한 푼어치도 없었습니다.

카 나는 어머니의 이 말씀에 놀라서 떼를 좀 써 보려 했으나, 석양에 빤히 비치는 어머니 얼굴을 볼 때 그 용기가 없어지고 말았습니다. 그래서 아저씨가 주신 인형 귀에다가 내 입을 갖다 대고 가만히 속삭이었습니다.

"얘, 우리 엄마가 *거짓부리 썩 잘 하누나. 내가 달걀 좋아하는 줄 잘 알면서 먹을 사람이 없대누나. 떼를 좀 쓰구 싶다만 저 우리 엄마 얼굴 좀 봐라. 어쩌면 저리도 새파래졌을까? 아마 어데가 아픈가 보다." / 라고요.

결말 아저씨가 어머니의 편지를 받고 떠나자 어머니도 아저씨에 대한 ()을 정리함.

작품 핵심

✪ 인물의 심리 및 성격 제시 방법

직접 제시(말하기)
서술자가 인물의 심리나 성격을 직접 설명해 줌. → 서술자인 옥희가 자신의 심리나 성격을 말할 때
간접 제시(보여 주기)
인물의 행동, 대화, 외양 묘사 등을 통해 독자가 인물의 심리나 성격을 짐작하게 함. → 서술자인 옥희가 어머니와 아저씨의 심리나 성격을 표현할 때

✪ 어머니의 행동에 담긴 의미

- 옥희와 함께 뒷동산에 올라감.
- 기차가 사라질 때까지 바라봄.

⬇

안타까운 마음으로 떠나는 아저씨를 배웅함.

- 풍금 뚜껑을 닫고 쇠를 채움.
- 마른 꽃을 옥희에게 주며 버리라고 함.
- 달걀 장수 노파에게 이제 달걀을 사지 않는다고 말함.

⬇

아저씨에 대한 사랑과 추억을 정리함.

어휘 쏙쏙

- **맥없이:** 기운이 없이.
- **광주리:** 대, 싸리, 버들 따위를 재료로 하여 만든 그릇
- **거짓부리:** 거짓말을 속되게 이르는 말.

■ 작품 정답 옥희 / 아저씨 / 인형 손수건 / 추억

중요
15 이 글을 감상한 내용으로 적절한 것은?

① 시은: 서술자의 내적 성장 과정을 묘사하고 있어.
② 유나: 작가는 사랑에 대한 주인공의 태도를 비판하고 있어.
③ 지아: 성장기 자녀를 둔 어머니의 갈등과 시행착오를 형상화하고 있어.
④ 광민: 홀로 아이를 키우는 어머니의 꿋꿋한 모습과 교육열을 표현하고 있어.
⑤ 인화: 사랑과 보수적 윤리관 사이에서 갈등하는 두 주인공의 사랑과 이별을 그리고 있어.

중요
16 이 글에서 서술자를 어린아이로 설정하여 얻을 수 있는 효과로 알맞지 않은 것은?

① 어린아이의 일상적 말투가 부드럽고 친근한 느낌을 준다.
② 어머니와 아저씨의 통속적인 사랑을 아름답게 승화시킨다.
③ 독자에게 사건과 인물의 심리를 상상하고 추측하는 재미를 준다.
④ 어린아이의 순수한 눈으로 바라본 이야기가 독자의 웃음을 유발한다.
⑤ 봉건적 윤리관이 어린아이의 장래에 미치는 영향을 사실적으로 보여 준다.

♥ 통속적: 비전문적이고 대체로 저속하며 일반 대중에게 쉽게 통할 수 있는. 또는 그런 것.
♥ 승화: 어떤 현상이 더 높은 상태로 발전하는 일.

17 (차)에서 어머니가 아저씨를 잊기 위해 한 행동 세 가지를 찾아 한 문장으로 쓰시오.

____

18 ㉠과 ㉡에 대한 설명으로 알맞은 것은?

① 기차를 타고 싶은 마음의 표현
② 떠나는 아저씨에게 보내는 작별 인사
③ 어머니의 기분을 풀어 주기 위한 노력
④ 아름다운 어머니를 자랑스러워하는 행동
⑤ 어머니의 심정을 알지 못하는 천진난만한 모습

19 ⓐ에 나타난 어머니의 정서로 알맞은 것은?

① 슬픔 ② 초조함 ③ 지루함
④ 죄책감 ⑤ 안도감

02 내가 그린 히말라야시다 그림 ❶ _ 성석제

앞부분 줄거리 0: '나'는 유명한 화가이다. 하지만 '나'는 자신의 재능을 의심하며 살아왔다. 그 이유는 초등학교 3학년 때 아버지의 동창인 천수기 선생님을 만나면서부터 일어난 일 때문이다.
1: '나'는 미술관에서 그림을 감상하는 미술 *애호가로서의 삶을 살아간다. 한국을 대표하는 화가 백선규는 '나'와 같은 고향 출신이고, 같은 초등학교를 나왔는데, 그에게는 비밀이 많아 보인다.
0: 가난한 집안에서 자란 '나'는 초등학교 3학년 때 4학년을 대신해 나간 *사생 대회에서 장원을 하면서 미술 실력을 인정받는다.
1: 부유한 환경에서 그림 공부를 한 '나'는 초등학교 4학년 때 사생 대회에 참가하여 동창인 백선규와 비슷한 장소에서 히말라야시다 그림을 그린다.

0

가 4학년이 되고 나서 나는 미술반에 들어갔지. 천수기 선생님은 문예반(문학과 예술 활동을 하는 모임)을 맡았는데 미술반을 맡은 주은희 선생님에게 나를 특별히 부탁했다고 했지. 아버지 이야기를 했는지도 몰라. 천 선생님은 자신이 직접 본 사람 중에 가장 그림에 뛰어난 재능을 가진 사람이 아버지라고 했어. 그림과 동시는 분야가 다르지만 천 선생님은 다른 예술에 대한 평가 기준도 상당히 높았지.

나 나는 미술반에 들어가서 그림을 많이 그리지는 않았어. 한 해 전 3학년 때에 학교 대표로 나간 건 비밀이었지. 주은희 선생님은 알았어. 그러니까 내가 연습을 안 해도 못 본 척해 준 거야. 군 학예 대회에서 사생 부문 장원을 하면 48색짜리 크레파스 다섯 통하고 스케치북 열 권이 상품인데 내가 그걸 받을 수는 없었어. 상품이 아이들 나무할 때 쓰는 작은 지게로 한 짐이나 되니 열 살짜리가 무거워서 못 받은 게 아니라 나에게 이름을 빌려준 4학년 5반 대표가 받고는 *입을 싹 씻어 버린 거야. 그게 알려지면 자기도 망신이니까 비밀은 지켰어.

다 그래서 나는 그림을 그릴 때 몽당연필처럼 짤막한 크레파스하고 이미 그린 그림이 있는 스케치북 뒷면으로 그림 연습을 할 수밖에 없었어. 우리 집 형편에 크레파스와 스케치북을 자꾸 사 달라고 하기도 힘든 일이고 아버지에게 염소가 많은 것도 아니었어. 게다가 내 동생이 넷이나 됐지.

㉠미술이 별것 아니라는 생각도 들었지. 내 아버지는 동시로 전국적으로 유명한 천수기 선생님이 인정하는 화가의 재능을 타고났어. 내가 그 아버지의 아들이 틀림없는데 다른 평범한 아이들처럼 죽어라 연습할 필요는 없잖아. 나는 미술반 아이들과 함께 주 선생님을 따라 산과 들을 다닐 때 열에 여덟아홉은 스케치북을 펴지도 않았어. 가끔 주 선생님이 "관찰도 공부다."라고 하면서 자연과 주변의 물건들을 세세하게 봐 두라고 했지.

라 아버지, 아버지는 나에게 별 관심이 없는 것 같았어. 염소를 팔아서 크레파스와 스케치북을 사 주던 때, 그때는 아버지한테 좀체 잘 없는 특별한 순간이었던 것 같아. 다시 병석에 누운 할아버지와 우리 식구들 굶기지 않으려면 정신없이 일을 해야 했지. 생각하긴 싫지만 내가 태어나는 바람에 아버지가 화가가 되려는 꿈을 버려야 했는지도 몰라. 그래서 일부러 그림 쪽으로는 모른 척하는 건지도.

작품 핵심

갈래	현대 소설, 단편 소설
성격	회상적, 성찰적
시점	1인칭 주인공 시점
배경	• 시간: 현대 • 공간: 인구 20만 명 정도의 작은 군
제재	히말라야시다 그림
주제	순간의 선택이 인생의 길에 미치는 힘
특징	① 과거를 회상하는 방식으로 중심 사건이 전개됨. ② 0과 1의 두 서술자가 번갈아 가며 이야기를 서술함. ③ 인물의 심리가 세밀하게 드러남. ④ 일상 대화에서 쓰는 구어체를 사용하여 친근감을 형성함.

✪ 히말라야시다
소나뭇과의 개잎갈나무. 높이는 30미터 정도이며, 잎은 끝이 뾰족하다. 관상용이고 히말라야가 원산지이다.

✪ 초등학교 4학년인 0의 '나'가 미술에 대해 지닌 생각

- 화가의 재능을 타고난 아버지로부터 천부적인 재능을 물려받았다고 생각함.
- 미술이 별것 아니라고 여김.
- 다른 평범한 아이들처럼 죽어라 연습하지 않아도 된다고 생각함.

⬇

자신의 능력을 자만함.

쏙쏙

- **애호가**: 어떤 사물을 사랑하고 좋아하는 사람.
- **사생**: 실물이나 경치를 있는 그대로 그리는 일.
- **입을 씻다**: 이익 따위를 혼자 차지하거나 가로채고서는 시치미를 떼다.

중요

01

이와 같은 글의 특징으로 알맞은 것은?

① 시간적 · 공간적 배경에 제약이 심하다.
② 글쓴이의 체험과 가치관이 직접 드러난다.
③ 인물, 사건, 배경을 갖춘 허구의 이야기가 전개된다.
④ 글쓴이의 주장과 그에 대한 근거를 논리적으로 제시한다.
⑤ 글쓴이의 생각을 압축적인 언어로 리듬감을 살려 표현한다.

♥ 허구: 실제로는 없는 사건을 작가의 상상력으로 창조해 냄.
♥ 압축: 문장 따위를 줄여 짧게 함.

02

이 글의 '나'에 대한 설명으로 알맞지 않은 것은?

① 동생이 네 명이나 있다.
② 가정 형편이 넉넉하지 않았다.
③ 미술반에 들어가서 그림 연습을 열심히 했다.
④ 그림 연습을 할 도구를 충분히 갖고 있지 않았다.
⑤ 3학년 때 4학년을 대신해서 사생 대회에 나간 적이 있다.

03

'나'의 아버지에 대한 설명으로 알맞은 것은?

① '나'와 사이가 매우 좋지 않다.
② 가장으로서 책임감이 강하다.
③ 가난한 현실에 분노와 절망을 느끼고 있다.
④ '나'가 그림 그리는 것을 못마땅하게 여기고 있다.
⑤ 화가가 되려는 꿈을 버리게 한 부친을 원망하고 있다.

04

'나'가 ㉠과 같은 생각을 하게 된 이유로 알맞은 것은?

① 미술에 그다지 흥미가 없었기 때문에
② 어차피 미술 공부를 계속할 수 없었기 때문에
③ 미술반 담당 선생님과 사이가 좋지 않았기 때문에
④ 아버지보다 그림을 더 잘 그릴 수 있다고 생각했기 때문에
⑤ 아버지로부터 화가의 재능을 물려받았다고 생각했기 때문에

내가 그린 히말라야시다 그림 ❷ _ 성석제

중간 부분 줄거리 군민 체전이 열리는 5월이 되어 '나'는 반 대표로 사생 대회에 참가하게 된다. '나'는 그림 도구를 상품으로 받기 위해 장원 상을 받기를 원한다. 대회에서 '나'는 124번을 부여받는다.

마 내 앞에는 언제부터인가 여자아이가 두 명 앉아 있었어. 한 아이는 낯이 익었어. 같은 반을 한 적은 없지만 천수기 선생님하고 같이 가는 걸 몇 번 본 적이 있었지. 자주색 원피스에 검은 에나멜 구두를 신고 있었고 머리에 푸른 구슬 리본을 매고 있는데 무척 얼굴이 희고 예뻤지. 나하고 한 반이었다 해도 나 같은 촌뜨기에게는 말을 걸지도 않았겠지.

그 여자애와 나는 비슷한 점이 하나도 없었어. 크레파스부터 한 번도 쓰지 않은 새것, 한 번만 더 쓰면 더 쓸 수 없도록 닳은 것이라는 차이가 있었어. 처음부터 다른 길에서 출발해서 가다가 우연히 두어 시간 동안 같은 장소에서 비슷한 그림을 그리게 되겠지만 앞으로 영원히 만날 일이 없을 것 같은 사람이야. 그 여자아이도 그걸 의식하고 있는 것 같았어. 나를 한 번 힐끗 넘겨다보고는 코를 찡그리더니 더 이상 눈길을 주지 않았어. 자리를 뜰 것 같았는데 계속 그리기는 하더군. 나를 의식하기 전에 밑그림을 그렸던 게 아까웠겠지.

바 히말라야시다(소나뭇과의 개잎갈나무)가 쑥색 가지를 늘어뜨리고 있는 화단이 있고 화단 뒤에 나무 쪽을 붙인 벽이, 벽 위쪽에 흰 종이가 발린 유리창이 있는 교사(학교의 건물)가 있었어. 히말라야시다 앞에 키 작은 영산홍(진달랫과의 나무)이 서 있고, 화단을 따라 발라진 시멘트 길에 햇빛이 하얗게 비치고 있었어.

중간 부분 줄거리 그림을 제출한 뒤 '나'는 학교에 남아 아이들과 공을 차며 심사 결과를 기다린다. '나'는 자신에게 아버지로부터 물려받은 천부적이고 천재적인 재능이 있음을 확인받고 싶다는 충동을 느낀다. '나'는 장원을 했다는 소식을 듣고 주 선생님 앞에서 눈물을 보인다.

1

사 나는 한 번도 상 같은 건 받아 본 적 없어. 학교 다닐 때 그 흔한 개근상도 못 받았으니까. 상에 욕심을 부려 본 적도 없었어. 내게는 모자란 게 없어서 그랬는지도 몰라. 어릴 때는 부유한 집안에서 단 하나밖에 없는 딸로 사랑을 받으며 자랐고 여자 대학에서 가정학(가정생활을 원만히 유지하기 위하여 필요한 지식과 기술을 연구하는 학문)을 공부하다가 판사인 남편을 *중매로 만나서 결혼했지. 내가 권력이나 돈을 손에 쥔 건 아니라도 그런 것 때문에 불편한 적도 없어. 아이들은 예쁘고 별문제 없이 잘 자라 주었지. 큰아이가 중학교부터 미국에 가서 공부할 때는 적응에 힘이 들었지만 결국 학생 회장까지 지내서 신문에도 여러 번 났지. 나는 상을 못 받았지만 내가 타고난 행운, 삶 자체가 상이다 싶어.

위기 0의 '나'는 초등학교 4학년 때 사생 대회에 나가 (　　　　　)이 되고, 1의 '나'는 자신이 한 번도 (　　　　　)을 받아 본 적이 없다고 고백함.

아 그렇지만 단 한 번 상을 받을 뻔한 적은 있지. 스스로의 실수 때문에 못 받은 거니까 누구를 원망할 수도 없지만. 그 실수를 인정하고 내가 받을 상이 남에게 간 것을 바로잡을 수 있었을까. 할 수 있었을지도 몰라. 아버지에게 이야기했다면. 아니면 천수기

작품 핵심

이 글의 구성 – 0

발단	'나'는 유명한 화가이지만 그날 '그 일'이 있은 뒤부터 항상 자신의 재능을 의심하며 살아옴.
전개	'나'는 초등학교 3학년 때 선생님의 추천으로 4학년 학생 대신 사생 대회에 나가서 장원을 함.
위기	초등학교 4학년이 된 '나'는 반 대표로 사생 대회에 나가서 장원을 함.
절정	'나'는 장원 상을 받은 그림이 자신의 그림이 아님을 알았지만 그 진실을 밝히지 않음.
결말	그 후 '나'는 자신의 재능에 대한 자만심을 버리고 열심히 노력하여 유명한 화가가 됨.

이 글의 구성 – 1

발단	'나'는 미술관을 다니며 그림을 감상하는 미술 애호가로서 살아감.
전개	'나'는 부유한 가정에서 고명딸로 태어나 어려서부터 미술 교육을 받음.
위기	'나'는 자신이 한 번도 상 같은 건 받아 본 적이 없다고 고백함.
절정	다른 학생이 자신의 그림으로 상을 받았다는 사실을 밝히지 않음.
결말	미술 애호가로서의 삶을 즐김.

어휘 쏙쏙
- **중매:** 결혼이 이루어지도록 중간에서 소개하는 일. 또는 그런 사람.
- **너절하다:** 허름하고 지저분하다. 또는 하찮고 시시하다.

선생님한테라도.

왜 안 했을까. 그때 나를 스쳐 가던 아이, 그 아이의 표정 때문인지도 몰라. 땟국물이 흐르던 목덜미, 전신에서 풍겨 나던 뭔가 찌든 듯한 그 냄새, 그 •너절한 인상이 내 실수와 잘못된 과정을 바로잡는 게 너절하고 귀찮은 일이라는 생각을 갖게 했을 거야. 어쩌면 그 결과 한 아이가 가지게 될지도 모르는 씻지 못할 좌절감이 내게도 약간 느껴졌는지도 모르지. 상관없어. 나는 그런 상하고는 담을 쌓고 살아도 행복해. 그런 스트레스를 받는 것 자체가 싫어. 왜 내가 그렇게 살아야 하는데?

계획이나 의지 따위가 꺾여 자신감을 잃은 느낌이나 기분

05 **이 글의 특징으로 알맞은 것은?**

① 시대적 배경은 일제 강점기이다.
② 인물들의 대화를 통해 외적 갈등이 드러나고 있다.
③ 이야기 안에 또 다른 이야기가 들어 있는 구성이다.
④ 과거를 회상하는 방식으로 이야기가 전개되고 있다.
⑤ 계절의 변화를 통해 사건이 전개될 방향을 암시하고 있다.

06 **(마)~(바)의 '나'가 다음의 일기를 썼다고 할 때 일기의 내용으로 적절하지 않은 것은?**

오늘 사생 대회에 나갔다. ①나는 히말라야시다가 있는 화단이 보이는 곳에서 그림을 그렸다. ②나와 비슷한 위치에서 그림을 그리는 어떤 여자아이가 낯이 익었다. ③천수기 선생님과 같이 있는 걸 몇 번 본 적이 있었다. 자주색 원피스를 입은 그 애는 얼굴이 희고 예뻤다. ④가지고 있는 크레파스는 한 번도 쓰지 않은 새것 같았다. 나와 비슷한 점은 없어 보였지만 ⑤왠지 앞으로도 계속 마주치게 될 것 같다는 느낌이 들었다.

07 **(사)에 드러난 '나'의 삶의 태도를 다음과 같이 정리할 때, 빈칸에 알맞은 말을 쓰시오.**

'나'는 자신의 ____________ 을/를 상이라고 여기고 있다.

08 **(아)에서 '나'가 수상자 선정이 잘못되었다는 진실을 밝히지 않은 이유로 알맞은 것은? (정답 2개)**

① 잘못된 과정을 바로잡는 게 귀찮아서
② 자신의 실수로 상을 받은 아이와 친하지 않아서
③ 자기 대신 상을 받은 아이의 그림이 자신의 것보다 뛰어나서
④ 자신에게는 앞으로도 상을 받을 수 있는 기회가 많다고 생각해서
⑤ 진실을 밝히면 자신의 실수로 상을 받은 아이가 좌절감을 느낄 것 같아서

내가 그린 히말라야시다 그림 ③ _ 성석제

0

자 *부임한 지 얼마 안 되어서 그런지 흥분한 교장 선생님은 *전례가 없이 그해 학예 대회 입상작을 찾아와서 강당에서 전시회를 가지기로 결정했어. 나는 가 보지 않았어.

가서 내 그림을 보는 건 뭔가 창피할 것 같았어. 그런 데 가서 그림과 글짓기, 서예 작품을 보고 배워야 하는 아이들은 입상을 못 한 평범한 아이들이야. 창작의 재능이 없고 겨우 감상만 할 수 있는 아이들인 거야. 생각은 그렇게 했지만 일주일 동안 진행된 전시 마지막 날 오후, 나는 강당으로 걸음을 옮겼지. 모르겠어. 왜 갔는지.

차 강당에는 아무도 없었어. 벽에는 전시 작품들이 걸려 있었어. 글짓기는 원고지 여러 장에 쓰인 작품을 한꺼번에 벽에 압정으로 박아 놓고 넘겨 가며 읽도록 해 놨어. 차하 상을 받은 동시는 아이들이 넘기면서 침을 묻히는 바람에 글씨가 다 지워지고 원고지 앞장 아래쪽은 먹지처럼 까매졌더군.

(먹지: 한쪽 또는 양쪽 면에 검은 칠을 한 얇은 종이)

나는 천천히 그림이 전시된 곳으로 걸어갔지. 내 그림은 맨 안쪽에 걸려 있었지. 입선작 여덟 점을 지나서 특선작 세 점을 지나고 나서 황금색 종이 리본을 매달고 좀 떨어진 곳에, 검은색 붓글씨로 '壯元(장원)'이라고 크게 쓰인 종이를 거느리고, 다른 작품보다 세 뼘쯤 더 높이. 초등학교에 다니는 아이들이라면 *우러러볼 수밖에 없는 높이에.

카 ㉠그런데, 그런데, 그런데, 그런데 그 그림은 내가 그린 그림이 아니었어. 풍경은 내가 그린 것과 비슷했지만 절대로, 절대로 내가 그린 그림이 아니야. 아버지가 사 준 내 오래된 크레파스에는 진작에 떨어지고 없는 회색이 히말라야시다 가지 끝 앞부분에 살짝 칠해진 그림이었어. 나는 가슴이 후들후들 떨려서 두 손으로 가슴을 가렸어. 사방을 둘러봤지만 아무도 없었어. 나는 *까치발을 하고 손을 최대한 쳐들어서 그림 뒷면의 번호를 확인했어. 네모진 칸 안에 쓰인 숫자는 분명히 124였어. 124, 북한에서 무장간첩을 훈련시킨 그 124군 부대의 124. 그렇지만 그건 내 글씨가 아니었어.

타 누가, 왜 제 번호를 쓰지 않고 내 번호를 썼을까. 실수로? 이런 실수를 하고, 제가 받을 상을 다른 사람이 받았다는 걸 알면 가만히 있을까. 그렇지는 않을 거야. 다른 학교에 다니는 아이라서 제 실수를 모르고 있는 거겠지.

아니야. 그 그림은 구도로 봐서 내가 그렸던 바로 그 장소에서 아주 가까운 데서 그린 그림이었어. 그 그림을 그린 아이는 천수기 선생님과 함께 다니던 그 아이인 게 틀림없었어. 그러니까 나와 같은 학교에 다니는 아이라는 거지. 그러면 그 아이는 제가 그린 그림을 봤을 거야. 그런데 왜? 왜 아무 말을 하지 않은 거지? 상품이 필요 없어서? 실수 때문에 처벌을 받을까 봐? 나라면? 나라면 가만히 있었을까?

(구도: 그림에서 모양, 색깔, 위치 따위의 짜임새)

파 왜 내가 그린 작품은 입선에도 들지 않았을까? 비슷한 풍경이고 비슷한 구도인데도? 가만히 그 그림을 보고 있자니 정말 잘 그린 그림이라는 느낌이 들기 시작했어. 장원을 받을 수밖에 없는 그림, 같은 장소에 있었던 나로서는 발견할 수 없었던 부분, 벽과 히말라야시다 사이의 빈 공간의 처리는 완벽했어. 나는 모든 걸 그림 속에 *욱여넣으려고만 했지 비울 줄은 몰랐어. 그건 나를 뛰어넘는 재능인 게 분명했어.

작품 핵심

서술상의 특징과 효과

서술상의 특징
0과 1의 두 서술자가 번갈아 가며 이야기를 전달함.
효과
• 사건에 대한 인물의 생각과 느낌을 다양한 각도에서 바라볼 수 있음. • 독자가 사건의 전말을 파악하기가 더 쉬움.

이 글의 극적 반전

- 0의 '나'가 사생 대회에서 장원을 함.
- 0의 '나'가 전시 작품을 보러 강당에 감.

↓

장원으로 전시된 것이 '나'가 그린 그림이 아니었음.

어휘 쏙쏙

- **부임하다**: 임명이나 발령을 받아 근무할 곳으로 가다.
- **전례**: 이전부터 있었던 사례.
- **우러러보다**: 마음속으로 공경하여 떠받들다.
- **까치발**: 발뒤꿈치를 든 발.
- **욱여넣다**: 주위에서 중심으로 함부로 밀어 넣다.

09

이 글에 대한 설명으로 적절한 것은?

① 구어체를 사용하여 친근감을 형성하고 있다.
② 서술자가 작품 안에서 주인공을 관찰하고 있다.
③ 산업화와 도시화에 대한 비판적 시각이 드러나 있다.
④ 사투리를 사용하여 향토적인 분위기를 형성하고 있다.
⑤ 사춘기 남녀의 사랑과 이별을 담담한 문체로 서술하고 있다.

♥ 구어체: 글에서 쓰는 말투가 아닌, 일상적인 대화에서 주로 쓰는 말투.
♥ 향토적: 고향이나 시골의 정취가 담긴 것.

중요

10

'나'가 장원 상을 받은 그림이 자신의 그림이 아니라고 확신한 이유로 알맞은 것은? (정답 2개)

① 그림 속의 풍경이 자신이 그렸던 풍경과 전혀 달랐기 때문에
② 그림 뒷면에 숫자를 쓴 글씨가 자신의 글씨가 아니었기 때문에
③ 사생 대회 때 부여받은 참가 번호가 정확히 기억나지 않았기 때문에
④ 그림 뒷면의 숫자가 사생 대회 때 자신이 부여받은 번호가 아니었기 때문에
⑤ 자신의 크레파스에 없는 회색이 히말라야시다 가지 부분에 살짝 칠해져 있었기 때문에

11

'나'가 상을 받은 그림이 원래 자신이 그린 그림보다 뛰어나다고 생각한 이유로 알맞은 것은?

① 자신보다 더 큰 스케치북에 그렸기 때문에
② 자신보다 더 좋은 크레파스로 그렸기 때문에
③ 자신보다 많은 대상들을 그림 속에 담았기 때문에
④ 자신이 사용하지 않은 색을 사용하여 표현했기 때문에
⑤ 자신이 발견할 수 없었던 부분을 완벽하게 표현했기 때문에

12

㉠에서 드러나는 '나'의 심리로 알맞은 것은?

① 반가움　② 당황함　③ 즐거움
④ 흥미로움　⑤ 원망스러움

02 내가 그린 히말라야시다 그림 ④ _ 성석제

하 나는 가슴이 찢어질 것 같은 통증을 느끼면서 강당을 걸어 나왔어. 열 걸음쯤 떼었을 때 강당 문으로 어떤 여자아이가 걸어 들어왔어. 자주색 원피스를 입고 있었어. 검은색 에나멜 구두를 신고 있었지. ㉠나는 그 여자아이를 지나칠 때 눈을 감았어. 눈을 감은 채 열 걸음쯤 걸어가서 다시 눈을 떴어.

거 내가 주 선생님을 찾아가서 말해야 했을까. 이건 내 그림이 아니라고. 다른 사람이 그린 그림이라고. 나는 그 사람만 한 재능이 없다고. 실수를 바로잡아 달라고. ㉡나는 그렇게 하지 못했어. 주 선생님의 품에 안겨 울지만 않았더라도 찾아갈 수 있었어. 가능성이 높지는 않지만. 내 더러운 눈물로 주 선생님의 앞가슴에 늘어뜨려진 흰 레이스를 더럽히지만 않았더라도.

그림의 주인이 선생님을 찾아가서 그 그림이 자기 것이라고 주장한다면 부정할 도리는 없었겠지. 하지만 내가 먼저 선생님을, 주 선생님이든 천 선생님이든, 아버지도 할아버지도, 그 누구도 찾아갈 수 없었어.

절정 0과 1의 '나'는 (   )가 바뀌었다는 진실을 밝히지 않음.

너 ㉢그 뒤부터 나는 늘 나를 의심하면서 살았어. 누군가 나보다 뛰어난 재능을 가지고 있고 누군가 나와 똑같은 대상을 두고 훨씬 더 뛰어난 작품을 그렸고, 앞으로도 더 뛰어난 작품을 그릴 수 있다는 생각을 벗어나 본 적이 없어. 그러니까 어떤 작품이라도, 그게 포스터물감으로 그리는 *반공 포스터라도 내가 가진 능력 전부를, 그 이상을 쏟아부어야 했지. 언제나, 어디서나. 그 결과가 오늘의 나일까. 의심의 결과, 좌절의 결과, 누군가 내 비밀을 알고 있다는 생각의 결과.

나는 화가가 된 후 풍경화를 그린 적은 없어. 나는 그림의 원형(본디의 꼴), 본질로 돌아갔어. 선과 원, 점, 그리고 바탕이 되는 사물의 원형, 본질을 최대한 *추상화하고 이상화한 상태로 만들어 갔어. ㉣내 모든 색깔의 원형은, 이상은 그날 그 하얀 시멘트 길과 그 위의 흰 햇빛이야.

1

더 어라, 저기 걸어가는 저 사람, 백선규 같네. 저 사람 도대체 무슨 생각을 저렇게 골똘하게 하고 있을까. 인사를 해 볼까? 안녕하세요, 라고 해야 하나? 그냥 안녕이라고? 그러고 나서 고향, 연도, 초등학교를 말하면 알아볼까? ㉤아이, 귀찮아. 그런 걸 하면 뭘 해. 우리는 가는 길이 다른데. 나는 그림을 좋아하고 저 사람은 자신의 그림을 열심히 그리면 그만이지.

ⓐ점점 멀어지네. 사라졌네. 나는 여기에 있고. 나도 곧 가야 하지만.

결말 0의 '나'는 열심히 노력하여 뛰어난 (   )가 되고, 1의 '나'는 미술 애호가로서의 삶을 즐김.

작품 핵심

✿ 등장인물의 특성

0의 서술자 – 백선규
• 가난한 농사꾼의 아들로 자람. • 아버지로부터 그림에 대한 천부적인 재능을 물려받았다고 생각하여 자만했음. • 다른 사람의 그림으로 장원 상을 받았던 사건 이후, 열심히 노력하여 유명한 화가가 됨.
1의 서술자
• 부유한 가정에서 고명딸로 모자라는 것 없이 자람. • 초등학교 4학년 때 자신의 실수 때문에 사생 대회에서 상을 받지 못했지만, 이를 밝히지 않음. • 자신의 삶 자체를 '상'이라고 여기며 미술을 좋아하는 애호가로 살아감.

쏙쏙

- **반공**: 공산주의에 반대함.
- **추상화하다**: 추상적인(직접 경험하거나 지각할 수 있는 일정한 형태와 성질을 갖추고 있지 않은) 것으로 되다. 또는 그렇게 만들다.

■ [illegible] 정답 원형 / 상 / 추상화 / 화가

중요

13

이 글은 두 서술자가 교차하여 서술하고 있다. 이와 같은 서술 방식에서 얻을 수 있는 효과로 적절한 것은?

① 독자에게 삶의 교훈을 전달할 수 있다.
② 글의 주제를 직접적으로 나타낼 수 있다.
③ 당시의 사회상을 사실적으로 드러낼 수 있다.
④ 인물의 심리를 정확히 알 수 없어 긴장감을 느낄 수 있다.
⑤ 사건에 대한 인물의 생각과 느낌을 다양한 각도에서 바라볼 수 있다.

14

(하)를 〈보기〉와 같이 바꾸어 서술했을 때 달라진 점으로 알맞은 것은?

보기

백선규는 충격을 받고 강당을 걸어 나왔다. 그때 자주색 원피스를 입고 검은색 에나멜 구두를 신은 여자아이가 강당으로 걸어 들어왔다. 그는 그 여자아이가 장원 그림을 진짜로 그린 아이라는 것을 알았다. 그는 괴로움에 눈을 감은 채 그 여자아이를 지나쳤다.

① 작품 속의 인물이 주인공의 이야기를 관찰하여 서술한다.
② 작품 밖의 서술자가 관찰자의 위치에서 사건을 서술한다.
③ 작품 밖의 서술자가 인물의 행동과 사건을 객관적으로 서술한다.
④ 작품 속의 주인공이 자신의 속마음과 감정을 생생하게 서술한다.
⑤ 작품 밖의 서술자가 신과 같은 위치에서 인물의 심리까지 자세하게 서술한다.

중요

15

㉠~㉤에 대한 설명으로 적절하지 않은 것은?

① ㉠: 그 여자아이에게 진실을 솔직하게 말할 수 없어서 눈을 감은 것이다.
② ㉡: 수상자가 바뀌었다는 사실을 밝히지 못하고 숨겼음을 의미한다.
③ ㉢: 그림에 대한 재능의 한계를 깨닫고 스스로에게 실망했다는 의미이다.
④ ㉣: 과거에 사생 대회에서 그림을 그리며 본 풍경이 화가가 된 후 그린 그림에 영향을 끼쳤음을 나타낸다.
⑤ ㉤: 귀찮은 것을 싫어하고 적극적이지 않은 '나'의 성격을 보여 준다.

16

ⓐ를 통해 나타내는 바로 알맞은 것은?

① 극적 반전
② 갈등의 최고조
③ 여운을 주는 결말
④ 시대적 배경 암시
⑤ 새로운 사건 예고

♥ 극적 반전: 소설에서 전개되던 사건의 흐름이 갑자기 뒤바뀌게 되는 것.

흰 종이수염 ❶ _ 하근찬

앞부분 줄거리 동길이는 몇 개월 동안 *사친회비를 내지 않았다는 이유로 책보를 빼앗기고 교실에서 쫓겨난다. 다리 밑 냇가에서 용돌이를 만난 동길이는 용돌이와 함께 실컷 물놀이를 한다. 갑자기 배가 고파진 동길이는 집으로 향하며 오늘따라 발걸음이 자꾸 무거워지는 것을 느낀다.

집으로 돌아온 동길이는 징용에서 돌아온 아버지가 오른팔을 잃었다는 사실을 알고 놀란다. 다음 날 창식이를 통해 동길이가 학교에서 쫓겨난 것을 알게 된 아버지는 동길이에게 학교에 가라고 말하고, 동길이는 어쩔 수 없이 집을 나선다. 학교에 가지 않고 냇가에서 놀던 동길이는 아이들이 자신의 아버지를 '외팔뚝이'라고 놀리는 소리를 듣고 화를 낸다. 그날 저녁 아버지는 술을 마시고 집에 들어온다.

가 "아, 오늘 ⓐ김 *주사가 *한턱내더라. 우리 목공소 주인 김 주사가 말이지, **징용** 나가서 고생 많이 했다고 한턱내더라니까. 고생 많이 했다고……. 팔뚝을 하나 나라에 바쳤다고……. 으흐흐흐흐……." / 그러고는 또,

징용: 전쟁 때 국가가 국민을 강제로 일정한 업무에 종사시키는 일

"이놈! 너, 오늘 와 ⓑ핵교 안 갔노, 응? 돈이 없어서 안 갔나, 응? 응? 이 못난 자식아! 뭐, 핵교를 안 댕기겠다고?" / 하고 마구 퍼부어 댄다.

나 "이놈아, 오늘 내가 핵교에 갔다. 핵교에 갔어. 너거 선생 만나서 다 얘기했다. 이 봐라, 이놈아! 내 팔이 하나 안 없어졌나. 이것을 내보이면서 다 얘기하니까 너거 선생 오히려 미안해서 죽을라 카더라. 죽을라 캐. 봐라, 이렇게 **책보**도 안 받아 왔는강."

아버지는 책보를 동길이 앞에 불쑥 내밀었다. 동길이는 책보와 ⓒ흰 종이를 한꺼번에 받아 안으며 모가지를 움츠렸다.

"이놈아, 아버지가 징용에 나갔다고 선생님한테 와 말 못 하노. 아부지가 돌아오면 다 갖다 바치겠다고 와 말을 못 하노 말이다. 입은 뒀다가 뭐 할라 카는 입이고?"

"아부지 **노무자** 나갔다고 캤심더."

노무자: 노동자. 여기서는 전쟁 때 국가에 의해 징집되어 노동에 종사한 사람

동길은 약간 뾰로통해졌다.

"뭐, 이놈아? 니가 똑똑하게 말을 못 했으니까 그렇지. 병신 자식 같으니……."

다 어머니가 ⓓ밥상을 들고 와서 아버지 앞에 놓으며,

"자아, 그만하고 어서 저녁이나 드이소."

했다. 아버지는 숟가락을 들었다. 그러나 밥을 떠올릴 생각은 않고 연방 떠들어 댄다.

연방: 연속해서 자꾸

"내가 비록 이렇게 팔이 하나 없어지긴 했지만, 이놈아, 니 **사친회비** 하나를 못 댈 줄 아나? 지금까지 밀린 것 모두 며칠 안으로 *장만해 준다. **방학**할 때까진 어떠한 일이 있어도 장만해 준단 말이다. 오늘 너거 ⓔ선생님한테도 그렇게 약속했다. 문제없단 말이다. 애비의 이 맘을 알고 니가 더 열심히 핵교에 댕기야지, 나 핵교 때리챠 버릴랍니더가 다 뭐꼬? 이눔으 자식! 그게 말이라고 하는 기가?"

㉠동길이는 그만 울먹울먹해졌다. 그러나 한사코 눈물을 흘리지는 않았다.

라 아버지는 밥을 몇 숟갈 입에 떠 넣다가 별안간 또 무슨 생각이 났는지 이번에는 어머니에게,

"이봐, 나 오늘 취직했어, 취직. 손이 하나 없으니까 목수질은 못 하지만 그래도 다 써먹을 데가……."

정말인지 거짓부렁인지 알 수는 없는 소리를 대고 *주워섬긴다.

작품 핵심

갈래	현대 소설, 단편 소설, 전후 소설
성격	사실적, 향토적, 비극적
시점	전지적 작가 시점
배경	• 시간: 6 · 25 전쟁 직후 • 공간: 경상도 시골 마을
제재	6 · 25 전쟁 직후의 비참한 삶
주제	6 · 25 전쟁 직후의 가난하고 비참한 삶의 모습과 극복 의지
특징	① 어린 소년을 주인공으로 하여 6 · 25 전쟁이 가져온 상처와 비참한 삶의 모습을 그려 냄. ② 사투리를 사용하여 향토적이고 토속적인 정감을 불러일으키며, 현장감과 표현의 사실성을 높임.

아버지가 동길이를 꾸짖는 이유

표면적	• 동길이가 학교에 가지 않아서 • 동길이가 자신의 처지를 선생님께 제대로 말하지 못해서
이면적	학비를 대지 못하고 경제적 어려움으로 자식을 고생시켰다는 자책감 때문에

어휘 쏙쏙

- **사친회비**: 사친회의 운영을 위해 내는 돈. 사친회는 학교를 중심으로 하여 학부모와 교사로 이루어진 모임으로, 6 · 25 전쟁 이후에 종래의 후원회를 고친 것임.
- **주사**: (남자의 성 뒤에 쓰여) 그를 높여 이르는 말.
- **한턱내다**: 한바탕 남에게 음식을 대접하다.
- **장만하다**: 필요한 것을 사거나 만들거나 하여 갖추다.
- **주워섬기다**: 들은 대로 본 대로 이러저러한 말을 아무렇게나 늘어놓다.

01

이 글을 읽고 짐작할 수 있는 내용이 아닌 것은?

① 아버지는 아들인 동길이를 깊이 사랑한다.
② 아버지는 징용을 가기 전에 목수 일을 했다.
③ 동길이는 아버지의 꾸중에 약간 불만을 품었다.
④ 아버지는 징용을 갔다가 한쪽 팔을 잃고 돌아왔다.
⑤ 아버지는 동길이의 선생님에게 사과받기 위해 학교를 찾아갔다.

02

이 글을 깊이 있게 이해하기 위한 질문으로 적절하지 않은 것은?

① 한쪽 팔을 잃은 아버지를 바라보는 동길이의 심정은 어땠을까?
② 작가는 동길이네의 힘겨운 삶을 통해 무엇을 전하려는 것일까?
③ 이 글의 시대적 배경과 동길이네 가족의 삶은 어떤 관련이 있을까?
④ 동길이 아버지는 학교에 가지 않은 동길이를 어떤 심정으로 혼냈을까?
⑤ 전쟁의 고통을 극복하고 경제 발전을 이룩한 우리 민족의 저력은 무엇일까?

♥ 저력: 속에 간직하고 있는 든든한 힘.

03

이 글의 시대적 배경을 드러내는 소재가 아닌 것은?

① 징용 ② 책보 ③ 노무자
④ 사친회비 ⑤ 방학

04

㉠의 이유로 알맞은 것은?

① 학교에 가기 싫어서
② 아버지에게 혼난 것이 서러워서
③ 아버지의 무능함이 원망스러워서
④ 아버지가 학교에 찾아간 사실이 부끄러워서
⑤ 자신을 위하는 아버지의 마음에 감동을 받아서

05

ⓐ~ⓔ 중 새로운 사건 전개의 실마리가 되는 것은?

① ⓐ ② ⓑ ③ ⓒ ④ ⓓ ⑤ ⓔ

흰 종이수염 ❷ _ 하근찬

마 "아니, 참말로 카능교? 부로 카능교?"

('부러'의 방언. 실없이 거짓으로)

"허, 부로 카긴 와 부로 캐. 내가 언제 거짓말하더나?" / "……."

(거짓으로 그러긴 왜 거짓으로 그래.)

"극장에 취직이 됐어. 극장에……." / "뭐, 극장에요?"

"그래, 와. 나는 극장에 취직하면 안 될 사람이가? 그것도 다 김 주사 덕택이란 말이여. 팔뚝을 한 개 나라에 바친 그 덕택이란 말이여, ㉠으흐흐흐……. 내일 나갈 적에 종이로 쉬염을 만들어 갖고 가야 돼. 바로 이 종이가 쉬염 만들 종이 앙이가."

동길이가 책보와 함께 받아 가지고 있는 흰 종이를 숟가락으로 가리켰다.

바 때마침 저녁 손님을 부르는 극장의 스피커 소리가 우렁우렁 울려 왔다.

(소리가 크게 울리는 모양)

"을씨고, 저 봐라. 우리 극장 선전이다. 이래 봬도 나도 내일부턴 극장 직원이란 말이여, 직원. 으흐흐……."

그러고는 벌떡 일어서서 흘러오는 노랫소리에 맞추어 우쭐우쭐 춤을 추기 시작했다. 하나밖에 없는 팔을 대고 내저으며 제법 궁둥이까지 흔들어 댄다. 꼴불견이다. 동길이는 낄낄낄 웃었다. 그러나 어머니는 이맛살을 찌푸리며

"아이구, 무슨 놈의 술을 저렇게도 마셨노? 쯧쯧쯧……." / 하고 혀를 찼다.

사 '아리 아리랑 시리 시리랑…….' 하며 돌아 쌓던 아버지는 그만 방 아랫목에 가서 벌떡 드러누우며 / "아으흐." / 하고 괴로운 소리를 질렀다.

"밥 그만 잡숫능교?" / 어머니가 묻자 / "안 먹을란다." / 라고 했다.

그리고 잠시 후, 아버지는 훌쭉훌쭉 *느끼기 시작하는 것이었다. 두 눈에서 솟구친 눈물이 양쪽 귓전으로 추적추적 걷잡을 수 없이 흘러내렸다. 동길이는 도무지 어찌 된 영문인지 알 수가 없었다. 그러면서도 덩달아 코끝이 매워 왔다.

아 부엌에서 달그락거리는 소리에 동길이는 눈을 떴다. 어느새 아버지는 일어나서 윗목에 쭈그리고 앉아 무엇을 열심히 만지작거리고 있었다.

동길이는 발딱 몸을 일으켰다. 모기에 물려 부르튼 자리를 득득 긁으면서 아버지 곁으로 다가갔다. 아버지는 가위질을 하고 있었다. 두 발로 종이를 밟고, 왼쪽 손에 든 가위로 *을씨년스럽게 그것을 오리고 있는 것이었다. / "아부지, 그거 뭐 합니꼬?"

"쉬염 만든다 안 카더나. 어젯밤에 안 카더나." / "쉬염 만들어서 뭣 하는데예?"

"넌 알끼 아니다." / "……." / "요렇게 좀 삐져나 도고."

(오려나 다오)

동길이는 아버지한테서 가위를 받아 쥐고 종이를 국수처럼 가닥가닥 오려 나갔다. 그리고 아버지가 시키는 대로 그것을 실로 꿰매기 시작했다. 어머니가 밥상을 들고 들어왔을 때는 한다발의 흰 종이수염이 제법 그럴듯하게 만들어졌다.

중간 부분 줄거리 동길이는 사친회비는 걱정하지 말고 학교에 꼭 가라는 아버지의 당부에 따라 등교하지만, 풀이 죽은 채 수업을 마치고 학교를 나선다.

위기 (   )에 취직한 아버지가 동길이의 도움으로 (   )을 완성함.

작품 핵심

이 글의 구성

- **발단:** 사친회비를 안 냈다는 이유로 교실에서 쫓겨난 동길이는 냇가에서 놀다가 무거운 걸음으로 집에 돌아온다.
- **전개:** 동길이는 징용 갔다가 돌아온 아버지가 한쪽 팔이 없는 것을 보고 놀라고, 냇가에서 시간을 보내다가 아버지가 '외팔뚝이'라는 친구들의 놀림을 받는다.
- **위기:** 아버지는 학교에 가지 않은 동길이를 혼내고, 극장에 취직이 되었다고 말한다. 아버지는 동길이의 도움으로 극장 일에 쓸 흰 종이수염을 완성한다.
- **절정:** 동길이는 삼거리에서 극장의 광고판을 매달고 흰 종이수염을 붙인 채 영화를 선전하는 광대가 아버지임을 알게 된다.
- **결말:** 동길이는 아버지를 놀리는 창식이를 때려눕히고, 아버지는 당황하며 싸움을 말리려고 한다.

장면의 상징적 의미

장면	동길이가 아버지를 도와 흰 종이수염을 만듦.
의미	부자(父子)의 협력으로 현실의 어려움을 극복할 수 있음.

쏙쏙

- **느끼다:** 서럽거나 감격에 겨워 울다.
- **을씨년스럽다:** 보기에 날씨나 분위기 따위가 몹시 스산하고 쓸쓸한 데가 있다.

정답과 해설 10 ▶▶

중요

06 이 글의 시점에 대한 설명으로 알맞은 것은?

① 주인공인 동길이가 자신의 이야기를 서술하고 있다.
② 작가가 자신이 경험한 일을 사실적으로 기록하고 있다.
③ 주변 인물인 '나'가 주인공의 행동을 관찰하여 서술하고 있다.
④ 작품 밖의 서술자가 인물의 말과 행동을 관찰하여 전달하고 있다.
⑤ 작품 밖의 서술자가 인물의 내면까지 꿰뚫어 보고 이를 전달하고 있다.

07 이 글에서 사투리를 사용함으로써 얻는 효과로 알맞은 것은? (정답 2개)

① 시대적 배경을 알 수 있게 해 준다.
② 주제를 분명하고 구체적으로 나타내 준다.
③ 현장감을 느끼게 하며 사실성을 높여 준다.
④ 토속적이고 향토적인 정감을 불러일으킨다.
⑤ 경제적 상황이 어려운 인물의 처지를 드러내 준다.

♥ 토속적: 그 지방에만 특유한 풍속을 닮은 것.

08 <보기>를 고려할 때 (사)에서 아버지가 우는 이유로 보기에 적절한 것은?

보기

동길이 아버지가 극장에서 하게 된 일은 광고판을 매달고 흰 종이수염을 붙인 채 영화를 선전하는 일이다.

① 팔을 잃고도 돈을 벌 수 있게 된 것이 기뻐서
② 자신의 팔을 빼앗아 간 전쟁에 분노를 느껴서
③ 그동안 돈 때문에 고통받았을 가족에게 미안해서
④ 생계를 위해 광대 노릇을 해야 하는 처지가 서글퍼서
⑤ 극장의 스피커에서 들려오는 노랫소리가 너무 구슬퍼서

09 (아)를 읽고 나눈 대화가 다음과 같을 때, 빈칸에 알맞은 말을 쓰시오.

민석: 아버지는 한쪽 팔이 없어서 가위질을 잘 못하는데, 동길이가 도우니까 흰 종이수염이 제법 그럴듯하게 만들어졌어.
지윤: 이 장면은 부자가 힘을 합해 서로 도움으로써 ________________________ ________________________은/는 의미를 상징적으로 드러내는 것 같아.

10 ㉠의 의미에 대한 해석으로 적절한 것은?

① 새로운 결의를 다지는 웃음
② 술을 얻어먹어서 즐거워하는 웃음
③ 자신의 처지를 한탄하는 자조적인 웃음
④ 새 직업을 구한 자신에 대해 만족감을 표현하는 웃음
⑤ 나라를 위해 자신의 팔을 희생한 것을 자랑스러워하는 웃음

♥ 결의: 뜻을 정하여 굳게 먹은 마음.
♥ 자조적: 자기를 비웃는 듯한.

흰 종이수염 ❸ _ 하근찬

중간 부분 줄거리 삼거리에 이르렀을 때 동길이는 광고판을 몸에 매단 희한한 사람을 보게 된다.

자 시커먼 안경을 낀 코쟁이(코가 크다는 뜻에서 서양 사람을 놀림조로 이르는 말)가 큼직한 권총을 두 자루 양쪽 손에 쥐고 있는 그림이었다. 노란 머리카락과 새파란 눈깔을 가진 여자도 하나 윗도리를 거의 벗은 것처럼 하고 권총을 든 사나이 등 뒤에 납작 붙어 있었다. 괴상한 그림이었다.

"아아, 쌍권총을 든 사나이. 아아, 오늘 밤의 활동사진(영화의 옛 용어)은 쌍권총을 든 사나이. 많이 구경 오이소! 많이 많이 구경 오이소!"

그리고 *메가폰을 입에서 뗀 그 희한한 사람의 시선이 동길이의 시선과 마주쳤다.

순간, 동길이는 가슴이 철렁 내려앉고 말았다. 뒤통수를 *야물게 한 대 얻어맞은 것 같았다. 그리고 눈물이 핑 돌았다. 어처구니가 없었다. 그 희한한 사람이 바로 아버지였던 것이다. / 아버지는 동길이와 눈이 마주치자 약간 멋쩍은(쑥스럽고 어색한) 듯했다. 그러고는 얼른 시선을 돌려 버리는 것이었다. 동길이는 코끝이 매워 오며 뿌옇게 눈앞이 흐려져 갔다. 아이들은 더욱 *신명이 나서 떠들어 댄다.

차 "아아, 오늘 밤에는 쌍권총입니다." / "아아, 쌍권총을 든 사나이, 재미가 있습니다."

이런 소리에 섞여 분명히, / "동길아! 너그 아부지다. 너그 아부지 참 멋쟁이다."
하는 소리가 동길이의 *귓전을 때렸다. 용돌이란 놈의 목소리가 틀림없었다.

동길이는 온몸의 피가 얼굴로 치솟는 듯했다. 주먹으로 아무렇게나 눈물을 뿌리쳤다. 뿌옇던 눈앞이 확 트이며 얼른 눈에 들어온 것은 소리를 지른 용돌이가 아닌 창식이란 놈이었다. 요놈이 나무 꼬챙이를 가지고 아버지의 수염을 곧장 건드리면서,

"진짜 앙이다야. 종이로 만든 기다. 종이로." / 하고, 켈켈 웃어 쌓는 것이 아닌가?

절정 움직이는 (　　　　)이 된 아버지와 이를 놀리는 아이들

카 동길이는 가슴속에 불이 확 붙는 것 같았다. 순간 동길이의 눈은 매섭게 빛났다. 이미 물불을 가릴 *계제가 아니었다. 살쾡이처럼 내달을 따름이었다.

"으악!" / 비명 소리와 함께 길바닥에 나가떨어진 것은 물론 창식이였다. 개구리처럼 뻗었다. 그러니 동길이는 그 위에 덮쳐서 사정없이 마구 쌀고 문댔다.

"아이크, 아야야야……, 캥!" / 창식이의 얼굴은 떡이 되는 판이었다. 아이들은 덩달아서 '와아와아' 소리를 지르며 떠들어 댔다.

타 동길이 아버지는 두 눈이 휘둥그레지며 손에서 메가폰을 떨어뜨렸다. 어찌된 영문인지 알 수가 없었다.

창식이는 이제 소리도 제대로 지르지 못하고 '윽! 윽!' 넘어가고 있었다.

"와 이카노? 와 이카노? 잉! 와 이캐?" / 동길이 아버지는 후닥닥 광고판을 벗어던졌다. 그리고 하나 남은 손을 대고 내저으며 어쩔 줄을 몰라 했다. 턱에 붙였던 수염의 실밥이 떨어져서 ㉠흰 종이수염이 가슴 앞에 매달려 너풀너풀 춤을 춘다.

"이눔으 자식이 미쳤나, 와 이카노? 와 이캐 잉?"

결말 화가 나서 (　　　　)를 때리는 동길이와 그런 동길이를 말리는 (　　　　)

작품 핵심

✪ '흰 종이수염'의 의미

극장에 취직한 아버지가 만들어 간 '흰 종이수염'

⋮

- 전쟁으로 상처받은 사람들의 비극적인 모습
- 가족의 생계를 책임지려는 아버지의 눈물겨운 노력
- 가난하고 비참한 삶에 대한 극복 의지

✪ 사건 전개에 따른 동길이의 심리

사건	심리
움직이는 극장 광고판을 봄.	호기심
광고판을 매단 아버지를 알아봄.	놀람, 슬픔
친구들이 아버지를 놀림.	분노

쏙쏙

- **메가폰**: 음성이 멀리까지 들리도록 입에 대고 말하는, 나팔처럼 만든 기구.
- **야물다**: 일 처리나 언행이 옹골차고 야무지다.
- **신명**: 흥겨운 신이나 멋.
- **귓전을 때리다**: 귀에 세게 들리다.
- **계제**: 어떤 일을 할 수 있게 된 형편이나 기회.

■ 소주제 정답 움직이는 / 흰 종이수염 / 광고판 / 창식이 / 아버지

중요

11 이 글에 대한 설명으로 알맞지 않은 것은?

① 인물들 간의 외적 갈등이 나타나 있다.
② 전쟁 직후의 사회 현실이 반영되어 있다.
③ 현대인들의 물질 만능주의를 비판하고 있다.
④ 시간의 흐름에 따라 사건이 전개되는 평면적 구성이다.
⑤ 민족의 비극이 개개인의 삶에 영향을 미침을 보여 주고 있다.

12 이 글의 결말에 대한 설명으로 알맞은 것은?

① 갈등이 해결되지 않은 채 마무리되고 있다.
② 과거에서 현재로 돌아오며 결말을 맺고 있다.
③ 전달하고자 하는 교훈을 직접적으로 제시하고 있다.
④ 사회 발전을 위해 독자가 적극적으로 동참하도록 요구하고 있다.
⑤ 인물이 겪은 일이 꿈과 같은 상상 속의 일이었음을 보여 주고 있다.

13 (자)~(카)에 나타나는 동길이의 심리 변화로 적절한 것은?

① 놀람 → 슬픔 → 분노
② 놀람 → 분노 → 체념
③ 슬픔 → 동정심 → 분노
④ 호기심 → 놀람 → 절망
⑤ 호기심 → 절망 → 분노

♥ 체념: 희망을 버리고 아주 단념함.

14 ㉠에 대한 설명으로 알맞지 않은 것은?

① 이 글의 주제를 암시적으로 드러낸다.
② 전쟁으로 인한 상처와 비참한 삶을 상징한다.
③ 운명 때문에 좌절하는 인간의 나약함을 보여 준다.
④ 가난하고 서글픈 현실을 극복하려는 의지를 드러낸다.
⑤ 가장으로서 책임을 다하려는 아버지의 노력이 담겨 있다.

♥ 암시: 뜻하는 바를 간접적으로 나타내는 것.

원미동 사람들 ❶ _ 양귀자

앞부분 줄거리 경호네 가게인 '김포 쌀 상회'에서는 쌀과 연탄만 팔았었다. 그러나 억척스럽고 성실한 경호네 내외가 '김포 슈퍼'로 이름을 바꾸고 가게를 확장하면서 김 반장네 '형제 슈퍼'에서 팔던 부식, 과일, 채소도 팔기 시작한다. 그러자 반찬거리만 팔던 김 반장네 '형제 슈퍼' 역시 쌀과 연탄을 팔면서 경호네와 경쟁을 하기 시작한다. 동네 사람들은 '김포 슈퍼'와 '형제 슈퍼' 사이에서 난처해한다.

가 ㉠일은 그게 다가 아니었다. 김포 슈퍼에서는 또 가만 앉아 당할 수가 없으니 내외는 머리를 짜내어 모든 물건의 가격을 일이십 원꼴로 낮추어 팔기 시작하였다. 형제 슈퍼에서 180원 하는 과자는 170원으로, 300원짜리는 280원으로 내려 받으면서 저울 눈금으로 파는 채소까지 후하게 달아 주었다. 뿐이랴? 계란 두 줄을 사면 하나를 덤으로 주고, 형제에서 1,000원에 스무 개씩 귤을 팔면 김포는 스물세 개를 담아 주었다. 500원에 3개들이 비누를 형제 슈퍼에서 산 누구는, 김포에서 450원에 판다는 귓속말을 듣자마자 가서 비누를 물리기도 하였다. 뒤통수에 달라붙은 *눈총이야 모른 척하면 그만이지만, 당장 잔돈푼(얼마 안 되는 돈)이 지갑 속으로 떨어져 들어오는 데야 김포 슈퍼로 치달리는 걸음에 의혹이 있을 수가 없었다.

나 ㉡김 반장은 그럼 두 손을 늘어뜨리고 구경만 할 것인가? *제꺼덕 김포 슈퍼보다 10원씩 더 가격을 내리고 저울 눈금도 마냥 후하게 달았다. 스무 개짜리 귤은 아예 스물다섯 개씩 팔아넘기니 한 박스 팔아도 본전 건지면 천만다행인 장사가 시작된 셈이었다. 새해 들면서 ㉢김포와 형제의 *공방전이 여기에 이르자, 오히려 살판난 것은 동네 여자들이었다. 구입할 게 많다 싶으면 세 정거장쯤 떨어져 있는 시장으로 가던 여자들이 시장 발걸음을 끊은 것도 새해 들어서의 버릇이었다. 굳이 시장에 갈 일이 없었다. 어지간한 것은 모두 형제나 김포에 있었고, 이만저만 파격 세일이 아닌 까닭이었다.

다 그러면 고흥댁은 정말 헷갈리기 시작하는 것이다. 아까까지만 해도 김포에서 적어도 30원은 싸게 샀다고 *자부한 판인데 잠깐 사이에 형제에서는 50원이나 싸게 팔고 있다니, 어느 쪽으로 가야 이익일지 계산하기가 썩 어렵잖은가 말이다. 그러잖아도 지난번에 형제 슈퍼에서 산 비누를 물리고 그 즉시로 김포 슈퍼에서 싼값으로 비누를 샀다고 해서 동네 여자들 구설수(남과 시비하거나 남에게서 헐뜯는 말을 들을 운수)에 올라 있는 고흥댁이었다. 한마디로 너무 노골적(숨김없이 모두를 있는 그대로 드러내는 것)이라는 비난이었는데, 그깟 몇십 원 때문에 당장 산 물건을 되물리는 법이 어디 있느냐는 거였다. 이쪽저쪽을 다니더라도 좀 눈치껏 하지 않고 너무 표 나게 굴었던 까닭이었다. 싸게 주는 쪽으로 가는 것이야 말리지 않지만, 어느 쪽이 더 싼지 요령껏 눈치를 살핀 후에 행동에 옮기라는 말일 것이었다. 말귀는 알아들었다 해도 번번이 한 수 뒤처지는 것이 고흥댁은 여간 억울하지 않았다. 아까 콩나물만 해도 그랬다. 김포 콩나물이 엄청 양이 많더라고 오전에 이미 소문을 들었던 터라, 경호네한테 가서 200원어치를 한 봉투 받아 왔었다. 흡족할 만큼 많이 뽑아 준 터라 내심 기분이 좋았는데, 잠시 후에 보니 소라 엄마는 김 반장네에서 훨씬 많은 콩나물 봉투를 들고 오는 게 아닌가? 그래서 괜히 자기만 손해 보았다고 지물포 여자한테 하소연을 좀 했더니 담박에(단번에, 즉시로) 핀잔만 돌아오고 말았다.

"아이구, 아줌마도……, 손해는 무슨 손해요? 김포에서 받은 것도 200원어치 곱절은 됐을 텐데, 안 그래요?"

작품 핵심

갈래	현대 소설, 세태 소설, 연작 소설
성격	일상적, 사실적
시점	전지적 작가 시점
배경	• 시간: 1980년대 겨울 • 공간: 원미동 23통 5반(도시 변두리 소도시의 작은 동네)
제재	원미동 사람들의 삶
주제	가난한 동네에서 이웃 간에 벌어지는 갈등과 이해, 공존의 원리
특징	① 서민들의 삶의 모습을 사실적이고 구체적으로 그려 냄. ② 인물들의 소박한 일상어와 사투리, 구체적인 배경을 통해 사실성과 생동감을 높임. ③ 농촌을 떠난 사람들이 도시 변두리의 소도시로 몰리던 1980년대의 시대상이 반영됨.

✪ 김포 슈퍼와 형제 슈퍼의 갈등

	취급 품목	추가 품목
김포 슈퍼	쌀, 연탄	부식, 생활필수품

↕

	취급 품목	추가 품목
형제 슈퍼	부식, 생활필수품	쌀, 연탄

→ 서로 거리가 가까운데 취급 품목도 같아짐.

어휘 쏙쏙

- **눈총**: 눈에 독기를 띠며 쏘아보는 시선.
- **제꺼덕**: 어떤 일을 아주 시원스럽게 빨리 해치우는 모양.
- **공방전**: 서로 공격하고 방어하는 싸움.
- **자부하다**: 자기 자신 또는 자기와 관련되어 있는 것에 대하여 스스로 그 가치나 능력을 믿고 마음을 당당히 가지다.

말을 듣고 보니 맞는 소리였다. 눈치를 잘 보아서 김 반장한테로 갔으면 더 이익은 봤을망정 손해는 아니었으니까…….

"그나저나 고래 싸움에 새우 등 터진다는 옛말은 다 틀린 말여. ⓐ고래들이 싸우는 통에 우리 같은 ⓑ새우들이 먹잘 게 좀 많은가 말여."

01

(다)에서 알 수 있는 고흥댁의 성격으로 알맞지 않은 것은?

① 영리하고 민첩하다.
② 욕심이 많고 이기적이다.
③ 눈치가 없고 이해타산적이다.
④ 이웃을 걱정하지 않고 자신의 이익만 챙긴다.
⑤ 싸게 파는 슈퍼로 가려는 셈을 너무 노골적으로 한다.

♥ 이해타산: 이익과 손해를 이모저모 모두 따져 봄.

02

앞부분의 내용을 고려할 때, ㉠의 역할로 알맞은 것은?

① 사실적 배경 제시
② 새로운 인물 제시
③ 인물의 성격 제시
④ 갈등의 심화 암시
⑤ 갈등의 해소 암시

중요
03

㉡에 대한 답으로 제시된 김 반장의 행동으로 알맞은 것은?

① 가게 문을 닫고 장사를 하지 않았다.
② 정직함을 내세우며 물건을 제값을 받고 팔았다.
③ 경호네의 김포 슈퍼보다 물건값을 더 인하하여 판매하였다.
④ 자신의 가게에서 물건을 사는 사람들에게 사은품을 주었다.
⑤ 김포 슈퍼에 찾아가서 원래 취급하던 물품만 판매하라고 요구하였다.

04

㉢의 상황을 나타낼 만한 한자 성어로 알맞은 것은?

① 동병상련(同病相憐)
② 상부상조(相扶相助)
③ 설상가상(雪上加霜)
④ 아전인수(我田引水)
⑤ 어부지리(漁夫之利)

05

이 글에서 ⓐ와 ⓑ가 가리키는 대상을 각각 쓰시오.

ⓐ: ____________________ ⓑ: ____________________

원미동 사람들 ❷ _ 양귀자

중간 부분 줄거리 어느 날, 동네에 비어 있던 상가 중 한 곳에 '싱싱 청과물'이라는 가게가 생긴다.

라 싱싱 청과물의 주인 사내는 이제 막 이사 와서 동네 형편은 전혀 모르는 듯했다. 무작정 과일전만 벌였으면 혹시 괜찮았을 것을 눈치도 없이 '부식 일절(아주, 전혀, 절대로) 가게 안에 있음'이란 종이쪽지를 붙여 놓고 파, 콩나물, 두부, 상추, 양파 따위 부식 ⓐ'일절'이 아닌 ⓑ'일체(모든 것)'를 팔기 시작하였다. 참 답답한 노릇이었다. 김포 슈퍼와 형제 슈퍼의 딱 가운데 지점에서, 그것도 *결사적인 고객 확보로 바늘 끝처럼 날카로운 두 가게 앞에 버젓이 '부식 일절' *운운한 쪽지를 매달아 놓았으니 무사할 리가 없었다. 김포의 경호네나 형제의 김 반장이나 *밑천 잘라먹기식의 장사를 한 탓에 서로들 적잖이 지쳐 있는 때였다. 웃음 많고 상냥하던 경호 엄마의 얼굴에도 시름이 덕지덕지 끼었고, 세탁소집 여자 말을 들으면 밤중에 곧잘 부부 싸움도 벌어지고 있는 모양이었다. 김 반장은 꺼칠한 얼굴에 술만 늘어서 소주 네 홉(부피의 단위. 한 홉은 약 180mL에 해당함)이 하루 기본이라고 외치는 판이었다. 김 반장의 경우는 좀 지나치다 할 만큼 술주정까지 덧붙여진 탓에 동네 사람들의 이맛살을 찌푸리게 하는 수도 많았다. 한번 술에 취하면 장사고 뭐고 때려치우겠다고 날뛰지를 않나, 기분이 상한다고 턱도 없는 값에 물건을 팔아넘기질 않나, 팔리지도 않는 쌀과 연탄은 무슨 고집으로 외상을 내서라도 쌓아 놓지를 않나, 참말 속이 터져 죽을 노릇이라고 김 반장의 어머니와 할머니는 매일 징징대었다. 특히 그 허리 굽은 할머니는

"이 날 입때껏(여태, 지금까지) 장가도 못 들고 지 부모 대신 동생들 가르치느라고 마음고생만 시킨 내 큰 손주 다 버리겄어!" / 라면서 눈물까지 글썽거렸다.

"사람 폴짝 뛰다 죽겠네. 얼라! 과일만 팔아도 속이 뒤집힐 판에 부식 일절? 참 골고루들 애먹이는구먼."

김 반장의 눈빛이 곱지 못하듯, 김포 슈퍼 내외도 안색이 좋지 못하였다.

"정말 죽어라 죽어라 하네요. 김 반장 등쌀(몹시 귀찮게 구는 짓)에도 피가 마르는데 인제는 싱싱 청과물까지 끼어들어 훼방을 놓으니……."

위기 새로 개업한 (　　　　　　)이 김포 슈퍼 · 형제 슈퍼와 경쟁에 돌입함.

마 며칠 후 경호네와 형제 슈퍼의 김 반장이 휴전 협정(하던 전쟁을 얼마 동안 쉬자고 협의하여 결정함)을 맺었다는 소문이 동네 안에 좌악 퍼졌다. 아닌 게 아니라, 두 집의 물건값이 같아졌고 저울 눈금도 서로 확실히 하고 있어서, 이제는 어느 집으로 가든 같은 가격으로 물건을 살 수밖에 없었다. 말로 표현하지는 않았지만 동네 여자들은 내심 김이 빠졌다. 그래도 고흥댁은 나이가 많으니 솔직해도 흉이 되지 않는다.

㉠"진작 이렇게 되었어야 혔지만, 그래도 어째 좀 아쉬운디……."

그러나 얼마 지나지 않아 여자들은 새로운 사실을 알게 되었다. 경호네와 김 반장이 단순한 휴전 조약만을 맺은 게 아니라, 당분간 동맹(서로의 이익이나 목적을 위하여 동일하게 행동하기로 맹세하여 맺는 약속) 관계를 유지하기로 약조를 했다는 것이다. 물론, 이 동맹자들이 쳐부숴야 할 적군은 싱싱 청과물이었다.

작품 핵심

✪ 이 글의 구성 – 〈일용할 양식〉

- **발단:** 경호네가 '김포 쌀 상회'에서 '김포 슈퍼'로 이름을 바꾸고 가게를 확장하면서 김 반장네가 팔던 품목도 팔기 시작한다.
- **전개:** '형제 슈퍼'와 '김포 슈퍼'가 경쟁을 하자 동네 사람들은 두 가게 사이에서 난처해하면서도 이익을 챙기며 은근히 좋아한다.
- **위기:** 두 가게 사이에 '싱싱 청과물'이라는 새로운 가게가 들어와 과일을 비롯한 부식 일체를 팔기 시작한다.
- **절정:** 경호네와 김 반장네가 동맹을 맺고 대응한 결과 싱싱 청과물이 결국 문을 닫게 된다.
- **결말:** 동네에 새로운 전파상이 개업을 준비하면서 '써니 전자'와의 갈등이 예고된다.

✪ 이 글의 사회 · 문화적 배경

시간 – 1980년대
• 도시화 · 산업화로 많은 이들이 농촌을 떠나 도시로 이동함. • 도시 변두리에 살며 주로 날품팔이, 장사, 막노동을 하며 생계를 유지함.
공간 – 원미동
• 각박한 시대를 살아가는 보통 사람들의 삶의 공간 • 물질 만능 속에서 서로 소외된 사람들이 사는 동네 • 꿈과 희망을 만들면서 살아가야 하는 우리네 삶의 현장

쏙쏙

- **결사적:** 죽기를 각오하고 있는 힘을 다할 것을 결심한.
- **운운하다:** 이러쿵저러쿵 말하다.
- **밑천:** 어떤 일을 하는 데 바탕이 되는 돈이나 물건, 기술, 재주 따위를 이르는 말.

06

(라)를 읽고 난 반응으로 알맞지 않은 것은?

① 연지: 싱싱 청과물 주인 사내는 눈치가 빠른 사람은 아닌 것 같아.
② 소희: 싱싱 청과물과 김포 슈퍼, 형제 슈퍼가 같은 품목을 파는구나.
③ 현우: 동네 상황으로 보아 싱싱 청과물의 앞날이 순탄하지 않을 듯해.
④ 서경: 경호네 내외는 새로운 이웃의 등장을 반기지만 겉으로는 내색하지 않고 있어.
⑤ 가은: 김 반장은 부양해야 할 가족들이 많아서 장사에 악착같이 매달렸던 모양이야.

♥ 악착같이: 매우 모질고 끈질기게.

07

(마)에서 김포 슈퍼와 형제 슈퍼가 맺은 휴전 협정과 동맹 관계의 내용으로 알맞은 것은?

	휴전 협정	동맹 관계
①	이쯤에서 각자의 주력 품목만 취급한다.	서로 힘을 합하여 싱싱 청과물을 몰아낸다.
②	서로에게 손해가 되는 가격 경쟁을 하지 않는다.	싱싱 청과물이 어떤 물건을 팔든 신경 쓰지 않는다.
③	할인한 물건의 값을 원래 가격으로 되돌린다.	고객에게 질 좋은 상품을 싼값에 구매할 수 있게 한다.
④	이쯤에서 각자의 주력 품목만 취급한다.	싱싱 청과물이 어떤 물건을 팔든 신경 쓰지 않는다.
⑤	서로에게 손해가 되는 가격 경쟁을 하지 않는다.	서로 힘을 합하여 싱싱 청과물을 몰아낸다.

♥ 휴전과 동맹: 휴전은 이미 일어난 싸움을 멈추는 것이고, 동맹은 어떤 목적을 위해 서로 힘을 합치는 것임.

08

고흥댁이 ㉠과 같이 말한 이유로 적절한 것은?

① 물건의 질이 이전보다 떨어져서
② 휴전 협정이 너무 늦게 이루어져서
③ 물건을 싸게 살 수 없는 것이 아쉬워서
④ 경호네와 김 반장의 싸움을 더 이상 볼 수 없어서
⑤ 앞으로 물건을 사려면 멀리 시장까지 나가야 해서

09

ⓐ와 ⓑ의 쓰임이 알맞지 않은 것은?

① 면회 일절 금지
② 외상 일체 사절
③ 일절 간섭하지 마라.
④ 그의 재산 일체를 학교에 기부했다.
⑤ 그는 고향을 떠난 후, 연락을 일절 끊었다.

원미동 사람들 ③ _ 양귀자

바 가격은 싱싱 청과물을 기준으로 하여 정해졌다. 싱싱 쪽에서 사과 상품 한 상자를 15,000원에 판다면 그들은 14,000원에 금을(시세나 흥정에 따라 결정되는 물건의 값) 매겼다. 깎으려고 드는 손님들도 그냥 돌려보내지 않고 한껏 금을 내려 주었다. 구정 선물용으로 대개 상자째 팔려 나가는 때였다. 그것뿐이 아니었다. 싱싱에서 물건을 흥정하는 손님이 있으면 김 반장은 어디서 구해 왔는지 삑삑거리는 핸드 마이크를 쳐들고 훼방을 놓았다.

"과일 바겐세일입니다. 조생 귤이 있습니다. 산지(생산되어 나오는 곳)에서 금방 올라온 맛 좋은 부사 사과를 파격적인 가격으로 판매합니다. 자, 과일 바겐세일!"

어떤 때에는 김포 슈퍼를 선전해 주기도 하였다.

"과일 세일합니다. 사과, 배, 귤 모두 세일합니다. 저쪽 김포 슈퍼로 가시든가 여기로 오시든가 마음대로 하세요. 몽땅 세일합니다요."

㉠싱싱 청과물 사내가 김 반장한테 쫓아간 것은 당연한 일이었다.

사 "당신들 말야, 왜 어깃장(고분고분 따르지 않고 못마땅한 말이나 행동으로 뻗대는 것)을 놓아? 가격이야 뻔한데 본전치기(본밑천만을 받고 물건을 파는 일)로 넘기면서 남의 장사 망쳐 놓는 속셈이 *대관절 무엇이야? 엉! 왜 못살게들 굴어?"

경호 아버지도 어름하게(말이나 행동을 똑똑하고 분명하게 하지 못하고 우물쭈물거리는 모양으로) 물러서지는 않았다.

"싸게 사서 싸게 파는 것도 죄요? 원 별소릴 다 듣겠네."

얼굴이 벌개진 싱싱 사내는 공연스레 목청만 돋운다.

"이 사람들, 이제 보니 심보가 새까맣군그래. 싸게 사서 싸게 파는 것도 죄냐구? 말해! 나하고 무슨 원수가 졌냐? 날 죽여 보겠다는 심보는 대체 뭐야!"

그러면 김 반장이 또 씩씩거리며 대들었다.

"이게 좁쌀밥만 먹고 살았나? 말마다 영 기분 나쁘게시리 반말로만 내뱉는군. 단단히 정신을 차릴 필요가 있는 작자라니까."

마침내 싱싱 청과물 사내가 죽기 살기로 김 반장의 멱살을 잡고 바둥거리기 시작했다. 몸피(몸통의 굵기)가 유난히 왜소하여 애초 김 반장의 상대가 되지도 못하면서 기를 쓰고 덤벼드는 그를 김 반장은 여유 있게 메다꽂았다(어깨 너머로 둘러메어 아래로 힘껏 내리꽂았다). 이 못된 놈이 사람 친다고 악을 쓰면서 덤벼드는 그를 향해 김 반장은 알게 모르게 주먹 솜씨를 발휘하였다.

"어디서 굴러먹던 뼈다귀인지 생전 보지도 못한 놈이 남의 장사 망치려고 덤벼든 것을 생각하면 내 속이 터진다구." / 김 반장의 목소리는 칼날처럼 서늘했다.

아 원래가 *목이 좋지 않아 어느 장사든 길게 가 본 적이 없는 싱싱 청과물은 문을 연 지 한 달 만에 셔터를 내리고야 말았다. 만둣집, 돼지갈비 전문, 오락실 따위의 장사를 벌였던 이전의 주인들도 두세 달을 채우지 못했으니까 그다지 이상할 것도 없는 일이었다. 다만 몇 푼이라도 가게 치장에 돈이 든 것이 아니고, 미처 팔지 못한 과일이나 부식은 식구들이 먹어 치우면 될 것이니 다른 사람들에 비해 큰 손해는 없을 것이라고 여자들은 수군거렸다. 동맹자들이 결국은 목적을 달성한 사실에 대해 한편으로는 놀라기도 하면서 혹은 언짢게 생각하기도 하면서…….

절정 김포 슈퍼와 형제 슈퍼가 ( ) 관계를 맺어서 싱싱 청과물을 문 닫게 함.

작품 핵심

갈등 양상의 변화

김포 슈퍼 ↔ 형제 슈퍼

- 판매하는 품목이 겹쳐서 경쟁하게 됨.
- 경쟁적으로 가격을 내리며 대립함.

⬇

싱싱 청과물이 개업하자 휴전을 하고 동맹을 맺음.

⬇

김포 슈퍼, 형제 슈퍼 ↔ 싱싱 청과물

- 김포 슈퍼 · 형제 슈퍼가 싱싱 청과물보다 과일을 싸게 팔며 장사를 방해함.
- 싱싱 청과물이 문을 닫게 됨.

주요 인물의 성격

인물	성격
경호네 부부	두 내외 모두 싹싹하고 부지런하며 억척스러움.
김 반장	많은 가족의 생계를 책임지고 있어 악착스럽고 지독함. 인정이 없음.
싱싱 청과물 사내	치밀하지 못하고 성질이 급하며 감정적으로 행동함.
고흥댁	염치가 없고 자신의 이익만 챙김. 눈치가 없고 노골적임.

어휘 쏙쏙

- **대관절**: 여러 말 할 것 없이 요점만 말하건대.
- **목**: 자리가 좋아 장사가 잘되는 곳이나 길 따위.

■ 정답 싱싱 청과물 / 동맹

정답과 해설 11 ▶▶

중요

10

〈보기〉의 밑줄 친 부분에 주목하여 이 글을 감상한 것은?

> 보기
>
> 문학 작품을 감상하는 방법에는 작품의 내적 요소를 중심으로 감상하는 방법과 작품의 외적 요소인 작가, 독자, 시대 현실을 중심으로 감상하는 방법이 있다.

① 이 글은 작품 밖의 서술자가 인물의 내면 심리까지 서술하고 있어.
② 김 반장과 경호네의 동맹 때문에 결국 싱싱 청과물은 폐업하고 말았지.
③ 이 글에는 먹고살기 힘들었던 1980년대 서민들의 생활상이 잘 드러나 있어.
④ 이 글을 읽고 이웃 간에 지켜야 할 공존의 원리에 대해 생각해 보게 되었어.
⑤ 원미동에 실제 거주했던 작가의 경험이 이 글을 쓰는 데 영향을 미쳤을 거야.

♥ 공존: 서로 도와서 함께 존재함.

11

이 글에 드러나는 갈등의 근본적인 원인으로 알맞은 것은?

① 가족 간의 대화 단절
② 형편이 어려운 이웃에 대한 무관심
③ 소외 계층에 대한 사회적 무관심과 외면
④ 다른 사람에 대한 무례한 관심과 호기심
⑤ 먹고살기 힘든 현실에서 생계를 유지하기 위한 절박함

12

(바)~(사)에 나타나는 갈등의 유형으로 알맞은 것은?

① 인물의 내적 갈등
② 인물과 인물의 외적 갈등
③ 인물과 운명의 외적 갈등
④ 인물과 사회의 외적 갈등
⑤ 인물과 자연의 외적 갈등

13

(바)~(사)에서 알 수 있는 김 반장의 성격으로 알맞은 것은?

① 온순하고 부드럽다.
② 매몰차고 지독하다.
③ 끈기 있고 침착하다.
④ 불의를 보면 참지 못한다.
⑤ 남을 배려하고 이해심이 많다.

14

㉠에서 싱싱 청과물 주인이 김 반장에게 했을 말로 적절하지 않은 것은?

① 젊은 사람이 장사 수완이 참 대단하군.
② 인정 없이 남의 장사를 망치려고 하는군.
③ 비슷한 형편의 사람들끼리 함께 도와 가며 살자.
④ 다들 먹고살자고 하는 일인데, 양보 좀 하면서 살자.
⑤ 나는 열심히 장사한 죄밖에 없는데 나한테 너무들 하는군.

♥ 수완: 일을 꾸미거나 치러 나가는 재간.

05 할머니를 따라간 메주 ① _ 오승희

앞부분 줄거리 '나'의 할머니는 아파트에서 직접 메주콩을 삶아 찧어서 메주를 만들고, 엄마는 그것을 못마땅하게 여긴다. 작년에 '나'의 집으로 오게 된 할머니는 추석 때 송편을 직접 만든 것을 비롯해 손이 많이 가는 일을 벌이기 때문에 엄마와 갈등을 빚어 오고 있었다. 그러던 중 메주를 만드는 일로 할머니와 엄마가 본격적으로 갈등하기 시작한다.

가 며칠 후, 엄마가 몸이 좀 안 좋다고 일찍 들어온 날이었다. 내 방에서 숙제를 하고 있는데 못 박는 소리가 났다. 곧이어 엄마의 놀란 목소리가 들려왔다.

"아니, 어머니. 뭘 하시는 거예요?"

나도 밖으로 나가 보았다. 할머니가 베란다에 의자를 내놓고 그 위에 올라가 있었다. 그리고는 또 하나 못을 박는 것이었다. 창고 문틀 위에 나란히 못이 박혀 있었다.

"메주 매달아 놓을라고 그려."

엄마는 한숨을 푹 쉬었다. / "어머니, 그런 데다 못을 박으시면 어떡해요?"

"매달아 놓을 데가 마땅치 않아 그러재. 원, 메주 하나 매달아 놓을 데도 없는 집구석이 어디 있다냐. 몹쓸 놈의 집구석이여."

할머니는 못을 또 하나 들어서 박았다. 그것을 본 엄마는 입을 *앙다물고 눈을 한 번 꽉 감았다 뜨더니 떨리는 목소리로 외쳤다.

"아니, 메주만 중요하고 집 꼴은 아무렇게나 돼도 괜찮단 말씀이세요?"

할머니는 그제야 돌아서서 엄마 얼굴을 똑바로 바라보았다.

"뭐여? 집 꼴? 그럼 내가 집 꼴을 망치고 있단 말여? 못 몇 개 박은 게 집 꼴을 망치는 거란 말여?"

나 ㉠할머니는 눈을 부릅뜨고 노여워 어쩔 줄 몰라 했다. 나는 무서웠다. 엄마가 이렇게 할머니에게 대드는 것은 처음 보았다. 엄마는 울상을 지으며 말했다.

"그러니까 메주 만들지 마시라 그랬잖아요."

"뭣이여? 메주를 만들지 마라? 니가 지금 메주 만드는 거 돕기나 하면서 그런 말을 하냐? 손 하나 까딱 안 하고 만들지 말란 소리만 하면 다여?"

"요즘 아파트에서 그런 거 만드는 사람이 몇이나 된다고 그러세요?"

"너는 안 먹고 살래? 아무리 아파트기로서니 사람이 할 일은 하고 살아야재. 그래, 아파트 살면 장을 다 사 먹어야 한단 말이여?"

"아유, 그만두세요. 어머닌 옛날 방식만 고집하시니."

엄마는 돌아서서 안방 쪽으로 갔다. 할머니는 속이 상한지 한참이나 그대로 서 있었다. 나는 조심스럽게 할머니를 불러 보았다. / "…… 할머니이."

할머니는 그제야 내 얼굴을 보더니 혼잣말같이 중얼거렸다.

"시상이 아무리 달라졌다 혀도 달라지지 않는 것도 있는 법이여. 그렇재, 암."

그러고는 박아 놓은 못에 메주를 걸었다. 메주는 창고 문 앞에 주렁주렁 매달렸다. 못에 다 걸 수가 없어서 빨래 건조대에도 매달았다.

전개 (   )를 띄우는 할머니와 이를 싫어하는 (   ) 사이에 갈등이 생김.

작품 핵심

갈래	현대 소설, 단편 소설
성격	교훈적
시점	1인칭 관찰자 시점
배경	• 시간: 현대, 겨울 ~ 봄 • 공간: 도시의 한 아파트
제재	할머니의 메주
주제	가치관의 차이로 인한 세대 갈등의 극복
특징	① 어린아이를 관찰자로 설정하여 세대 간의 갈등을 효과적으로 보여 줌. ② 인물들의 말과 행동을 통해 가치관의 차이를 잘 드러냄.

이 글의 주된 갈등

할머니	• 전통적 생활 방식을 중시함. • 세상이 변해도 지켜야 할 것이 있다고 생각함.
엄마	• 도시 생활에 익숙함. • 세상의 변화에 맞춰 편리하고 실용적으로 살고자 함.

↕ 가치관의 차이

시점의 특징

어린아이인 서술자 '나'가 자신이 관찰한 가족들의 모습을 전달함.

⬇

• 중심인물인 엄마와 할머니의 심리가 직접 드러나지 않아 긴장감이 생김.
• 독자가 상상할 수 있는 폭이 넓어짐.

• 앙다물다: 힘을 주어 꽉 다물다.

중요

01 이 글을 읽고 나눈 대화의 내용으로 적절하지 않은 것은?

① 지원: 전통적인 방식을 지키려는 할머니의 행동은 존중받아야 한다고 생각해.
② 민호: 함께 사는 가족과 상의도 하지 않고 집에 못을 박은 건 할머니의 잘못이라고 생각해.
③ 유리: 할머니와 같이 살기 싫어서 공연히 트집을 잡는 엄마의 태도가 문제라고 생각해.
④ 혜영: 변해 가는 현대 사회에서 할머니처럼 옛것을 고집할 필요는 없지. 시대의 흐름에 순응해야 한다고 생각해.
⑤ 선화: 나는 아파트에 살고 있어서 엄마의 입장이 이해되지만, 달라지지 않는 것도 있는 법이라는 할머니 말도 일리가 있다고 생각해.

02 이 글에 드러나는 것과 유사한 갈등이 제시된 것은?

① 소녀에게 마음을 고백할까 말까 망설이는 소년
② '나'의 닭을 괴롭히는 점순이와 이를 막으려는 '나'
③ 고래들이 싸우는데 누구 편을 들어야 할지 난감한 새우
④ 서자를 차별하는 제도 때문에 높은 관직에 나아가지 못하는 길동
⑤ 세상 사람들의 부정적인 시선 때문에 재혼을 하지 못하는 옥희 엄마

❤ 갈등의 유형: 갈등은 내적 갈등과 외적 갈등으로 나뉜다. 외적 갈등은 인물과 인물 · 사회 · 운명 · 자연의 갈등이 있다.

03 할머니와 유사한 생활 태도를 드러내는 인물로 보기 어려운 것은?

① 집에서 직접 사골국을 우려내는 엄마
② 친척들과 나눠 먹을 만두를 빚는 가족들
③ 김치를 저렴한 가격에 공동 구매하는 자취생
④ 대나무를 직접 깎아 손부채를 만드는 할아버지
⑤ 홍삼을 아홉 번씩 찌고 말려 약재를 만드는 한의사

04 다음 설명에 해당하는 소재를 찾아 쓰시오.

> 전통적인 삶의 방식을 상징하며, 편리함만 추구하는 가치관과 대조된다.

05 ㉠에 대한 설명으로 알맞은 것은?

① '나'가 할머니의 행동을 평가하여 서술한 것이다.
② 엄마가 할머니의 모습을 관찰하여 제시한 것이다.
③ 할머니가 자신의 심리를 솔직하게 표현한 것이다.
④ '나'의 눈에 비친 할머니의 모습을 묘사한 것이다.
⑤ 작품 밖의 서술자가 할머니의 심리를 직접 설명한 것이다.

할머니를 따라간 메주 ② _ 오승희

중간 부분 줄거리 단짝 친구인 희정이네 놀러간 '나'는 희정이가 된장찌개를 좋아하는 것을 보고, 할머니와 엄마의 갈등을 해결할 방법을 떠올린다. 된장이 모자라면 엄마가 할머니에게 메주를 많이 쑤시라고 할 테고 그러면 할머니가 좋아하실 거라고 생각하며 '나'는 된장찌개를 열심히 먹는다. 그리고 날씨가 풀려 가는 어느 날, 할머니는 '나'에게 고향으로 내려가겠다고 말한다.

다 그날 저녁 집에 온 엄마는 나보다 더 놀란 것 같았다. 나에게 이야기를 듣고는 할머니 방으로 뛰어 들어갔다.

"도대체 왜 이러세요? 내려가시다니요?"

"그랴. 내 진즉부터 얘기하려 했는데……."

"안 돼요. 그렇게 내려가시면 어떡해요."

엄마는 방 한 귀퉁이에 있는 옷 보따리를 빼앗기라도 할 듯 움켜잡으며 말했다.

"어머니가 그런 생각까지 하고 계신 줄은 몰랐어요. 그렇게 노여우셨어요? 그동안 제가 잘못했어요. 내려가신다는 말씀 거두세요. 제발 노여움을 푸세요."

엄마는 울먹이며 할머니에게 빌었다. 할머니는 고개를 가로저으며 말했다.

"아녀. 너한테 서운한 게 있어 내려가려는 게 절대 아녀. 내 오래전부터 생각하고 있었어. ㉠서울서는 도대체 내가 살 수가 없어야. 흙마당 하나 밟을 데 없이 이렇게 갇혀서는 내가 *제명에 죽지 못할 거 같여."

"그래도 어머니, 어떻게 혼자 가서 사시려고 그러세요."

"혼자는 무슨. 바로 옆집에 작은엄니 안 계시냐. 또 건너 건넛집은 당숙(아버지의 사촌 형제로 오촌이 되는 관계)네고, 동네가 다 *일가붙인데 혼자는 무슨 혼자래여? 아마 나 내려간다 하믄 작은엄니가 젤 좋아하실 거구먼."

할머니의 생각은 굳었다. 아버지까지 함께 말려 보았지만 할머니는 변함없었다.

"내 진즉부터 생각하고 있었는데 이제사 말하는 것은 날 풀리기만 기다린 거여. 그래야 씨도 뿌리고 일을 할 거 아니겄냐? 여기 와서 꼼짝 않고 앉아 있으려니 원 갑갑증이 나서 참말로…… 내 수족 성할 때 부지런히 놀려야 안 쓰겄냐? 나중에 더 늙어서 움직이지 못하걸랑 그때사 에미 네 손 좀 빌리고."

라 우리는 할머니를 보내 드려야 했다. 할머니는 지난 이 년 동안 무척 힘들었던가 보다. 사는 것 같지가 않았다고도 했다. 우리가 잘해 드린다 하더라도 할머니는 이곳, ㉡아파트에서는 행복하지가 않은 것이다.

일요일, 아버지 차에 살림살이와 옷 보따리, 그리고 메주가 실렸다.

"내, 여기 있으면서 마지막으로 장이나 담가 놓고 갈라 혔는디, 암캐도(아무래도) 가지고 가서 담가야 쓰겄다. 장도 아파트에서 담그면 지맛이 안 날 것 같어야. 햇볕 볼 거 다 보고 바람 맞을 거 다 맞고 익어야 제대로 되재."

그러면서 할머니는 떠나갔다. 낮에 텅 비어 있는 집에 있으면 가슴속이 이상스럽게 물결쳤다. 엄마는 할머니한테 자주 찾아가자면서 나를 달래 주었다.

절정 할머니가 (　　　　) 생활이 답답하다며 (　　　　)으로 감.

작품 핵심

이 글의 구성

- **발단**: 엄마는 아파트에서 직접 메주를 만드는 할머니를 못마땅해하고, 그런 할머니와 엄마를 보는 '나'는 마음이 편하지가 않다.
- **전개**: 메주를 달기 위해 집에 못을 박는 일로 할머니와 엄마는 본격적으로 갈등하기 시작한다.
- **위기**: 친구인 희정이가 된장찌개를 좋아하는 것을 본 '나'는 자신도 된장찌개를 많이 먹어서 엄마와 할머니를 화해시키려고 한다.
- **절정**: 날씨가 풀리자 할머니는 아파트 생활이 답답하다며 고향으로 내려가겠다고 한다.
- **결말**: 온 가족이 할머니가 계신 시골에 놀러가 할머니가 끓인 된장찌개로 즐겁게 저녁 식사를 한다.

공간에 대한 할머니의 생각

서울(아파트)	• 삭막하고 답답한 공간 • 개인주의적이고 편의주의적인 생활의 공간

고향	• 자연과 가까운 공간 • 전통적인 생활 방식으로 살 수 있는 공간 • 친족들과 공동체 생활을 할 수 있는 공간

어휘 쏙쏙

- **제명**: 타고난 자기의 목숨.
- **일가붙이**: 한집안에 속하는, 같은 핏줄을 이어받은 사람.

■ 소단원 정답 메주 / 엄마 / 아파트(도시) / 고향

중요

06

이 글에 대한 설명으로 알맞지 않은 것은?

① 중심인물은 '할머니'와 '엄마'이다.
② 시간의 흐름에 따라 갈등 상황이 전개된다.
③ 생활 방식이 대조적인 인물들을 등장시키고 있다.
④ 어린이를 관찰자로 설정하여 세대 간의 갈등을 보여 주고 있다.
⑤ 실용성과 편리함을 추구하는 세태에 대한 긍정적인 시각이 드러난다.

♥ 중심인물: 작품에서 차지하는 비중이 큰 중요한 인물. 주변 인물과 반대됨.
♥ 세태: 사람들의 일상생활, 풍습 따위에서 보이는 세상의 상태나 형편.

07

이 글의 '나'가 썼음 직한 일기의 내용으로 적절하지 않은 것은?

오늘 ①할머니가 시골로 내려가신다고 하셔서 정말 당황스러웠다. 하지만 ②엄마가 할머니께 사과를 하게 된 것은 다행이라고 생각한다. ③할머니는 자연과 가까운 곳에서 살고 싶으셨을 것이다. 시골에서 오래 사셨던 ④할머니에게 서울 생활은 너무나 갑갑하게 느껴졌을 테니까. 그렇지만 ⑤엄마에 대한 앙금이 남은 채 갈등을 회피하려고만 하는 할머니가 안타깝다.

♥ 앙금: 마음속에 남아 있는 개운치 아니한 감정을 비유적으로 이르는 말.

중요

08

이 글에서 작가가 궁극적으로 말하고자 하는 바로 가장 적절한 것은?

① 메주에 대한 선입견을 버리자.
② 갈등을 중재하는 방법을 익히자.
③ 세대 간의 가치관의 차이를 이해하자.
④ 가족끼리 서로에 대한 예절을 지키자.
⑤ 우리 땅에서 자란 농산물을 애용하자.

09

글의 흐름으로 보아 ㉠의 공간적 의미와 거리가 먼 것은?

① 삭막한 공간
② 답답한 공간
③ 개인주의적인 생활 공간
④ 친족 공동체의 생활 공간
⑤ 빠르고 편리한 생활 공간

10

㉡의 근본적인 이유로 가장 적절한 것은?

① 아파트에 햇볕이 잘 들지 않기 때문에
② 할머니는 전원주택을 좋아하기 때문에
③ 할머니의 생활 방식과 맞지 않기 때문에
④ 가족들이 할머니에게 무관심하기 때문에
⑤ 할머니 방에 바람이 잘 통하지 않기 때문에

춘향전 ❶ _ 작자 미상

앞부분 줄거리 전라도 남원 고을 사또의 아들인 이몽룡은 광한루에 올랐다가, 퇴기 월매의 딸 춘향이 그네 뛰는 모습을 보고 그녀에게 반해 백년가약을 맺는다. 이몽룡의 부친이 한양으로 가게 되어 둘은 이별하게 되고, 이몽룡은 과거 급제 후 데리러 오겠다고 춘향에게 맹세한다. 남원 고을에 새로 부임한 변 사또는 춘향에게 수청을 들도록 명령하는데, 이를 거절한 춘향은 곤장을 맞고 옥에 갇히게 된다. 한편 어사가 되어 남원에 내려온 이몽룡은 춘향이 옥에 갇힌 사연을 듣게 되고, 자신의 신분을 감춘 채 춘향을 만난다. 변 사또의 생일 잔칫날 이몽룡은 거지꼴로 잔치에 참여하여 변 사또의 가혹한 행태를 풍자하는 시를 짓는다.

가 이때 어사또 하직하고 간 연후에 운봉이 공형 불러 분부한다.
(하직하고: 작별을 고하고 / 공형: 조선 시대 각 고을의 세 구실아치. 호장, 이방, 수형리를 이름)

"야야, 일 났다!"

㉠공방 불러 자리 단속, 병방 불러 역마 단속, 관청색 불러 다과상 단속, 옥사정 불러 죄인 단속, 집사 불러 형벌 기구 단속, 형방 불러 서류 단속, 사령 불러 숙직 단속, 한참 이렇게 요란할 때 눈치 없는 본관 사또, 운봉을 향해 말을 던진다.
(관청색: 수령의 음식물을 맡아보던 구실아치 / 집사: 형 집행을 맡은 관리 / 형방: 법률, 소송 등에 관한 일을 맡은 아전)

"여보 운봉, 어딜 그리 바삐 다니시오." / "소피 보고 들어오오."
(소피: 오줌을 완곡하게 이르는 말)

그때 술이 거나하게 취한 변 사또가 술주정을 하느라고 느닷없이 명을 내렸다.
(거나하게: 정도가 어지간하게)

"춘향이 빨리 불러올려라."

나 이때 어사또가 서리에게 눈길을 주어 신호를 하니, 서리 · 중방이 역졸 불러 단속할 때, 이리 가며 수군, 저리 가며 수군수군 신호를 전한다. 서리 · 역졸의 거동을 보자. 한 가닥 올로 지은 망건에 두터운 비단 갓싸개, 새 패랭이 눌러쓰고, 석자 길이 발감개에 새 짚신 신고, 속적삼 · 속바지 산뜻이 입고, 여섯 모 방망이에 사슴 가죽끈을 매달아 손목에 걸어 쥐고, 여기서 번뜻 저기서 번뜻, 남원읍이 웅성웅성거렸다.
(서리: 말단 행정 실무에 종사하는 구실아치 / 중방: 고을 원의 시중을 드는 사람 / 망건: 상투 튼 머리를 두르는 물건)

다 이때 청파역 역졸들이 달 같은 마패를 햇빛같이 번쩍 들고 우렁차게 소리를 질렀다. / "암행어사 출두야!"

역졸들이 일시에 외치는 소리에 강산이 무너지고 천지가 뒤집히는 듯하니 산천초목인들 금수인들 아니 떨겠는가. 한 번 소리가 나자 남문에서도
(산천초목: 산과 내와 풀과 나무라는 뜻으로, '자연'을 이르는 말 / 금수: 날짐승과 길짐승이라는 뜻으로, 모든 짐승을 이르는 말)

"출두야!" / 북문에서도 / "출두야!"

동문에서도 서문에서도 "출두야!" 소리가 맑은 하늘에 천둥 치듯 진동했다.

"공형 들라." / 외치는 소리에 육방이 넋을 잃는다.
(육방: 조선 시대에 승정원 및 각 지방 관아에 둔 여섯 부서. 이방, 호방, 예방, 병방, 형방, 공방을 이름)

"공형이오." / 서둘러 나오는데 등나무 채찍으로 따악 치니,

"애고, 죽네." / "공방, 공방!" / 공방이 자리를 들고 들어오며,

"안 하려는 공방을 하라더니 저 불속에 어찌 들어가랴?"

등나무 채찍으로 따악 치니, / "애고, 박 터졌네."
(박: 머리통을 속되게 이르는 말)

좌수 · 별감은 넋을 잃고, 이방 · 호장은 혼을 잃고, 삼색 옷 입은 나졸들은 분주하네. 모든 수령들이 도망하는데 그 꼴이 가관이다. 도장 궤 잃고 유밀과 들고, 병부 잃고 송편 들고, 탕건 잃고 용수 쓰고, 갓 잃고 밥상 쓰고, 칼집 쥐고 오줌 누기, 부서지니 거문고요, 깨지나니 북 · 장고라.
(병부: 병사의 이름, 주소 따위를 적어 넣은 명부 / 탕건: 벼슬아치가 갓 아래 받쳐 쓰던 관의 하나)

본관 사또 똥을 싸고, 멍석 구멍에 생쥐 눈 뜨듯 하면서 관아 깊숙한 안채로 들어가며 급히 내뱉는 말이,

작품 핵심

갈래	고전 소설, 판소리계 소설, 애정 소설
성격	해학적, 풍자적, 서민적
시점	전지적 작가 시점
배경	• 시간: 조선 후기 • 공간: 전라도 남원
제재	춘향의 지조와 절개
주제	• 신분을 초월한 사랑과 정절(신분의 한계를 넘어선 인간 해방의 의지) • 탐관오리의 횡포에 대한 풍자
특징	① 4 · 4조 중심의 운문체와 산문체가 결합되어 표현됨. ② 서술자의 편집자적 논평이 나타남. ③ 판소리계 소설 특유의 해학과 풍자가 돋보임.

판소리계 소설의 특징

- **형성 과정**: '근원 설화 → 판소리 → 판소리계 소설'의 과정으로 발전하였다.
- **사용 언어의 특성**: 서민의 일상어와 양반의 언어가 공존한다.
- **장면의 극대화**: 관객이 관심을 보일 만한 대목을 열거나 대구 등을 사용해 집중적으로 확장시킨 부분이 자주 나타난다.
- **편집자적 논평**: 서술자가 개입하여 사건의 상황이나 인물의 성격에 대해 직접 평가하는 표현이 나타난다.

쏙쏙

- **공방**: 공예, 건축 등의 일을 맡은 아전.
- **병방**: 군사, 교통 등의 일을 맡은 아전.
- **옥사정**: 옥에 갇힌 사람을 맡아 지키던 사람.
- **사령**: 각 관아에서 심부름하던 사람.
- **역졸**: 역에 속해 심부름하던 사람.
- **유밀과**: 튀긴 반죽에 꿀이나 조청을 바르고 튀밥, 깨 따위를 입힌 과자.
- **용수**: 술이나 장을 거르는 데 쓰는 둥글고 긴 통.

㉡"어, 추워라. 문 들어온다 바람 닫아라. 물 마르다 목 들여라."
관청색은 상을 잃고 문짝을 이고 내달으니 서리 · 역졸 달려들어 후다닥 따악 친다.
"애고, 나 죽네."

중요

01 이와 같은 글의 일반적 특징으로 알맞지 않은 것은?

① 전지적 작가 시점으로 서술된다.
② 대부분 권선징악적 주제를 다룬다.
③ 주로 입체적이고 개성적인 인물들이 등장한다.
④ 주인공이 고난을 극복하고 행복한 결말을 맺는다.
⑤ 시간의 흐름에 따르는 평면적 구성 방식을 취한다.

02 (다)에 대한 설명으로 적절하지 않은 것은?

① 상황을 해학적으로 표현한다.
② 인물을 희화화하여 독자에게 쾌감을 준다.
③ 이전과 상황이 반전되어 전개되는 부분이다.
④ 인물들의 심리를 섬세하게 묘사하여 전달한다.
⑤ 의성어와 의태어를 사용하여 장면의 생동감을 높인다.

♥ 희화화: 인물의 외모나 성격, 또는 사건이 의도적으로 우스꽝스럽게 묘사되는 것.

03 ㉠에 대한 설명으로 적절하지 않은 것은?

① 의미가 비슷한 어구를 열거하고 있다.
② 장면을 집중적으로 확장하여 나타내고 있다.
③ 서술자가 개입해 사건을 요약하여 전달하고 있다.
④ 동일한 문장 구조가 반복되면서 리듬감이 형성되고 있다.
⑤ '육방과 관속을 불러 각자 맡은 일을 점검하도록 지시하였다.'는 내용이다.

♥ 확장: 범위, 규모, 세력 따위를 늘려서 넓힘.

04 다음 중 웃음을 유발하는 방식이 ㉡과 가장 유사한 것은?

① (취발이 엉덩이를 양반 코 앞에 내밀게 하며) 그놈 잡아들였소.
② 어이구, 그만 정신없다 보니 말이 빠져서 이가 헛 나와 버렸네.
③ 네 서방인지 남방인지 이몽룡 씨 영락없이 비렁거지 되어 와 버렸다.
④ 올라간 이 도령인지 삼 도령인지, 그놈의 자식은 일거 후 무소식하니
⑤ 아, 이 양반이 허리 꺾어 절반인지, 개다리소반인지, 꾸레미전에 백반인지.

춘향전 ❷ _ 작자 미상

라 이때 암행어사 분부하되,

"이 고을은 대감께서 계시던 고을이다. 소란을 금하고 객사로 옮기라."

(객사: 각 고을에 설치하여 외국 사신이나 다른 곳에서 온 벼슬아치를 대접하고 묵게 하던 숙소)

관아를 한 차례 정리하고 동헌에 올라앉은 후에,

(동헌: 지방 관아에서 고을 원이나 감사 및 그 밖의 수령들이 공사를 처리하던 중심 건물)

"본관은 봉고파직하라." / "본관은 봉고파직이요."

(봉고파직: 어사나 감사가 못된 짓을 많이 한 고을의 원을 파면하고 관가의 창고를 봉하여 잠그는 일)

동서남북 문 밖에 봉고파직이라는 암행어사의 명이 나붙었다. 절차에 따라 옥의 형리를 불러 분부하되,

"옥에 갇힌 죄인들을 다 올리라."

호령하니 죄인을 올리거늘 다 각각 죄를 물은 후에 죄 없는 자들을 풀어 줄 때,

"저 계집은 무엇인고?" / 형리가 아뢴다.

"기생 월매의 딸이온데 관가에서 포악을 떤 죄로 옥중에 있사옵니다."

(포악: 사납고 악함)

"무슨 죄인고?"

"본관 사또를 모시라고 불렀더니 절개를 지킨다면서 사또 명을 거역하고 사또 앞에서 악을 쓴 춘향이로소이다.

마 어사또 분부하되,

"너만 한 년이 수절한다고 나라의 관리를 욕보였으니 살기를 바랄 것이냐. 죽어 마땅할 것이나 기회를 한 번 더 주마. 내 수청도 거역할 테냐?"

(수절: 정절을 지킴)

이 어사는 춘향의 마음을 떠보려고 짐짓 한번 다그쳐 보는 것인데, 춘향은 어이가 없고 기가 콱 막힌다.

"내려오는 사또마다 빠짐없이 *명관이로구나! 어사또 들으시오. 층층이 높은 ⓐ절벽 높은 ⓑ바위가 ⓒ바람이 분들 무너지며, ⓓ푸른 솔 푸른 대가 ⓔ눈이 온들 변하리까. 그런 분부 마옵시고 어서 빨리 죽여 주오."

하면서 무슨 생각이 났는지 황급히 이리저리 두리번거리며 향단이를 찾는다.

"향단아, 서방님 혹시 어디 계신가 살펴보아라. 어젯밤 오셨을 때 *천만당부 하였는데 어디를 가셨는지, 나 죽는 줄도 모르시는가? 어서 찾아보아라."

바 어사또 다시 분부하되, / "얼굴을 들어 나를 보아라."

하시기에 춘향이 천천히 고개를 들어 대 위를 살펴보니, 거지로 왔던 *낭군이 어사또로 뚜렷이 앉아 있었다. 순간, 춘향은 깜짝 놀라 눈을 질끈 감았다가 떴다.

"나를 알아보겠느냐? 네가 찾는 서방이 바로 여기 있느니라."

어사또는 즉시 춘향의 몸을 묶은 오라를 풀고 동헌 위로 모시라고 명을 내렸다. 몸이 풀린 춘향은 웃음 반 울음 반으로,

(오라: 도둑이나 죄인을 묶을 때에 쓰던, 붉고 굵은 줄)

"얼씨구나 좋을씨고, 어사 낭군 좋을씨고. 남원읍에 가을 들어 낙엽처럼 질 줄 알았더니 객사에 봄이 들어 ㉠이화춘풍(李花春風)이 날 살리네. 꿈이냐 생시냐? 꿈이 깰까 염려로다."

절정 어사또가 출두하여 (　　　　)를 봉고파직하고 (　　　　)과 재회함.

작품 핵심

이 글의 구성

- **발단**: 퇴기 월매의 딸 춘향과 남원 부사의 아들 이몽룡이 사랑에 빠져 백년가약을 맺는다.
- **전개**: 한양으로 가게 된 이몽룡과 춘향이 이별하게 된다.
- **위기**: 변 사또의 수청 요구를 거부한 춘향은 옥에 갇히고, 이몽룡은 어사가 되어 남원에 내려온다.
- **절정**: 어사출두를 한 이몽룡이 변 사또를 봉고파직한 뒤 춘향을 구해 낸다.
- **결말**: 이몽룡과 춘향이 함께 한양으로 가 행복한 일생을 보낸다.

등장인물의 관계

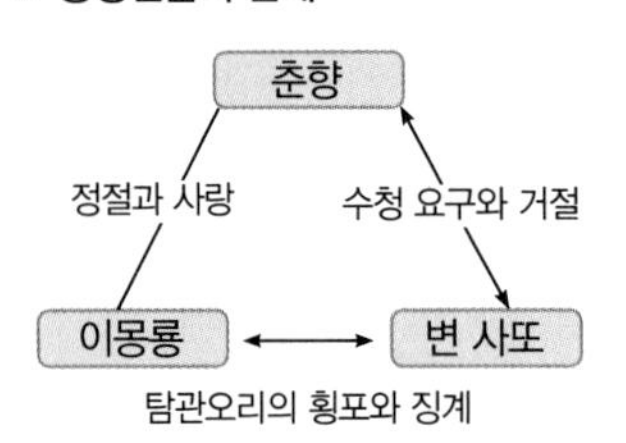

〈춘향전〉에 나타나는 갈등과 의미

춘향 ↔ 변 사또
탐관오리에게 저항하는 서민 의식이 드러남.
이몽룡 ↔ 변 사또
탐관오리를 응징한다는 측면에서 권선징악의 주제와 관련됨.
춘향 ↔ 사회(신분 제도)
춘향이 시대부가에 편입되는 것에서 민중의 신분 상승 욕망이 드러남.

어휘 쏙쏙

- **명관**: 일에 밝은 벼슬아치라는 뜻으로, 고을을 잘 다스리는 현명한 관리를 이르는 말.
- **천만당부**: 간곡한 당부.
- **낭군**: 예전에, 젊은 여자가 자기 남편이나 연인을 부르던 말.

■ 소주제 정답 변 사또 / 춘향

05 이 글의 특징으로 알맞지 않은 것은?

① 서민과 양반층의 언어가 모두 나타난다.
② 해학적이고 풍자적인 성격이 두드러진다.
③ 운문체와 산문체가 결합된 문체가 사용되었다.
④ 비현실적인 공간을 배경으로 기이한 사건이 전개된다.
⑤ 설화에서 발전하여 판소리로 전해지다가 소설로 기록되었다.

06 이 글의 주제 의식과 거리가 먼 것은?

① 인간 평등사상
② 유교적 정절 의식
③ 탐관오리의 횡포 고발
④ 신분을 초월한 남녀 간의 사랑
⑤ 가부장제와 남존여비 사상에 대한 비판

♥ 가부장제: 가부장이 가족에 대한 지배권을 행사하는 가족 형태. 대체로 남편이나 아버지가 가부장이 되었음.
♥ 남존여비: 사회적 지위나 권리에서 남자를 여자보다 우대하고 존중하는 일.

07 (마)에 대한 설명으로 적절하지 않은 것은?

① 어사또가 자신의 정체를 밝히지 않고 춘향의 절개를 시험하는 부분이다.
② 정절을 지키는 춘향의 꿋꿋한 태도를 강조하려는 작가의 의도가 담겨 있다.
③ 어사또도 변 사또와 다르지 않은 인물임을 암시하기 위해 설정된 장면이다.
④ 사건 전개상 춘향이 이몽룡과 사랑을 성취하기 위해 거쳐야 하는 마지막 관문이다.
⑤ 춘향을 떠보려고 일부러 다그쳐 보는 행동에서 이몽룡의 의뭉스러움이 드러나 있다.

♥ 관문: 어떤 일을 하기 위해 반드시 거쳐야 하는 대목.
♥ 의뭉스럽다: 보기에 겉으로는 어리석어 보이나 속으로는 엉큼한 데가 있다.

08 ㉠의 의미를 다음과 같이 정리할 때, 빈칸에 알맞은 말을 한 단어로 쓰시오.

> ‘이화춘풍’을 단어 그대로 풀이하면 ‘봄바람에 핀 오얏꽃’을 뜻한다. 그런데 ‘이화춘풍’이 자신을 살렸다는 춘향의 말로 보아 이는 ________________을/를 가리키는 표현으로도 볼 수 있다.

09 ⓐ~ⓔ 중 상징적 의미가 유사한 소재끼리 묶인 것은?

① ⓐ, ⓒ　② ⓑ, ⓔ　③ ⓒ, ⓔ
④ ⓐ, ⓓ, ⓔ　⑤ ⓑ, ⓒ, ⓓ

07 심청전 ❶ _ 작자 미상

앞부분 줄거리 황해도 도화동에 심학규라는 장님이 살았다. 그는 늦은 나이에 딸 심청을 얻었으나, 아내가 출산 후 7일 만에 죽고 만다. 심 봉사는 동네 아낙들에게 젖을 얻어먹여 가며 딸을 기르고 심청은 어려서부터 효심이 지극해 심 봉사를 극진히 *봉양한다. 어느 날 심 봉사는 몽운사 화주승으로부터 공양미 삼백 석을 절에 시주하면 눈을 뜰 수 있다는 말을 듣고 *시주를 약속한다. 이 사실을 알게 된 심청은 공양미 삼백 석을 구하기 위해 제물로 바칠 처녀를 찾는 남경 상인들에게 자신을 팔게 된다.

가 천지가 사정없어 이윽고 닭이 우니 심청이 하릴없어,(달리 어떻게 할 도리가 없어)

(㉠) "닭아 닭아, 우지 마라. 제발 덕분에 우지 마라. 반야 진관에서 닭 울음 기다리던 *맹상군이 아니로다. 네가 울면 날이 새고, 날이 새면 나 죽는다. 죽기는 섧지 않아도 의지 없는 우리 아버지 어찌 잊고 가잔 말이냐?"

어느덧 동방이 밝아 오니, 심청이 아버지 진지나 마지막 지어 드리리라 하고 문을 열고 나서니, 벌써 뱃사람들이 사립문 밖에서,

"오늘이 배 떠나는 날이오니 쉬이 가게 해 주시오."

하니, 심청이 이 말을 듣고 얼굴빛이 없어지고 손발에 맥이 풀리며 목이 메고 정신이 어지러워 뱃사람들을 겨우 불러,

(㉡) "여보시오 선인(뱃사공, 뱃사람)네들, 나도 오늘이 배 떠나는 날인 줄 이미 알고 있으나, 내 몸 팔린 줄을 우리 아버지가 아직 모르십니다. 만일 아시게 되면 지레(어떤 일이 일어나기 전에 미리) 야단이 날 테니, 잠깐 기다리면 진지나 마지막으로 지어 잡수시게 하고 말씀 여쭙고 떠나겠어요."

하니 뱃사람들이, / "그리하시지요." / 하였다.

나 심청이 들어와 눈물로 밥을 지어 아버지께 올리고, 상머리에 마주 앉아 아무쪼록 진지 많이 잡수시게 하느라고 자반(소금에 절인 생선)도 떼어 입에 넣어 드리고 김쌈도 싸서 수저에 놓으며, / (㉢) "진지를 많이 잡수셔요."

심 봉사는 철도 모르고,

ⓐ"야, 오늘은 반찬이 유난히 좋구나. 뉘 집 제사 지냈느냐."

그날 밤에 꿈을 꾸었는데, 부자간은 천륜지간(하늘의 인연으로 맺어진 부모와 자식 간의 관계)이라 꿈에 미리 보여 주는 바가 있었다.

(㉣) "아가 아가, 이상한 일도 있더구나. 간밤에 꿈을 꾸니, 네가 큰 수레를 타고 한없이 가 보이더구나. 수레라 하는 것이 귀한 사람이 타는 것인데 우리 집에 무슨 좋은 일이 있을란가 보다. 그렇지 않으면 장 승상 댁에서 가마 태워 갈란가 보다."

다 심청이는 저 죽을 꿈인 줄 짐작하고 둘러대기를,

(㉤) "그 꿈 참 좋습니다."

하고 진짓상을 물려 내고 담배 태워 드린 뒤에 밥상을 앞에 놓고 먹으려 하니 간장이 썩는 눈물은 눈에서 솟아나고, 아버지 신세 생각하며 저 죽을 일 생각하니 정신이 아득하고 몸이 떨려 밥을 먹지 못하고 물렸다. 그런 뒤에 심청이 사당(조상의 신주(神主)를 모셔 놓은 집)에 하직(먼 길을 떠날 때 웃어른께 작별을 고하는 것)하려고 다시 세수하고 사당 문을 가만히 열고 인사를 올렸다.

"못난 여손 심청이는 아비 눈 뜨기를 위하여 인당수 제물로 몸을 팔려 가오매, 조상 제사를 끊게 되오니 슬픈 마음을 이기지 못하겠습니다."

작품 핵심

갈래	고전 소설, 판소리계 소설
성격	교훈적, 우연적, 비현실적
시점	전지적 작가 시점
배경	• 시간: 송나라 말 • 공간: 황해도 도화동
제재	심청의 지극한 효(孝)
주제	아버지에 대한 지극한 효성
특징	① 당시 사람들의 효에 대한 윤리관이 드러남. ② 여러 가지 배경 설화와 배경 사상의 영향을 받아 창작됨. ③ 심청이 인당수 제물이 될 때까지의 전반부와, 환생 후 아버지를 만나는 후반부로 나뉨.

등장인물의 성격

심청	• 아버지에 대한 효성이 지극함. • 자기희생 의지가 강함.
심 봉사	• 딸을 무척 사랑함. • 사리 판단이 미숙함.

'꿈'의 역할

심 봉사의 꿈		현실
심청이 큰 수레를 타고 한없이 감.	➡	심청이 인당수 제물로 팔려 감.

→ '꿈'은 심청의 죽음을 암시하고 작품의 슬픈 분위기를 고조시킴.

어휘 쏙쏙

- **봉양하다**: 부모나 조부모와 같은 웃어른을 받들어 모시다.
- **시주**: 자비심으로 조건 없이 절이나 승려에게 물건을 베풀어 주는 일.
- **맹상군(孟嘗君)**: 중국 춘추 전국 시대의 인물. 진나라에 사신으로 갔다가 죽을 뻔하였으나 식객 중에 닭의 울음소리를 잘 흉내 내는 사람이 있어 그의 도움으로 죽음을 모면한 이야기로 유명함.

중요

01 이 글에서 알 수 있는 당시의 시대 상황으로 알맞은 것은?

① 돈을 가장 중요하게 여기는 시대였다.
② 자식들이 불효를 저지르면 법으로 처벌했다.
③ 유교적 이념을 바탕으로 한 효(孝)를 중시했다.
④ 신분의 차별 없이 모든 사람이 평등한 사회였다.
⑤ 부모에 대한 효도보다는 개인의 행복을 더 중요하게 여겼다.

♥ 유교: 유학을 종교적인 관점에서 이르는 말. 삼강오륜과 사서삼경을 중시함.

02 심 봉사의 '꿈'에 대한 설명으로 적절하지 <u>않은</u> 것은?

① 심청이 큰 수레를 타고 가는 내용이다.
② 심청이 위기를 모면할 방법이 제시되어 있다.
③ 뒤에 이어질 내용에 대한 독자의 흥미를 자극하고 있다.
④ 심 봉사와 심청은 꿈에 대해 서로 다르게 해석하고 있다.
⑤ 심청이 인당수 제물이 되어 죽는 상황을 암시한다고 볼 수 있다.

♥ 모면: 어떤 일이나 책임을 꾀를 써서 벗어남.
♥ 인당수: 물이 깊은 곳으로, 이 글에서 사람을 제물로 바쳐야 배가 무사히 지나갈 수 있는 곳으로 제시됨.

03 이 글을 연극의 대본으로 바꿀 때, ㉠~㉤에 들어갈 지시문으로 알맞지 <u>않은</u> 것은?

① ㉠: 안타까운 목소리로
② ㉡: 간절한 표정을 지으며
③ ㉢: 슬픔에 젖은 목소리로
④ ㉣: 들뜬 표정을 지으며
⑤ ㉤: 일부러 밝은 목소리를 내며

♥ 연극의 대본: 무대에서 상연하기 위해 쓴 희곡. 대사와 지시문 등으로 구성됨.

04 ⓐ에 대한 설명으로 알맞은 것은?

① 엄숙한 분위기를 조성한다.
② 작품의 비극성을 고조시킨다.
③ 사건이 해결되는 실마리를 제시한다.
④ 인물들이 갈등하는 원인으로 작용한다.
⑤ 새로운 사건이 시작될 것임을 암시한다.

심청전 ❷ _ 작자 미상

중간 부분 줄거리 심청은 심 봉사에게 자신이 인당수 제물로 팔려 간다는 사실을 고하고, 심 봉사는 떠나려는 심청을 말리며 남경 상인들을 비난한다. 남경 상인들은 심청의 딱한 형편을 보고 심 봉사가 먹고살 재물을 마련해 준다. 떠나기 전에 심청은 자신을 딸처럼 여기는 장 승상 댁 부인에게 이별의 시를 선물하고 부인 또한 그 시에 대한 답을 하며 이별의 슬픔을 나눈다.

라 심청이 돌아와서 아버지께 하직하니 심 봉사가 붙들고 뒹굴며 괴로워하여,

"네가 날 죽이고 가지 그저는 못 가리라. 날 데리고 가거라. 네 혼자는 못 가리라."

심청이 아버지를 위로하기를,

"부자간 *천륜을 끊고 싶어 끊사오며 죽고 싶어 죽겠습니까마는, 액운(모질고 사나운 운수)이 막혀 있고 생사가 때가 있어 ㉠하느님이 하신 일이니 한탄한들 어찌하겠어요? 인정으로 할 양이면 떠날 날이 없을 것입니다."

하고 서의 아버지를 동네 사람에게 붙들게 하고 뱃사람들을 따라갈 제, 소리 내어 울며 치마끈 졸라매고 치마폭 거듬거듬(흩어져 있거나 널려 있는 것을 대강 자꾸 모으는 모양) 안고 흐트러진 머리털은 두 귀 밑에 늘어지고 비같이 흐르는 눈물 옷깃을 적신다. 엎더지며(잘못하여 앞으로 넘어지며) 자빠지며 붙들어 나갈 제 건넛집 바라보며,

"아무개네 큰 아가, 바느질 수놓기를 뉘와 함께 하려느냐, 작년 오월 단옷날에 그네 뛰고 놀던 일을 네가 행여 생각하느냐? 아무개네 작은 아가, 금년 칠월 칠석 밤에 함께 기원하자더니 이제는 허사(헛일)로다. 언제나 다시 보랴. 너희는 팔자 좋아 양친(부친과 모친) 모시고 잘 있거라."

마 동네 남녀노소 없이 눈이 붓도록 서로 붙들고 울다가 마을 어귀에서 서로 손을 놓고 헤어졌다. 그때 하느님이 아시던지 밝은 해는 어디 가고 어두침침한 구름이 자욱하며 청산이 찡그리는 듯, 강물 소리 흐느끼고, 휘늘어져 곱던 꽃은 시들어 제 빛을 잃은 듯하고, 하늘거리는 버들가지도 졸듯이 휘늘어졌고, 복사꽃은 다정하여 슬픈 듯이 피어 있다.

'묻노라 저 꾀꼬리, 뉘를 이별하였길래 벗을 불러 울어 대고, 뜻밖에 두견이는 피를 내어 우는구나. 달 밝은 너른 산을 어디 두고 애끊는 슬픈 소리 울어서 보내느냐. 네 아무리 가지 위에서 가지 말라 울건마는 값을 받고 팔린 몸이 다시 어찌 돌아올까.'

바람에 날린 꽃이 얼굴에 와 부딪치니 꽃을 들고 바라보며,

"봄바람이 사람 마음 알아주지 못한다면 무슨 까닭으로 지는 꽃을 보내리오. 매화 비녀 있건마는 죽으러 가는 몸이 뉘를 위해 단장하리. 앞산에 지는 꽃이 지고 싶어 지랴마는 마지못한 일이러니 누구를 탓하고 누구를 원망하리오."

한 걸음에 돌아보며 두 걸음에 눈물지며 강 머리에 다다르니, 뱃머리에 판자(널빤지) 깔고 심청이를 인도하여 배에 실은 후에 닻을 감고 돛을 달아 여러 뱃사람들이 소리를 한다.

"어기야, 어기야, 어기양, 어기양."

소리를 하며 북을 둥둥 울리면서 노를 저어 *배질하며 물결에 배를 띄워 떠나간다.

작품 핵심

이 글의 구성

- **발단:** 심청은 효심이 지극하여 아버지를 극진히 봉양한다.
- **전개:** 공양미 삼백 석을 시주하면 눈을 뜬다는 말을 들은 심 봉사는 시주를 약속하고, 심청은 공양미를 마련하기 위해 자신을 제물로 판다.
- **위기:** 상인들의 배에 오른 심청은 제물이 되어 인당수에 몸을 던진다.
- **절정:** 용궁에 갔다가 연꽃에 싸여 인간 세상으로 돌아온 심청을 상인들이 임금에게 바친다.
- **결말:** 황후가 된 심청은 맹인 잔치를 열어 아버지를 만나고, 심 봉사는 눈을 뜨게 된다.

이 글에 드러나는 고전 소설의 일반적 특징

주제	아버지를 위해 희생한 심청이 훗날 황후가 됨. → 권선징악
문체	4 · 4조의 운율이 느껴짐. → 운문체
인물	심청은 당대의 효녀를 대표하며, 효심이 끝까지 변하지 않음. → 전형적 · 평면적 인물
사건	인당수에 빠진 심청이 용궁에 갔다가 다시 인간 세상으로 돌아옴. → 우연적, 비현실적
시점	작품 밖의 서술자가 모든 내용을 알고 전달해 줌. → 전지적 작가 시점

어휘 쏙쏙

- **천륜:** 부모와 자식 간에 하늘의 인연으로 정해져 있는 사회적 관계나 혈연적 관계.
- **배질하다:** 상앗대나 노 따위를 저어 배를 가게 하다.

중요

05 이 글에 대한 설명으로 알맞지 않은 것은?

① 설화를 바탕으로 한 소설이다.
② 유교적인 윤리 의식이 드러난다.
③ 판소리가 소설로 정착된 것이다.
④ 4 · 4조의 운율을 지닌 문체가 나타난다.
⑤ 주인공의 성격 변화가 뚜렷하게 드러난다.

♥ 설화: 예부터 전해 내려오는 이야기. 신화, 전설, 민담을 통틀어 이름.

06 이 글에 제시된 장면이 아닌 것은?

① 심청이 심 봉사를 위로하는 장면
② 심 봉사가 심청을 붙잡으며 괴로워하는 장면
③ 심청이 뱃사람들의 강요로 배에 오르는 장면
④ 심청이 동네를 떠나며 친구들을 부러워하는 장면
⑤ 심청이 탄 배가 돛을 달고 강물 위로 나아가는 장면

07 이 글을 읽은 학생들의 감상으로 적절하지 않은 것은?

① 준희: 심 봉사는 자식을 희생시키면서까지 눈을 뜨고 싶지는 않았을 거야.
② 민섭: '꾀꼬리'와 '두견이'도 울고 있다는 표현에서 심청이의 슬픈 마음이 잘 느껴져.
③ 동주: 떠나는 심청을 보며 동네 사람들이 울고 슬퍼하는 걸 보니 심청이가 그동안 착하게 살았나 봐.
④ 세연: 장님인 아버지를 봉양하는 고달픈 삶을 비관한 나머지 제물이 되는 걸 선택한 심청이의 상황이 너무나 안쓰러워.
⑤ 수경: 내가 심청이라면 제물이 되는 선택을 하지 않았을 거야. 아버지를 두고 죽는 것이 진정한 효라고 생각하지 않기 때문이야.

08 ㉠에서 드러나는 심청의 성격으로 알맞은 것은?

① 따뜻한 인정이 있다.
② 자연을 아끼고 사랑한다.
③ 적극적인 희생정신을 지니고 있다.
④ 운명에 순응하는 태도를 지니고 있다.
⑤ 남에게 입은 은혜는 반드시 갚으려 한다.

개념을 알아야 공부를 잘한다

1 수필의 개념

글쓴이가 일상생활의 경험에서 얻은 생각과 느낌을 특정한 형식에 얽매이지 않고 자유롭게 쓴 글

2 수필의 특성

- 자기 고백적: 글쓴이가 글에 '나'로 등장하여 자신의 경험과 생각, 느낌을 솔직하게 표현한다.
- 개성적: 글쓴이의 가치관, 인생관, 성격, 생활 방식 등의 개성이 강하게 드러난다.
- 비전문적: 전문적인 작가가 아니어도 누구나 쓸 수 있다.
- 자유로운 형식: 형식이 정해져 있지 않아 자유롭게 쓸 수 있다.
- 신변잡기적: 일상생활의 모든 것들이 소재가 될 수 있다.
- 교훈적: 글에 드러나는 글쓴이의 경험과 깨달음을 통해 독자가 교훈을 얻고 자신의 삶을 성찰할 수 있다.

경수필의 '경'은 가벼울 경(輕)이고 중수필의 '중'은 무거울 중(重) 자를 써. 두 수필의 차이점이 이름에서 드러나지?

3 수필의 종류

	경수필	중수필
뜻	글쓴이가 일상생활에서 경험한 내용과 그에 대한 느낌, 생각 등을 가볍게 표현한 수필	시사적, 사회적 문제에 대한 글쓴이의 의견을 논리적으로 쓴 수필
소재	개인적 경험과 생각	시사적, 사회적 문제
성격	감정적, 주관적, 개인적, 고백적, 체험적, 신변잡기적	시사적, 사회적, 객관적, 지적, 철학적, 논리적
특징	• 글쓴이의 감정을 자유롭게 표현함. • 문체가 가볍고 부드러움. • 대체로 글 표면에 '나'가 드러남.	• 주장과 근거를 논리적으로 제시함. • 문체가 무겁고 딱딱함. • 대체로 '나'가 겉에 드러나지 않음.
세부 종류	편지, 일기, 기행문, 수기 등	칼럼, 평론 등

4 수필을 읽는 방법

- 글에 제시된 글쓴이의 경험, 성격, 생활 방식 등을 살피며 읽는다.
- 글쓴이의 인생관이나 가치관을 파악하고 자신의 생각과 비교해 본다.
- 글이 주는 교훈을 파악하고, 자신의 삶과 관련지어 성찰해 본다.
- 문체나 표현에서 드러나는 글쓴이의 개성을 살피며 읽는다.

5 수필 읽기의 의의

- 글쓴이의 경험과 생각을 접하며 자신의 삶에 대한 깨달음을 얻을 수 있다.
- 인간과 사회에 관심을 갖고 깊이 생각해 보는 계기가 된다.
- 글쓴이의 가치관과 인생관을 자신의 것과 비교함으로써 성숙해지고 발전하는 계기로 삼을 수 있다.

개념 확인 문제

1 수필에 대한 설명으로 알맞은 것은?

① 대상에 관한 정보를 전달하는 것이 목적인 글이다.
② 사회적 문제에 대해 조사한 내용을 기록한 글이다.
③ 작가가 꾸며 낸 사건을 짜임새 있게 서술한 글이다.
④ 자신의 경험과 생각을 자유롭고 솔직하게 표현한 글이다.
⑤ 어떤 문제 상황에 대해 개선할 점이나 해결 방안을 제시한 글이다.

2 다음 빈칸에 알맞은 말을 쓰시오.

(1) 수필은 (　　　　　　)에 특별한 제한이 없다.
(2) 수필에는 글쓴이의 성격이나 생활 방식 등 글쓴이만이 지닌 (　　　　　　)이 강하게 드러난다.
(3) 수필은 자기 주변의 모든 것들을 소재로 삼아 쓸 수 있는 (　　　　　　)적인 글이다.

3 〈보기〉의 글이 해당하는 수필의 종류를 쓰시오.

보기

그러면 나는 어느 일요일 저녁때, 호기 있게 내 아이들을 인솔하고, 우리 동네 그 중국집으로 갈 것이다. 아이들은 입술에다 볼에다 자장을 바르고 깔깔대며 맛있게 먹을 것이고, 나는 모처럼 유능한 아비가 될 수 있을 것이다.

– 정진권, 〈자장면〉

4 수필을 읽으면 인생의 참된 교훈과 깨달음을 얻을 수 있다. (○, X)

6 수필과 소설의 비교

	수필	소설
글 속의 '나'	글쓴이 자신	글쓴이가 창조한 허구적 인물
성격	사실적	허구적
내용	글쓴이의 경험과 생각	글쓴이가 꾸며 낸 이야기
형식	자유로움.	일정한 구성 단계가 있음.
인생관	대체로 직접적으로 제시됨.	허구의 이야기를 통해 간접적으로 제시됨.
공통점	① 줄글로 이루어진 산문 문학임. ② 독자에게 감동과 교훈을 줌. ③ 인간의 삶을 바탕으로 하여 쓰임.	

7 여러 가지 수필

(1) 편지

개념	정해진 대상에게 안부, 소식, 용무 따위를 적어 보내는 글
특징	• 특정한 독자를 정하여 용건을 전하는 실용적인 글임. • 친밀한 관계를 유지하고 발전시킬 수 있는 글로, 대상에 맞는 격식과 예절을 갖추어 써야 함.
기본 형식	• 첫머리(서두): 받는 사람(호칭), 첫인사(계절 인사 · 안부 인사), 자기 안부 • 사연(본문): 편지를 쓴 목적과 전하려는 구체적인 내용 • 끝맺음(결미): 끝인사, 편지를 쓴 날짜, 보내는 사람(서명)

(2) 기행문

개념	여행하는 동안 보고, 듣고, 느낀 것을 주로 시간의 흐름이나 공간의 이동에 따라 적은 글
특징	여행한 지방의 풍습, 풍물과 그에 대한 글쓴이의 감상이 잘 드러남.
3요소	• 여정: 여행의 경로(언제, 어디를 거쳐 여행했는가의 과정) • 견문: 여행하면서 보고, 듣고, 경험한 내용 • 감상: 보고, 듣고, 경험한 사실에 대한 글쓴이의 생각과 느낌

(3) 일기

- 날마다 겪은 일이나 생각, 느낌 등을 적은 개인의 기록이다.
- 독자를 염두에 두지 않는 솔직하고 비공개적인 글이다.
- 하루의 삶을 되돌아보고 스스로 반성하는 체험적이고 성찰적인 글이다.

(4) 수기

- 어려움을 겪거나 이겨 낸 자신의 체험을 다른 사람에게 알리기 위해 쓴 글이다.
- 고난을 극복한 글쓴이의 경험과 의지가 잘 드러나 독자에게 감동과 용기를 준다.

(5) 칼럼

- 주로 사회적 쟁점을 다루어 신문이나 잡지 등에 쓰는 짧은 평론이다.
- 시사적인 내용이 화제이며, 화제에 대한 글쓴이의 관점이 잘 드러난다.

개념 확인 문제

5 수필과 소설을 비교한 내용으로 적절하지 않은 것은?

① 수필과 소설은 둘 다 산문 문학이다.
② 수필의 주제는 소설과 달리 인생의 참된 가치를 추구한다.
③ 소설 속의 세계는 수필과 달리 글쓴이가 꾸며 낸 세계이다.
④ 수필은 소설과 달리 글쓴이의 인생관이 직접적으로 드러난다.
⑤ 수필의 '나'는 글쓴이 자신이고, 소설의 '나'는 글쓴이가 창조한 인물이다.

6 편지의 일반적인 특징으로 알맞지 않은 것은?

① 용건을 전달하는 실용적인 글이다.
② '서두 – 본문 – 결미'로 내용을 전개한다.
③ 대상에 맞게 예절을 갖추어 쓰는 글이다.
④ 사회적인 쟁점에 대한 분석, 평가, 전망 등을 제시한다.
⑤ 인간관계를 유지하고 발전시킬 수 있는 친교적인 글이다.

7 다음 설명에 해당하는 수필의 종류를 쓰시오.

(1) 자신의 일과를 돌아보고 성찰하여 적는 비공개적인 글이다. (   )
(2) 고난을 이겨 낸 자신의 뜻깊은 체험을 여러 사람에게 알리려고 쓴 글이다. (   )
(3) 신문이나 잡지에 쓰는 글로, 시사적인 문제에 대해 짧게 평하는 글이다. (   )
(4) 여행의 과정에 따라 글쓴이가 여행지에서 보고 듣고 느낀 내용을 담은 글이다. (   )

실수 ① _ 나희덕

가 중국의 곽휘원(郭暉遠)이란 사람이 떨어져 살고 있는 아내에게 편지를 보냈는데, 그 편지를 받은 아내의 답시는 이러했다.

벽사창에 기대어 당신의 글월을 받으니
(벽사창: 짙푸른 빛깔의 비단을 바른 창)
처음부터 끝까지 흰 종이뿐이옵니다.
아마도 당신께서 이 몸을 그리워하심이
차라리 말 아니하려는 뜻임을 전하고자 하신 듯하여이다.

이 답시를 받고 어리둥절해진 곽휘원이 그제야 주위를 둘러보니, 아내에게 쓴 *의례적인 문안 편지는 책상 위에 그대로 있는 게 아닌가. 아마도 그 옆에 있던 흰 종이를 편지인 줄 알고 잘못 넣어 보낸 것인 듯했다. ㉠백지로 된 편지를 전해 받은 아내는 처음엔 무슨 영문인가 싶었지만, 꿈보다 *해몽이 좋다고 자신에 대한 그리움이 말로 다할 수 없음에 대한 고백으로 그 여백을 읽어 내었다. 남편의 실수가 오히려 아내에게 깊고 그윽한 기쁨을 안겨 준 것이다. 이렇게 실수는 때로 삶을 신선한 충격과 행복한 오해로 이끌곤 한다.

(문안: 안부를 여쭘 / 꿈보다 해몽이 좋다: 하찮거나 언짢은 일을 그럴듯하게 돌려 생각하여 좋게 풀이함을 이르는 말)

처음 아내에게 실수로 (   )를 보낸 곽휘원의 일화

나 실수라면 나 역시 *일가견이 있는 사람이다. 언젠가 비구니들이 사는 암자에서 하룻밤을 묵은 적이 있다. 다음 날 아침 부스스해진 머리를 정돈하려고 하는데, 빗이 마땅히 눈에 띄지 않았다. 원래 여행할 때 빗이나 화장품을 찬찬히 챙겨 가지고 다니는 성격이 아닌 데다 그날은 아예 가방조차 가지고 있지 않았다. 그러던 중에 마침 노스님 한 분이 나오시기에 나는 아무 생각도 없이 이렇게 여쭈었다.

(비구니: 여자 승려 / 암자: 큰 절에 딸린 작은 절)

"스님, 빗 좀 빌릴 수 있을까요?"

스님은 갑자기 당황한 얼굴로 나를 바라보셨다. 그제야 파르라니 깎은 스님의 머리가 유난히 빛을 내며 내 눈에 들어왔다. 나는 거기가 비구니들만 사는 곳이라는 사실을 깜박 잊고 엉뚱한 주문을 한 것이었다. 본의 아니게 노스님을 놀린 것처럼 되어 버려서 어쩔 줄 모르고 서 있는 나에게, 스님은 웃으시면서 저쪽 구석에 가방이 하나 있을 텐데 그 속에 빗이 있을지 모른다고 하셨다.

(파르라니: 파란빛이 돌도록)

다 방 한구석에 놓인 체크무늬 여행 가방을 찾아 막 열려고 하다 보니 그 가방 위에는 먼지가 *소복하게 쌓여 있었다. 적어도 5, 6년은 손을 대지 않은 것처럼 보이는 그 가방은 아마도 누군가 산으로 들어오면서 챙겨 들고 온 속세의 짐이었음에 틀림없었다. 가방 속에는 과연 허름한 옷가지들과 빗이 한 개 들어 있었다.

(속세: 불가에서 일반 사회를 이르는 말)

나는 그 빗으로 머리를 빗으면서 자꾸만 웃음이 나오는 걸 참을 수가 없었다. 절에서 빗을 찾은 나의 엉뚱함도 (㉡   )이려니와, 빗이라는 말 한마디에 그토록 당황하고 어리둥절해하던 노스님의 표정이 자꾸 생각나서였다. 그러나 그 순간 나

작품 핵심

갈래	경수필
성격	체험적, 회고적, 교훈적
제재	실수
주제	실수가 가져다주는 삶의 여유
특징	① 곽휘원의 실수담과 '나'의 실수에서 얻은 깨달음이 드러남. ② 글의 첫 부분에서 곽휘원의 일화를 제시하여 독자의 관심을 이끌어 냄. ③ 단어의 어원을 밝혀 사람들의 일반적인 생각을 전환하려 함.

'실수'의 내용과 그것이 준 영향

곽휘원	
실수의 내용	아내에게 편지 대신에 백지를 보냄.
긍정적 영향	아내가 남편(곽휘원)이 자신에 대한 그리움을 말로 다 표현할 수 없어서 백지를 보냈다고 생각하게 함.
'나'	
실수의 내용	머리를 빗을 일이 없는 스님에게 빗을 빌려 달라고 함.
긍정적 영향	노스님이 속세(과거)에서의 삶을 잠시나마 추억할 수 있게 함.

어휘 쏙쏙

- **의례적**: 형식이나 격식만을 갖춘.
- **해몽**: 꿈에 나타난 일을 풀어서 좋고 나쁨을 판단함.
- **일가견**: 어떤 문제에 대하여 독자적인 경지나 체계를 이룬 견해.
- **소복하다**: 쌓이거나 담긴 물건이 볼록하게 많다.

는 보았다. 시간을 거슬러 올라가 검은 머리칼이 있던, 빗을 썼던 그 까마득한 시절을 더듬고 있는 그분의 눈빛을, 20년 또는 30년, 마치 물길을 거슬러 올라가는 연어 떼처럼 참으로 오랜 시간이 그 눈빛 위로 스쳐 지나가는 듯했다.

01 이와 같은 갈래의 글을 감상하는 방법으로 가장 적절한 것은?

① 설명 내용이 객관적이고 정확한지 살피며 읽는다.
② 글을 읽을 때 드러나는 규칙적인 리듬감을 느끼며 읽는다.
③ 사건을 바라보는 서술자의 위치와 태도를 파악하며 읽는다.
④ 글쓴이의 생각과 가치관을 파악해 자신의 것과 비교하며 읽는다.
⑤ 글쓴이의 주장과 이를 뒷받침하는 근거가 타당한지 판단하며 읽는다.

02 (가)에서 알 수 있는, 실수에 대한 '나'의 생각으로 알맞은 것은?

① 가능하면 실수를 저지르지 말아야 한다.
② 삶에서 실수는 때로 긍정적인 역할을 한다.
③ 실수를 극복해야 행복하게 살아갈 수 있다.
④ 재미를 위해서는 일부러 실수를 저질러야 한다.
⑤ 실수 때문에 사람들 사이에 불필요한 오해가 생긴다.

03 곽휘원의 아내가 해석한 ㉠의 의미로 알맞은 것은?

① 가족에 대한 섭섭함
② 말 못 할 고민을 품은 괴로움
③ 아내에 대한 말로 다 못 할 그리움
④ 아내를 볼 수 없는 데 대한 안타까움
⑤ 아내와 떨어져 있는 상황에 대한 서러움

04 ㉡에 들어갈 관용 표현으로 가장 적절한 것은?

① 우물가에서 숭늉 찾는 격
② 소 잃고 외양간 고치는 격
③ 닭 쫓던 개 지붕 쳐다보는 격
④ 미운 아이 떡 하나 더 주는 격
⑤ 닭 잡아먹고 오리발 내미는 격

♥ 관용 표현: 둘 이상의 낱말이 결합하여 관습적으로 사용되는 표현. 속담, 명언, 관용어 등이 포함됨.

실수 ❷ _ 나희덕

라 그 순식간에 이루어진 회상(지난 일을 돌이켜 생각함)의 끄트머리에는 그리움인지 무상함(모든 것이 덧없음)인지 모를 묘한 미소가 반짝하고 빛났다. 나의 실수 한마디가 산사(산속에 있는 절)의 생활에 익숙해져 있던 그분의 잠든 시간을 흔들어 깨운 셈이다. 그걸로 ㉠작은 *보시는 한 셈이라고 오히려 스스로를 위로해 보기까지 했다.

중간 1 노스님에게 실수로 (   )을 빌려 달라고 했던 '나'의 일화

마 이처럼 악의(나쁜 마음)가 섞이지 않은 실수는 봐줄 만한 구석이 있다. 그래서인지 내가 번번이 저지르는 실수는 나를 곤경(어려운 형편이나 처지)에 빠뜨리거나 어떤 관계를 *불화로 이끌기보다는 의외의 수확이나 즐거움을 가져다줄 때가 많았다. 겉으로는 비교적 차분하고 꼼꼼해 보이는 인상이어서 나에게 긴장을 하던 상대방도 이내 나의 모자란 구석을 발견하고는 긴장을 푸는 때가 많았다.

또 실수로 인해 웃음을 터뜨리다 보면 어색한 분위기가 가시고 *초면에 쉽게 마음을 트게 되기도 했다. 그렇다고 이런 효과 때문에 상습적(좋지 않은 일을 버릇처럼 하는)으로 실수를 반복하는 것은 아니지만, 한번 어디에 정신을 집중하면 나머지 일에 대해서 거의 *백지상태가 되는 버릇은 쉽사리 고쳐지지 않는다. 특히 풀리지 않는 글을 붙잡고 있거나 어떤 생각거리에 매달려 있는 동안 내가 생활에서 저지르는 사소한 실수들은 나 스스로도 어처구니가 없을 지경이다.

바 그러면 실수의 '어처구니없음'(일이 너무 뜻밖이어서 기가 막히는 듯함)은 어디서 오는 것일까. 원래 어처구니란 엄청나게 큰 사람이나 큰 물건을 가리키는 뜻에서 비롯되었는데, 그것이 부정어와 함께 굳어지면서 어이없다는 뜻으로 쓰이게 되었다. 크다는 뜻 자체는 약화되고 그것이 크든 작든 우리가 가지고 있는 상상이나 상식을 벗어난 경우를 지칭하게(가리켜 이르게) 된 것이다. 그러니 상상에 빠지기 좋아하고 상식으로부터 자유로워지려는 사람에게 어처구니없는 실수가 그림자처럼 따라다니는 것은 아주 자연스러운 일이다.

중간 2 실수를 통해 깨달은 실수의 (   ) 효과

사 결국 실수는 삶과 정신의 여백에 해당한다. 그 여백마저 없다면 이 *각박한 세상에서 어떻게 숨을 돌리며 살 수 있겠는가. 그리고 발 빠르게 돌아가는 세상에 어떻게 휩쓸려 가지 않고 남아 있을 수 있겠는가. 어쩌면 사람을 키우는 것은 능력이 아니라 실수의 힘일지도 모른다. 그러나 날이 갈수록 실수가 용납되는 땅은 점점 좁아지고 있다. 사소한 실수조차 짜증과 비난의 대상이 되기가 십상(열에 여덟이나 아홉 정도로 거의 예외가 없음)이다. 남의 실수를 웃으면서 눈감아 주거나 그 실수가 나오는 내면의 풍경을 헤아려 주는 사람을 만나기도 어려워져 간다. 나 역시 스스로는 수많은 실수를 저지르고 살면서도 다른 사람의 실수에 대해서는 조급하게 굴거나 너그럽게 받아 주지 못한 때가 적지 않았던 것 같다.

아 도대체 정신을 어디에 두고 사느냐는 말을 들을 때면 그 말에 *무안해져 눈물이 핑 돌기도 하지만, 내 속의 어처구니는 머리를 디밀고 이렇게 소리치는 것이다. 정신과 마음은 내려놓고 살아야 한다고. 어디로 가는 줄도 모르고 뛰어가는 자신을 하루에도 몇

작품 핵심

✿ 실수의 긍정적 효과

- 긴장을 풀게 함.
- 어색한 분위기가 가심.
- 초면에 쉽게 마음을 트게 함.

⬇

어떤 관계에서 의외의 수확이나 즐거움을 가져다줌.

✿ 글쓴이가 생각하는 '우두커니'와 '어처구니'의 의미

우두커니
정신과 마음을 내려놓고, 자신을 멈추어 사색하는 시간
어처구니
상상에 빠지거나 상식으로부터 자유로워지는 것

✿ 글쓴이가 지향하는 삶의 모습

현실	사소한 실수조차 짜증과 비난의 대상이 되기 십상인 각박한 현실
소망	• '우두커니' 속에 사는 '어처구니'를 많이 만들어 내는 삶 • 삶을 성찰할 수 있는 여유를 지니고 틀에 박힌 일상을 벗어날 수 있는 삶

쏙쏙

- **보시**: 자비심으로 남에게 재물이나 불법을 베풂.
- **불화**: 서로 화합하지 못함. 또는 서로 사이좋게 지내지 못함.
- **초면**: 처음으로 대하는 얼굴. 또는 처음 만나는 처지.
- **백지상태**: 어떠한 대상에 대하여 아무것도 모르는 상태.
- **각박하다**: 인정이 없고 삭막하다.
- **무안해지다**: 수줍거나 창피하여 볼 낯이 없어지다.

번씩 세워 두고 '우두커니' 있는 시간, 그 ⓒ'우두커니' 속에 사는 '어처구니'를 많이 만들어 내면서 살아야 한다고. 바로 그 실수가 곽휘원의 아내로 하여금 백지의 편지를 꽉 찬 그리움으로 읽어 내도록 했으며, 산사의 노스님으로 하여금 기억의 어둠 속에서 빗 하나를 건져 내도록 해 주었다고 말이다.

(우두커니: 넋이 나간 듯이 가만히 한자리에 서 있거나 앉아 있는 모양)

끝 실수를 용납하는 ( )에 대한 소망

■ 소주제 정답 백지 편지(흰 종이) / 빗 / 은유적 / 여유로운 삶

05 이 글에 나타난 '나'의 생각으로 알맞지 않은 것은?

① 실수가 사람을 키우는 힘이 될 수도 있다.
② 실수는 각박한 세상에서 삶의 여백을 만들어 준다.
③ 악의가 섞이지 않은 실수는 너그럽게 받아 줄 만하다.
④ 실수는 의외의 수확이나 즐거움을 가져다주기도 한다.
⑤ 어색한 분위기를 없애려면 실수를 자주 반복하는 것이 좋다.

06 (사)에서 드러나는 현실에 대한 '나'의 시각으로 알맞은 것은? (정답 2개)

① 실수를 저지르고도 반성하지 않는 세태를 우려하고 있다.
② 발 빠르게 돌아가는 세상에서 뒤처지는 것을 두려워하고 있다.
③ 사소한 실수가 짜증과 비난의 대상이 되는 것을 비판적으로 보고 있다.
④ 작은 실수가 큰 문제로 이어질 수 있음을 경계하지 않는 세태를 부정적으로 여기고 있다.
⑤ 다른 사람의 실수를 웃으며 눈감아 주는 너그러움이 사라지는 상황을 안타까워하고 있다.

♥ 세태: 사람들의 일상생활, 풍습 따위에서 보이는 세상의 상태나 형편.
♥ 비판적: 현상이나 사물의 옳고 그름을 판단하여 밝히거나 잘못된 점을 지적하는 것.

07 ㉠의 의미를 다음과 같이 정리할 때, 빈칸에 들어갈 말을 쓰시오.

> ㉠은 '나'가 노스님에게 빗을 빌려 달라고 말하는 실수를 함으로써 산사의 생활에 익숙해져 있던 노스님이 ________________ 것을 가리킨다.

08 ⓒ의 궁극적인 의미로 알맞은 것은?

① 실수를 가능한 한 많이 하며 살아야 한다.
② 되도록 실수를 하지 않으면서 살아야 한다.
③ 정신과 마음을 내려놓고 여유를 가지며 살아야 한다.
④ 남에게는 너그럽되 자신의 실수에 대해서는 엄격해야 한다.
⑤ 자신이 손해를 보더라도 되도록 남의 실수를 용서해야 한다.

맛있는 책, 일생의 보약 _ 성석제

앞부분 줄거리 중학교 2학년 때 서울로 전학 온 '나'는 일주일에 한 시간 있는 특별 활동 시간에 취향과 상관없이 산악반 활동을 했다. 그러다 3학년이 되어 도서반에 들어간 첫날, '나'는 제목이 한자로 되어 있어서 아이들이 거의 손대지 않는 책을 꺼냈다. '나'가 처음 편 대목은 박지원의 〈허생전〉이었다.

가 나이가 두 자리 숫자가 되면서 무협지에 빠지기 시작해서 전학 오기 전 국내에서 출간된 대부분의 무협지를 읽었다고 생각하고 있던 내게, 한문 문장을 번역한 예스러운 문체는 별 거부감이 없었다. 오히려 옆자리나 앞자리의 아이들이 읽고 있는 현대 소설이 가볍게 느껴질 정도였다. 내용 역시 익숙했다. 허생이라는 인물은 깊고 고요한 곳에 숨어 있으면서 실력을 쌓은 뒤에, 일단 세상에 나갈 일이 생기자 한바탕 멋지게 세상을 뒤흔들어 놓고서는 다시 제자리로 돌아온다. 무협지에서 흔히 볼 수 있는 방식이었다.

(무협지: 무술이 뛰어난 협객 따위의 이야기를 주로 다룬 책)

나 〈허생전〉 다음에는 〈호질〉, 〈양반전〉도 있었다. 책이 꽤 두꺼웠으니 박지원의 *저작 가운데 상당 부분이 책에 들어 있었을 것이다. 그런데 그 책 속에 있는 주인공들은 내가 읽었던 수천 권의 무협지의 주인공과는 달라도 많이 달랐다. 무협지를 읽고 나면 주인공 이름 말고는 기억에 남는 게 없는데 박지원 소설은 주인공이 다음에 어떻게 되었을지 궁금하게 하고 내가 주인공이 되었더라면 어떻게 했을지 자꾸만 생각을 하게 만들었다.

한두 번 씹으면 단맛이 다 빠져 버리는 무협지와는 달리 읽을수록 새로운 맛이 우러나왔다. 보석처럼 단단하고 품위 있는 문장은 아름답기까지 했다. 책을 읽으면서 내 정신세계가 무슨 보약을 먹은 듯이 한층 더 넓어지고 수준이 높아지는 듯한 느낌이 들었다. 일주일에 단 한 시간, 도서관에서 단 한 권의 책을 거듭 펴서 읽었을 뿐인데도.

(보약: 몸의 전체적 기능을 조절하고 저항 능력을 키워 주며 기력을 보충해 주는 약)

다 중학교 3학년 1학기 특별 활동 시간에 나는 몇백 년 전 글을 쓴 사람의 숨결이 글을 다리로 하여 건너와 느껴지는 경험을 처음 해 보았다. 무엇보다 중요한 것은 그것이 무척 재미있었다는 것이다. 읽으면 내 피와 살이 되는 고전, 맛있는 고전, 내가 재미를 들인 최초의 고전이 우리의 조상이 쓴 것이라는 데서 나오는 뿌듯함까지 맛볼 수 있었다.

중간 중학교 3학년 때 도서반 활동으로 (   )의 소설을 읽고 재미와 가치를 깨달음.

라 3학년 2학기가 되었을 때 특별 활동 시간은 없어졌다. 내가 1학기의 특별 활동 시간에 읽은 것은 박지원의 책이 전부였다. 하지만 내가 지금 소설을 쓰고 있는 것은 바로 그 책 때문이라고 생각한다. 특별하지 않은 특별 활동 시간에 읽은 아주 특별한 그 책이 내 일생을 바꾸었다.

마 누구에게나 그런 일이 일어날 수 있다. 모르고 지나갈 수도 있다. 어떤 책을 계기로 인간의 지극한 *정신문화, 그 높고 그윽한 세계에 닿고 그 일원이 되는 것은 겪어 보지 못한 사람은 알 수 없는 행복을 안겨 준다. 이 세상에 인간으로 나서 인간으로 살면서 인간다운 삶을 살고 드높은 가치를 추구하는 길을 책이 보여 준다. 책은 지구상에서

작품 핵심

갈래	경수필
성격	회고적, 체험적, 교훈적
제재	중학 시절 특별 활동 시간에 책을 읽은 경험
주제	독서의 가치와 중요성
특징	① 자신의 경험을 바탕으로 독서의 가치와 중요성을 전달함. ② 무협지와 박지원의 작품을 비교하여 독자의 공감을 유도함.

무협지와 박지원 소설의 차이

무협지	• 읽은 후 주인공의 이름 말고는 기억에 남는 것이 없음. • 한두 번 읽으면 단맛이 다 빠져 버림.

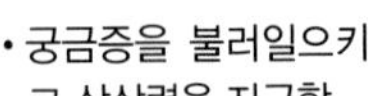

박지원 소설	• 궁금증을 불러일으키고 상상력을 자극함. • 읽을수록 새로운 맛이 남. • 문장이 아름다움. • 정신세계가 넓어지고 수준이 높아지는 느낌을 줌.

독서의 가치와 중요성

- 인간의 지극한 정신문화를 접하고 그 일원이 되는 행복한 경험을 하게 함.
- 인간다운 삶을 살고 드높은 가치를 추구하는 길을 보여 주어, 진정한 인간으로 나아가게 함.

↓

인간의 삶에 긍정적인 영향을 주는 '일생의 보약'

어휘 쏙쏙

- **저작**: 예술이나 학문에 관한 책이나 작품 따위를 지음. 또는 그 책이나 작품.
- **정신문화**: 인간의 정신적 활동으로 이룬 문화. 학술, 사상, 종교, 예술, 도덕 따위이다.

인간이라는 종만이 알고 있는, 진정한 인간으로 나아가는 통로이다. 그래서 사람들은 말하는지도 모른다. ㉠책 속에 길이 있다고.

끝 삶에 긍정적인 영향을 주고 인간다운 삶의 길을 보여 주는 (　　　　　)의 가치

■ 소주제 정답 박지원 / 책 읽기

01

이 글에 대한 설명으로 알맞지 않은 것은?

① 현재 소설가가 된 '나'가 과거를 회상하여 쓴 글이다.
② 독서의 가치를 비유를 사용하여 인상 깊게 표현하였다.
③ '나'가 중학교 때 특별 활동을 했던 경험이 제시되어 있다.
④ 독서에 대한 '나'의 생각과 깨달음이 진솔하게 드러나 있다.
⑤ '나'의 심리적 갈등과 그 해결 과정이 구체적으로 나타나 있다.

02

이 글을 바탕으로 무협지와 박지원 소설을 비교한 내용 중 알맞지 않은 것은?

	무협지	박지원 소설
공통점	인물이 실력을 쌓은 후 세상을 뒤흔들어 놓고 본래 자리로 돌아오는 내용이 제시됨. ······ ①	
차이점	문체가 가벼워 거부감이 들지 않음. ······ ②	한문 문장을 번역한 예스러운 문체임.
	읽고 나면 주인공 이름만 기억에 남음. ······ ③	주인공이 다음에 어떻게 되었을지 궁금해하게 됨.
	한두 번 읽으면 단맛이 빠짐. ··· ④	읽으면 읽을수록 새로운 맛이 우러나옴. ······ ⑤

♥ 예스럽다: 옛것과 같은 맛이나 멋이 있다.

중요

03

이 글에서 알 수 있는 독서의 가치와 중요성으로 알맞지 않은 것은?

① 상상력을 자극하고 사고력을 키워 준다.
② 인간과 사회, 문화에 대한 이해를 넓혀 준다.
③ 자신에게 도움이 되는 사람을 구분하는 안목을 갖게 해 준다.
④ 진로를 선택하는 데 영향을 미쳐 인생의 전환점을 마련해 준다.
⑤ 시간과 공간을 뛰어넘어 인류 문화를 접하고 소통할 수 있게 해 준다.

♥ 안목: 사물을 보고 분별하는 견식. 어떤 대상에 대해 그 본질적 가치를 판단할 만한 능력을 가리킴.

04

이 글의 내용을 고려할 때, ㉠에 담긴 의미로 적절하지 않은 것은?

① 책을 통해 부귀영화를 누릴 수 있다.
② 책을 통해 진정한 인간이 될 수 있다.
③ 책을 통해 인간다운 삶을 추구할 수 있다.
④ 책을 통해 가치 있는 지식을 얻을 수 있다.
⑤ 책을 통해 인간의 지극한 정신문화에 이를 수 있다.

두 아들에게 보내는 편지 _ 정약용

가 내가 벼슬하여 너희들에게 물려줄 *밭뙈기 정도도 장만하지 못했으니, 오직 정신적인 부적 두 자를 마음에 지녀, 잘 살고 가난을 벗어날 수 있도록 이제 너희들에게 물려주겠다. 너희들은 너무 *야박하다고 하지 마라.

한 글자는 근(勤)이고, 또 한 글자는 검(儉)이다. 이 두 글자는 좋은 밭이나 기름진 땅보다도 나은 것이니, 일생 동안 써도 다 닳지 않을 것이다.

처음 자식들에게 ( )인 유산으로 '근', '검' 두 글자를 물려줌.

나 부지런함[勤]이란 무얼 뜻하겠는가? 오늘 할 일을 내일로 미루지 말며, 아침때 할 일을 저녁때로 미루지 말며, 맑은 날에 해야 할 일을 비 오는 날까지 끌지 말도록 하고, 비 오는 날 해야 할 일도 맑은 날까지 끌지 말아야 한다. 늙은이는 앉아서 감독하고, 어린 사람들은 직접 행동으로 어른의 감독을 실천에 옮기고, 젊은이는 힘든 일을 하고, 병이 든 사람은 집을 지키고, 부인들은 길쌈(옷감을 짜는 일)을 하느라 한밤중이 넘도록 잠을 자지 않아야 한다. 요컨대 집안의 상하 남녀 간에 단 한 사람도 ㉠놀고먹는 사람이 없게 하고, 또 잠깐이라도 한가롭게 보여서는 안 된다. 이런 걸 부지런함이라 한다.

다 검(儉)이란 무얼까? 의복이란, 몸을 가리기만 하면 되는 것인데, 고운 비단으로 된 옷이야 조금이라도 해지면 세상에서 볼품없는 것이 되어 버리지만, ㉡텁텁하고 값싼 옷감으로 된 옷은 약간 해진다 해도 볼품이 없어지지 않는다. 한 벌의 옷을 만들 때 앞으로 계속 오래 입을 수 있을지 없을지를 생각해서 만들어야 하며, 곱고 아름답게만 만들어 빨리 해지게 해서는 안 된다. 이런 생각으로 옷을 만들게 되면, 당연히 ㉢곱고 아름다운 옷을 만들지 않게 되고, 투박하고 질긴 것을 고르지 않을 사람이 없게 된다.

〈중략〉 한 가지 속일 수 있는 일이 있다면 그건 자기의 입과 입술이다. 아무리 맛없는 음식도 맛있게 생각하여 입과 입술을 속여서 잠깐 동안만 지내고 보면 배고픔은 가셔서 *주림을 면할 수 있을 것이니, 이러해야만 가난을 이기는 방법이 된다.

중간 ( )과 ( )의 의미

라 금년(올해) 여름에 내가 다산(茶山)(전남 강진에 있는 다산 초당)에서 지내며 상추로 밥을 싸서 덩이를 삼키고 있을 때 구경하던 옆 사람이 "상추로 싸 먹는 것과 ㉣김치 담가 먹는 것은 차이가 있는 겁니까?"라고 물었다. 그래서 나는 거기에 답해 "그건 사람이 자기 입을 속여 먹는 방법입니다."라고 말하여, 적은 음식을 배부르게 먹는 방법에 대하여 이야기해 준 적이 있다. 어떤 음식을 먹을 때마다 이러한 생각을 지니고 있어야 하며, ㉤맛있고 기름진 음식만을 먹으려고 애써서는 결국 변소에 가서 대변보는 일에 정력을 소비할 뿐이다. 그러한 생각은 당장의 어려운 생활 처지를 극복하는 *방편만이 아니라, 귀하고 부유하고 복이 많은 사람이나 선비들이 집안을 다스리고 몸을 유지해 가는 방법도 된다. 근과 검, 이 두 글자 아니고는 손을 댈 곳 없는 것이니 너희들은 반드시 *명심하도록 하라.

끝 근(勤)과 검(儉)을 ( )하도록 당부함.

작품 핵심

갈래	고전 수필, 편지
성격	교훈적, 설득적, 체험적, 실용적
제재	근검(勤儉)의 생활 자세
주제	근검(勤儉)의 실천 당부
특징	① 유배지에서 아들들에게 보낸 글로, 삶의 교훈을 전달함. ② 예시와 대조, 문답법을 활용하여 내용을 전개함. ③ 단전적인 어조로 사대부의 정신적 기품을 표현함.

글쓴이가 추구하는 삶의 태도

근(勤)	할 일을 미루지 않고 맡은 역할을 충실히 해내는 부지런한 태도
검(儉)	• 겉으로 보이는 아름다움보다 실용성을 중시하는 태도 • 맛없는 음식도 맛있게 여기며 적은 음식을 배부르게 먹는 태도

대조적 의미의 소재

검소한 삶	• 텁텁하고 값싼 옷 • 투박하고 질긴 옷 • 상추로 싸 먹는 것 • 맛없는 음식

사치스러운 삶	• 고운 비단옷 • 곱고 아름다운 옷 • 김치 담가 먹는 것 • 맛있고 기름진 음식

어휘 쏙쏙

- **밭뙈기**: 얼마 안 되는 자그마한 밭.
- **야박하다**: 야멸치고 인정이 없다.
- **주림**: 먹을 것을 제대로 먹지 못하여 배를 곯는 일.
- **방편**: 그때그때의 경우에 따라 편하고 쉽게 이용하는 수단과 방법.
- **명심하다**: 잊지 않도록 마음에 깊이 새겨 두다.

■ 소주제 정답 정신적 / 근(勤) / 검(儉) / 실천

중요

01

이 글에 드러난 글쓴이의 생각과 일치하지 않는 것은?

① 부지런하고 절약하는 생활 태도를 지녀야 한다.
② 자기가 처한 상황에서 맡은 역할에 충실해야 한다.
③ 보기 좋은 것보다는 실용적인 것을 추구해야 한다.
④ 어떠한 경우라도 자기 자신을 속이지 말아야 한다.
⑤ 생각을 바꾸면 자신의 어려운 처지를 극복할 수 있다.

02

이 글을 읽은 글쓴이의 아들이 다음의 답장을 썼다고 할 때, 답장의 내용으로 적절하지 않은 것은?

> 아버님께
> ① 멀리 유배지에 계시면서 겪으실 고초가 크실 텐데, 오히려 저희를 걱정하시는 아버님의 자애로우신 사랑에 머리가 숙여집니다. 가족들은 모두 건강하게 잘 지내고 있습니다. ② 아버님께서 이렇게 편지를 통해 격려와 가르침을 주셔서 저희들은 몸 둘 바를 모르겠습니다. ③ 몸소 실천하시며 일깨워 주시는 아버님의 모습에 소자들은 크게 감동하였습니다. ④ 아버님의 가르침대로 검소하게 절약하는 생활 태도로 열심히 살겠습니다. 그리고 ⑤ 저희 모두 학업에 정진하여, 높은 벼슬에 오르기를 바라는 아버님의 뜻을 따르도록 노력하겠습니다. 돌아오시는 날까지 내내 몸 건강하시기를 바라옵니다.

♥ 유배지: 죄인이 나라의 명으로 벌을 받아 멀리 가서 살게 된 곳. 일정한 기간 동안 제한된 곳에서 살았음.

03

글쓴이가 내용을 효과적으로 전달하기 위해 사용한 방법이 아닌 것은?

① 구체적인 예를 들어 설명하고 있다.
② 질문을 제시하여 주의를 환기하고 있다.
③ 자신의 체험을 들어 생각을 뒷받침하고 있다.
④ 단정적이고 기품 있는 어투를 사용하고 있다.
⑤ 권위자의 말을 인용하여 자신의 주장을 강화하고 있다.

♥ 단정적: 딱 잘라서 판단하고 결정하는 것.
♥ 인용: 남의 말이나 글을 자신의 말이나 글 속에 끌어 씀.

04

이 글의 글쓴이가 말한 '근(勤)'과 '검(儉)'을 실천한 사례가 아닌 것은?

① 수지는 언니에게 물려받은 책으로 공부한다.
② 희연이는 오늘 해야 할 숙제는 반드시 오늘 끝낸다.
③ 정우는 잠깐이라도 시간을 낭비하지 않으려 노력한다.
④ 송이는 마음에 드는 예쁜 옷을 사기 위해 아르바이트를 한다.
⑤ 은수는 음식 투정을 하기보다는 맛없는 음식이라도 맛있다고 생각하며 먹는다.

중요

05

㉠~㉤ 중 대상에 대한 글쓴이의 태도가 다른 하나는?

① ㉠ ② ㉡ ③ ㉢ ④ ㉣ ⑤ ㉤

개념을 알아야 공부를 잘한다

1 극의 개념

등장인물의 대사와 행동을 통해 사건과 갈등을 보여 주는 문학의 한 갈래. 희곡, 시나리오, 드라마 대본 등이 있다.

2 극의 특성

- 허구의 문학: 작가가 상상력을 발휘하여 꾸며 낸 이야기이다.
- 대사와 행동의 문학: 등장인물의 대사와 행동으로 이야기가 진행된다.
- 갈등과 대립의 문학: 인물들이 일으키는 대립과 갈등을 중심으로 사건이 전개된다.
- 현재 진행형의 문학: 사건이 눈앞에서 일어나고 있는 것처럼 현재형으로 나타낸다.

3 극의 구성 단계

발단	인물과 배경이 소개되고 사건이 시작됨.
전개	사건이 전개되고 인물 간의 갈등이 심화됨.
절정	갈등이 최고조에 이르고 극적인 장면이 나타남.
하강	갈등이 해결될 실마리가 보이며 사건의 전환이 일어남.
대단원	갈등이 해소되고 사건이 마무리되며 인물의 운명이 결정됨.

4 극의 내용적 요소

인물	작품 속에 등장하는 사람. 갈등을 일으키고 사건을 전개시킴.
사건	인물이 벌이는 행동이나 인물을 중심으로 벌어지는 일들
배경	사건이 일어나고 인물이 행동하는 시간, 장소, 사회적 상황

5 희곡

(1) 개념: 무대에서 상연하기 위해 쓴 연극의 대본이다.

(2) 특징: 무대라는 한정된 공간에서 상연하기 때문에 시간과 공간, 등장인물 수에 제약이 있다.

(3) 구성단위

- 막: 무대의 막이 올랐다가 다시 내릴 때까지의 단위
- 장: 무대 장면이 변하지 않고 이루어지는 사건의 한 토막('막'의 하위 단위)

(4) 구성 요소

해설	막이 오르기 전에 등장인물, 배경, 무대 장치를 설명하는 글
대사	• 대화: 등장인물들끼리 주고받는 말 • 독백: 한 명의 등장인물이 상대방 없이 혼자 하는 말 • 방백: 관객에게는 들리지만 무대 위의 다른 인물에게는 들리지 않는 것으로 약속된 말
지시문	• 무대 지시문: 무대 장치, 분위기, 효과음, 장소, 시간 등을 지시하는 글 • 동작 지시문: 등장인물의 행동, 표정, 말투 등을 지시하는 글

개념 확인 문제

1 극에 대한 설명으로 알맞지 않은 것은?

① 인물, 사건, 배경이 있다.
② 작가가 꾸며 낸 허구의 이야기이다.
③ 모든 사건은 과거형 시제로 표현된다.
④ 인물의 대사와 행동으로 사건을 보여 준다.
⑤ 대립과 갈등을 중심으로 내용이 전개된다.

2 다음 설명에 해당하는 극의 구성 단계를 쓰시오.

(1) 갈등이 해소되고 인물의 운명이 결정된다. (　　　)
(2) 인물과 배경이 소개되고 사건이 시작된다. (　　　)
(3) 사건이 전개되고 인물 간의 갈등이 심화된다. (　　　)
(4) 갈등이 최고조에 이르고 극적인 장면이 나타난다. (　　　)
(5) 갈등이 해결될 실마리가 보이며 사건의 전환이 일어난다. (　　　)

3 다음에서 희곡의 구성 요소를 모두 찾아 그 기호를 쓰시오.

㉠ 해설 ㉡ 문체 ㉢ 대사
㉣ 장면 ㉤ 서술자 ㉥ 지시문

4 〈보기〉에 제시된 대사의 종류를 쓰시오.

보기
남자: 이제야 날 사랑합니까?
여자: 그래요! 당신 아니고 누굴 또 사랑하겠어요?
남자: 어서 결혼하러 갑시다. 또 구둣발에 채이기 전에!

6 시나리오

(1) 개념: 영화로 상영하기 위해 쓴 대본이다.

(2) 특징

- '장면(Scene)'이 기본 단위이다.
- 촬영을 고려한 특수한 용어가 사용된다.
- 장면의 전환이 자유롭고, 시간과 공간, 인물 수에 거의 제약이 없다.

(3) 구성 요소

해설	첫머리에서 등장인물, 배경 등을 설명하는 부분
장면 번호	장면의 극 중 순서, 시간의 흐름, 장소의 이동 등을 나타내는 부분
대사	등장인물들끼리 주고받는 말이나 혼잣말
지시문	등장인물의 행동과 표정, 조명, 음향 효과, 카메라 위치 등을 지시하는 글

(4) 주요 용어

- S#(Scene Number): 장면 번호
- NAR.(Narration): 화면 밖에서 들리는 설명 형식의 대사
- O.L.(Overlap): 한 화면에 다른 화면을 겹치면서 장면을 전환하는 것
- C.U.(Close-Up): 특정 부분을 크게 확대하여 보여 주는 것
- F.I.(Fade-In): 화면이 점점 밝아지는 것
- F.O.(Fade-Out): 화면이 점점 어두워지는 것
- V.O.(Voice-Over): 인물이 화면에 등장하지 않고 목소리만 들리는 것
- E.(Effect): 효과음(음향 효과)
- Ins.(Insert): 화면과 화면 사이에 다른 화면을 끼워 넣는 것
- 몽타주(Montage): 따로따로 촬영한 화면을 떼어 붙여서 편집하는 것
- 플래시백(Flashback): 장면의 순간적인 변화를 연속으로 보여 주는 것

시나리오가 장면 전환이나 시간, 공간 등의 제약에서 자유로운 이유는 이처럼 특수한 촬영 기법이나 편집 기술을 활용할 수 있기 때문이야.

7 희곡, 시나리오, 소설의 비교

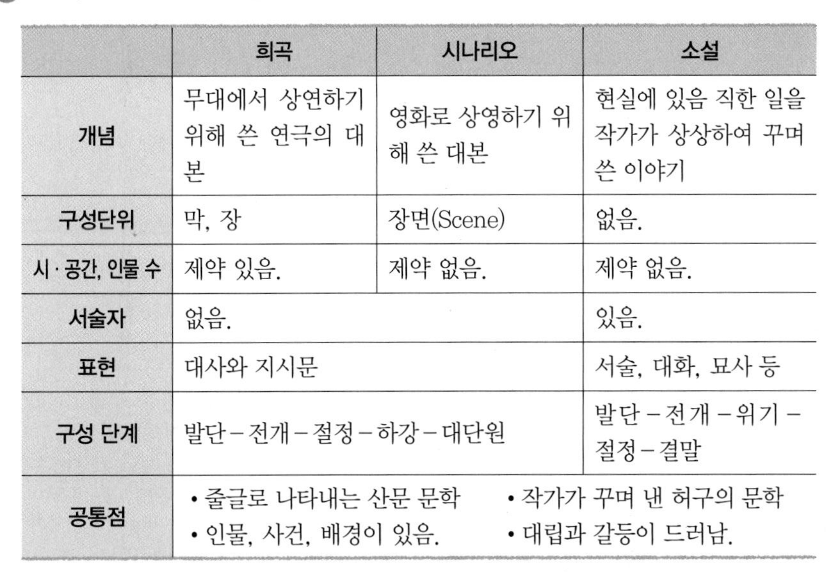

	희곡	시나리오	소설
개념	무대에서 상연하기 위해 쓴 연극의 대본	영화로 상영하기 위해 쓴 대본	현실에 있음 직한 일을 작가가 상상하여 꾸며 쓴 이야기
구성단위	막, 장	장면(Scene)	없음.
시·공간, 인물 수	제약 있음.	제약 없음.	제약 없음.
서술자	없음.		있음.
표현	대사와 지시문		서술, 대화, 묘사 등
구성 단계	발단 – 전개 – 절정 – 하강 – 대단원		발단 – 전개 – 위기 – 절정 – 결말
공통점	• 줄글로 나타내는 산문 문학 • 인물, 사건, 배경이 있음.	• 작가가 꾸며 낸 허구의 문학 • 대립과 갈등이 드러남.	

개념 확인 문제

5 시나리오는 (   )의 대본으로, (   )이 기본 단위이다.

6 시나리오의 구성 요소 중 ㉠~㉢이 해당하는 요소를 각각 쓰시오.

> ㉠S# 94 원재네 마루(밤)
> ㉡침울한 표정으로 앉아 있는 원재와 원재 어머니. 그 앞에서
> 영신: ㉢그러니 이 일을 어떡하면 좋겠어요?
> 원재네: 어떡하겠수. 애들을 줄여야지…….

7 다음 ⓐ~ⓔ에 해당하는 시나리오 용어가 바르게 연결된 것은?

> ⓐ 음향 효과
> ⓑ 화면이 점점 밝아짐.
> ⓒ 특정 부분을 확대함.
> ⓓ 화면을 겹치면서 장면을 전환함.
> ⓔ 화면 밖에서 들리는 설명 형식의 대사

① ⓐ – S#　② ⓑ – E.
③ ⓒ – C.U.　④ ⓓ – F.I.
⑤ ⓔ – 몽타주

8 희곡, 시나리오, 소설에 대한 설명을 읽고 ○ 또는 X에 표시하시오.

(1) 희곡과 달리 시나리오에는 서술자가 있다. (○, X)
(2) 희곡·시나리오와 달리 소설은 인물 수에 제약을 받지 않는다. (○, X)
(3) 희곡·시나리오·소설 모두 작가가 상상하여 꾸며 낸 이야기이다. (○, X)
(4) 소설과 달리 희곡과 시나리오는 대사와 지시문으로 이야기를 전개한다. (○, X)

들판에서 ① _ 이강백

가 형과 아우, 열심히 그림을 그린다. 측량 기사와 두 명의 조수가 등장한다. 측량 기사는 측량기(땅의 거리, 크기 등을 재는 기구)를 세워 놓고 조준경(조준을 정확하게 하기 위해 쓰는 렌즈)을 들여다보면서 조수들에게 손짓으로 신호를 보낸다. 측량 기사 앞쪽에는 한 명의 조수가 눈금이 그려진 표지봉(측량할 때 쓰는 긴 막대)을 들고 서 있다. 측량 기사의 뒤쪽에서는 측량이 끝난 지점마다 다른 조수가 *말뚝을 박고 밧줄을 맨다.

형: (㉠) 여봐요! 여봐요! / **측량 기사**: (㉡) 우리 말씀인가요?

형과 아우: (측량 기사에게 다가간다.) 당신들, 지금 뭘 하고 있는 겁니까?

측량 기사: 측량하고 있죠, 보시다시피.

아우: 여긴 우리 땅인데 왜 함부로 들어와서 말뚝을 박고 줄을 쳐요?

측량 기사: (조수들에게 명령조로 말한다.) 자네들, 뭘 해? 어서 땅 주인들께 인사드려!

조수 1: 안녕하세요? / **조수 2**: 안녕하세요? 오늘 날씨가 참 좋군요!

측량 기사: 아 참, 제 소개도 해야죠. 저는 측량 기사입니다.

아우: 우린 측량을 부탁한 적 없어요. 잘못 알고 온 모양인데 어서 우리 들판에서 나가요!

측량 기사: 우린 그냥 실습하러 온 겁니다. / **형과 아우**: 실습하러 왔다고요?

측량 기사: 네, 오늘 날씨가 화창해서 조수들을 데리고 야외 실습을 나왔어요. (눈을 가늘게 뜨고 들판을 둘러보며) 그냥 버려두기에는 아까운 땅이군요. 공장 *부지로 개발해서 팔거나 주택지로 나눠 팔면 큰돈을 벌겠어요! 그런데 왜 이렇게 화를 내시죠? 우릴 보자마자 고함을 지르고 삿대질까지 하시니 너무 심한 것 아닙니까?

발단 우애 있는 형제의 들판에 측량 기사와 조수들이 (　　　　　　)과 (　　　　　　)을 설치함.

중간 부분 줄거리 형제는 밧줄을 사이에 두고 가위바위보를 하며 줄넘기 놀이를 하다가 다투게 되고, 줄로 각자의 영역을 갈라 집과 젖소의 소유권을 두고 싸우기 시작한다.

나 **측량 기사**: 어떻습니까, 우리 실력이? 양쪽으로 정확하게 나눠 놓은 측량 솜씨에 놀라셨을 겁니다. (조수들을 칭찬한다.) 자네들, 참 잘했어. 아주 능숙한 솜씨야!

조수들: 고맙습니다, 칭찬해 주셔서.

조수 1: 사실 우린 이런 일을 여러 번 했거든요.

조수 2: 측량을 한 다음엔 땅을 빼앗았죠. 아주 *교묘한 방법으로요.

측량 기사: 쉿, 입조심해! / **조수들**: 네, 알겠습니다.

측량 기사: (먼저, 형에게 다가가서 묻는다.) 측량을 끝냈으니 다음엔 무슨 일을 할까요?

형: 그걸 왜 나에게 묻죠?

측량 기사: 일을 정확히 하기 위해서죠. 처음 약속대로 말뚝과 밧줄을 치워 드릴까요?

형: 아니, 그냥 둬요.

측량 기사: (㉢) 어떻게 할까요? 당신 형님은 말뚝과 밧줄을 그냥 두라는데요?

아우: 밧줄은 약해요. 더 튼튼한 건 없어요? / **측량 기사**: 더 튼튼한 거라면…….

아우: 젖소들이 넘어가지 못할 만큼 튼튼한 것이 필요해요.

측량 기사: 그거야 철조망도 있고, 높다란 벽도 있죠.

작품 핵심

갈래	희곡(단막극)
성격	우의적, 상징적, 교훈적
배경	• 시간: 봄 • 공간: 들판
제재	형제간의 갈등과 화해
주제	• 형제의 위기 극복과 우애 회복 • 민족의 분단 극복과 화해 의지
특징	① 날씨 변화로 갈등의 전개 양상을 암시함. ② 등장인물과 소재가 상징적인 의미를 나타냄. ③ 형제간의 갈등으로 남북의 분단 현실을 드러냄.

등장인물의 상징적 의미

형, 아우	우리 민족(남한과 북한)
측량 기사	우리 민족의 분단을 부추기는 외세

측량 기사의 성격과 역할

- 형제의 땅을 빼앗기 위해 계획적으로 접근함.
- 형제 사이를 이간질하여 불신을 조장함.
- 교활하고 기회주의적이며 욕심이 많음.
- 사기꾼의 전형을 보여 주는 반동 인물임.

갈등의 심화에 따른 소재 변화

밧줄	경계를 나누지만 대화는 나눌 수 있음.

⬇

벽	소통이 불가능해짐.

어휘 쏙쏙

- **말뚝**: 땅에 두드려 박는 기둥이나 몽둥이. 아래쪽 끝이 뾰족함.
- **부지**: 건물을 세우거나 도로를 만들기 위하여 마련한 땅.
- **교묘하다**: 솜씨나 재주 따위가 재치 있게 약삭빠르고 묘하다.

형: (㉣) 너, 지금 무슨 짓을 하려는 거냐?

아우: 형님은 내 일에 상관하지 마세요! (측량 기사에게) 철조망보다는 벽이 좋겠어요. (㉤) 이 정도 높은 벽을 쌓아 올리면 아무것도 넘어오지 못하겠죠!

중요

01

이 글에 대한 설명으로 알맞지 않은 것은?

① 대사와 지시문으로 사건이 전개된다.
② 교훈적이고 상징적인 특성이 드러난다.
③ 실존 인물과 역사적 사건을 다루고 있다.
④ 남북으로 분단된 우리나라의 현실이 반영되어 있다.
⑤ 인물들의 갈등과 대립을 중심으로 사건이 진행되고 있다.

02

이 글을 무대에서 상연하기 위한 계획으로 적절하지 않은 것은?

① 민호: 조준경, 표지봉, 말뚝과 밧줄 등의 소품을 준비해야 해.
② 서경: 측량 기사와 조수들은 직업에 어울리는 의상을 준비해서 입자.
③ 현주: 무대 상황을 고려해서 적절한 무게와 크기로 벽을 만들어 두자.
④ 유나: 형제는 사건의 흐름에 따라 감정이 잘 드러나도록 연기해야 해.
⑤ 수미: 무대 뒤쪽에 그림을 붙여서 계절의 흐름과 공간의 변화를 나타내자.

중요

03

이 글에서 알 수 있는 측량 기사의 궁극적인 의도로 알맞은 것은?

① 형제를 이간질하여 서로 다투게 하는 것
② 형제의 땅을 빼앗아 금전적 이익을 얻는 것
③ 형제의 땅을 오차 없이 정확하게 측량하는 것
④ 조수들에게 실제적인 측량 기술을 가르쳐 주는 것
⑤ 형제가 화해하여 우애 있게 지내도록 도와주는 것

♥ 이간질: 두 사람이나 나라 따위의 중간에서 서로를 멀어지게 하는 일을 낮잡아 이르는 말.

04

다음 설명에 해당하는 소재를 (나)에서 찾아 1음절로 쓰시오.

형제간의 갈등을 더 깊어지게 하는 소재로 '휴전선'을 상징한다.

05

㉠~㉤에 들어갈 지시문으로 적절하지 않은 것은?

① ㉠: 성난 모습으로
② ㉡: 태연하게
③ ㉢: 동생에게 넘어가서 묻는다
④ ㉣: 재미있겠다는 표정으로
⑤ ㉤: 손을 머리 위로 높이 들어 올리며

들판에서 ❷ _ 이강백

중간 부분 줄거리 측량 기사는 형의 불안 심리를 자극하여 형의 땅 반절을 받고 감시용 전망대를 판다. 그리고 사람들에게 형제의 땅을 분양하는 등 속셈을 노골적으로 드러내기 시작한다.

다 **아우**: ㉠어쨌든 이렇게 나눠진 이상 나도 독립해서 살아야겠어요.

측량 기사: 잘 생각했습니다. 하지만 당신 형님은 당신을 그냥 두지 않을 거예요.

아우: 그게 무슨 뜻이죠?

측량 기사: 이제 곧 알게 됩니다. 저쪽의 심보 나쁜 형이 당신 땅으로 넘어올 테니까요.

아우: 형님이? / **측량 기사**: 당신을 쫓아내고 젖소들을 차지할 욕심이죠.

측량 기사, 호루라기를 꺼내 분다. 조수들이 검은색 가죽 가방을 들고 나온다. 그리고 가방에서 분해 상태의 장총을 꺼내 조립한다.

측량 기사: 이게 뭔지 알아요? / **아우**: 총인데요.

측량 기사: 아주 성능이 좋은 총이죠. 당신이 총으로 벽을 지켜야 합니다.

아우: 벽을 지켜요?

측량 기사: (아우의 손에 총을 쥐여 주며) ㉡지금은 외상으로 드릴 테니 *대금은 나중에 땅으로 주세요. / **조수들**: (가방에서 총알을 꺼내 놓으며) 여기 총알이 있어요.

측량 기사: 당신의 안전을 위해서 아낌없이 쏘세요!

라 측량 기사와 조수들, 웃으며 퇴장한다. 벽의 오른쪽에서 형이 전망대 위로 올라간다. 탐조등이 켜지면서 강렬한 불빛이 벽 너머를 비춘다. / **형**: 아우야! 아우야!

아우: (강렬한 불빛 때문에 눈이 보이지 않아서 당황한다.) 누구예요?

형: 나다, 나! / **아우**: 형님? / **형**: 그래! 내가 안 보여?

아우: 왜 그런 불빛으로 나를 비추죠? / **형**: ㉢네가 뭘 하는지 잘 보려고…….

아우: 나는 그 불빛 때문에 형님이 안 보여요!

형: 그럼 내가 그쪽으로 넘어갈까?

아우: 아뇨! 넘어오지 말아요! ㉣내 눈을 안 보이게 하고 넘어온다니 무슨 *흉계죠?

형: 난 아무 흉계도 없어. 넘어간다.

아우: 넘어오면 쏩니다! (허공을 향해 위협적으로 총을 발사한다.) 이건 진짜 총이에요!

마 형, 요란한 총소리에 놀라 전망대에서 황급히 내려온다. 그는 두려움에 질린 모습이 되어 움츠리고 앉는다. 측량 기사, 가죽 가방을 든 두 명의 조수와 함께 등장한다.

측량 기사: 저쪽 동생이 미쳤군요. 형님에게 총질을 하다니!

조수들: (웃으며) 완전히 미쳤어요. / **형**: 무서워요…….

측량 기사: 이젠 동생이 아니라 적이라고 생각하는 게 좋겠어요. 철저히 무장하고(전투에 필요한 장비를 갖추고) 자신을 지켜야지, 가만있다간 죽게 됩니다. (조수들에게) 여봐, 이분에게 총을 드려.

조수들: 네. / 조수들, 가죽 가방을 열고 장총의 분해품을 꺼낸다. 그리고 재빠르게 조립해서 형의 손에 쥐여 준다. / **조수 1**: 손이 떨려서 총을 잡지 못하는데요?

측량 기사: 꼭 쥐여 드려. 그리고 방아쇠 당기는 법을 가르쳐 드리라고.

조수 2: (형에게) 잘 보세요. 총 쏘는 건 간단해요.

작품 핵심

전체 구성과 날씨의 변화

단계	내용	날씨
발단	형과 아우가 그림을 그리고 있는 들판에 측량 기사와 조수들이 나타나 말뚝을 박고 밧줄을 침.	맑음
전개	형제가 집과 젖소의 소유권을 두고 다투고, 측량 기사의 이간질로 아우는 벽을, 형은 전망대를 설치함.	구름, 바람
절정	서로에 대한 불신과 의심이 심해진 형제가 급기야 서로를 향해 위협사격까지 함.	천둥, 번개
하강	자신들의 행동을 후회하고 반성하던 형제가 민들레꽃을 보며 평화로웠던 지난날을 그리워함.	천둥, 번개, 비
대단원	형제가 벽 너머로 민들레꽃을 던지며 우애를 확인하고, 함께 벽을 허물기로 하면서 화해함.	한 줄기 햇빛

소재의 상징적 의미

소재	의미
들판	우리나라(국토)
밧줄, 말뚝	형제간의 대립과 갈등을 유발하는 매개체
벽	형제간의 단절, 휴전선
전망대	의심과 불신, 감시
총	형제간 갈등의 최고조, 남북한의 군사적 대립

어휘 쏙쏙

- **대금**: 물건의 값으로 치르는 돈.
- **흉계**: 흉악한 꾀.
- **위협사격**: 살상의 의도는 없이 단순히 겁을 줄 목적으로 하는 사격.

조수 2, 형이 쥐고 있는 장총의 방아쇠를 당긴다. ⓐ요란한 총소리가 울려 퍼진다. 벽 너머의 아우, 그 소리에 놀라 몸을 움츠리더니 허공을 향해 •위협사격을 한다. 놀란 형 역시 반사적으로 총을 쏘아 댄다. ⓜ하늘에서 번개가 치고 천둥소리가 울린다.

절정 형제가 (　　　　　　)의 계략에 속아 서로에게 (　　　　　　)을 쏘며 대립함.

■ 소주제 정답 측량 기사 / 총

06

이 글을 우리의 분단 현실과 연관 지어 이해할 때, 등장인물과 소재의 상징적 의미로 적절하지 않은 것은?

① 들판 – 우리 국토
② 총 – 군사적 대립
③ 형제 – 우리 민족
④ 측량 기사 – 외세
⑤ 전망대 – 관심과 도움

07

이 글에서 알 수 있는 측량 기사의 성격으로 알맞은 것은? (정답 2개)

① 교활함
② 관대함
③ 잔인함
④ 옹졸함
⑤ 소극적임

♥ 옹졸하다: 성품이 너그럽지 못하고 생각이 좁다.

08

(라)에 나타난 갈등의 종류로 알맞은 것은?

① 인물의 내적 갈등
② 인물과 인물의 갈등
③ 인물과 운명의 갈등
④ 인물과 사회의 갈등
⑤ 인물과 자연의 갈등

중요

09

㉠~㉤에 대한 설명으로 알맞지 않은 것은?

① ㉠: 아우가 독립 욕구를 지니고 있음이 드러난다.
② ㉡: 측량 기사가 현금이 없는 아우를 배려하여 한 말이다.
③ ㉢: 아우에 대한 형의 의심과 불안감이 드러난다.
④ ㉣: 보이지 않는 형에 대한 아우의 위기의식이 드러난다.
⑤ ㉤: 형제간의 갈등이 최고조에 이르렀음을 암시한다.

♥ 각색: 서사시나 소설 등의 문학 작품을 희곡이나 시나리오로 고쳐 쓰는 일. 여기서는 원작이 희곡인 것을 시나리오로 고쳐 쓰는 것을 가리킴.

10

이 글을 시나리오로 각색할 때, ⓐ에 사용될 시나리오 용어로 알맞은 것은?

① E.
② O.L.
③ F.I.
④ Ins.
⑤ NAR.

02 출세기 ① _ 윤대성

앞부분 줄거리 *갱이 무너져 광부들이 파묻히고, 임신을 한 박 여인은 남편 김창호가 그 갱에 매몰되었음을 알게 된다. 홍 기자를 비롯한 각 신문사와 방송사 기자들은 사건 소식을 듣고 현장으로 달려온다. 마침내 16일 만에 유일한 생존자 김창호가 구출되어 나온다. 온갖 언론이 김창호를 주목하면서 그는 전 국민의 관심을 받게 된다. 순박한 광부였던 김창호는 매니저 미스터 양을 만나 출세를 한다.

가 17. 어떤 실내

김창호, 광부 옷차림이다. 매니저 미스터 양, 헬멧을 씌워 준다.

미스터 양: 거울을 좀 보시우! 비슷한가?

김창호: 얼굴이 좀 검어져야 광부 냄새가 나겠는데요?

미스터 양: 분장을 좀 합시다. (얼굴에 검정을 묻힌다.)

김창호: 돈 걸린 게 얼마나 됩니까?

미스터 양: 현재 이백만 원은 넘어갑니다. 하여간 계산은 나중에 합시다. 오늘 당신 목소리 계약하면 오십만 원은 받으니까. / **김창호**: 허허…….

미스터 양: 왜 웃으시우?

김창호: ㉠돈 벌기 아주 쉽군요.

미스터 양: 유명해지면 다 그런 겁니다.

김창호: 오늘 스케줄이 어떻게 됩니까?

미스터 양: (쪽지 보며) 《주간 *가십》 기자와의 인터뷰, 그가 당신 사진 찍을 겁니다.

김창호: 광부 모습으로 말이죠?

미스터 양: 예, 광산에 있을 때 찍어 놓은 사진이나 있으면 이런 고생 안 하지?

김창호: 난 재미있는데…….

미스터 양: 기자가 갱 속에서 가장 괴로웠던 일이 뭐냐? 결혼은 언제 했느냐? 그런 시시껄렁한 얘길 물을 겁니다.

시시껄렁한: 신통한 데가 없이 하찮고 꼴답잖은

김창호: 그거 여러 사람한테 말했는데?

미스터 양: 줄줄 외고 계시우! 시간 절약되니까……. ㉡조금씩 재미있게 거짓말을 보태! / **김창호**: 난 거짓말을 못합니다.

미스터 양: 차차 하게 됩니다. 그래야 이 짓도 오래 해 먹지.

김창호: 이 짓이라니? 난 그래도 양심이 있습니다.

미스터 양: ㉢누군 없수? 다 잊어버리고 있으니까 그렇지. 그런 거 끄집어낼 필요가 없어요! 양심을 들먹이면 아주 신경질 난다구요! 자! 녹음하기 전에 한 번 더 연습합니다. 읽어 봐요! 감정 넣어서…….

김창호: (읽는다.) 과자라면 구수한 문둥깡. 너도나도 먹자, 영양 많고 맛있는 문둥깡! 문둥깡의 자매품 차카라쿠키!

미스터 양: 좋습니다. *우악스럽게. 여자들이 들으면 먹고 싶어 미치고 환장하게 해야 합니다. 갑시다!

김창호: 당신 수고가 많습니다. 댁의 일도 바쁠 텐데 나를 위해서 뛰어 주니 내가 인복이 많은 모양이죠?

인복: 다른 사람의 도움을 많이 받는 복

작품 핵심

갈래	희곡(단막극)
성격	비극적, 풍자적, 비판적
배경	• 시간: 현대(1960~70년대) • 공간: 광산 붕괴 현장, 서울
제재	광부 매몰 사건
주제	상업주의에 물든 대중 언론의 행태 비판
특징	① 1967년에 실제로 발생한 광부 매몰 사건을 소재로 함. ② '상승-하강' 구조에 따라 전개되는 주인공의 삶이 제시됨.

등장인물의 특징

김창호	순박한 광부였지만 유명세를 얻고 출세를 하자 타락하게 됨. 상품 가치가 떨어지자 모두에게서 외면당함.
미스터 양	김창호의 매니저. 많은 수익을 올리기 위해서는 양심도 필요 없다고 여기며, 김창호의 상품 가치가 떨어지자 냉정하게 돌아섬.

'출세'에 담긴 두 가지 의미

출세(出世)

김창호가 무너진 갱에서 구출되어 나옴.	김창호가 유명해지고 큰돈을 벌게 됨.

어휘 쏙쏙

- **갱**: 광물을 파내기 위해 땅속을 파 들어간 안에 뚫어 놓은 길.
- **가십**: 신문, 잡지 등에서 개인의 사생활에 대하여 소문이나 험담 따위를 흥미 본위로 다룬 기사.
- **우악스럽다**: 보기에 무지하고 포악하며 드센 데가 있다.

미스터 양: 오해하지 마시우! 난 매니저요. 당신 수입금의 10퍼센트를 먹는다구요. 양심적으로……. 아, 또 신경질 나는군.

전개 김창호가 매니저 미스터 양을 만나 유명세를 얻고 (   )함.

01 이와 같은 글의 특징으로 알맞지 않은 것은?

① 시간과 공간, 등장인물의 수에 제약이 있는 글이다.
② 인물들의 대화와 서술자의 묘사를 통해 사건을 전달한다.
③ '발단 – 전개 – 절정 – 하강 – 대단원'의 단계로 내용이 구성된다.
④ 무대 위에서 연극으로 공연하기 위해 작가가 꾸며 낸 이야기이다.
⑤ 관객에게 보여 주기 위해 쓰는 글이므로 사건이 현재형으로 나타난다.

♥ 현재형: 과거나 미래 시제가 아닌 현재 시제로 표현하는 것. 예를 들어 '먹었다' 대신 '먹는다'로 표현하는 것이다.

02 이 글의 내용과 일치하지 않는 것은?

① 김창호는 매니저를 둘 만큼 유명인이 되었다.
② 김창호는 유명해지고 난 후 돈을 쉽게 벌고 있다.
③ 미스터 양은 김창호가 돈을 많이 버는 것을 부러워하고 있다.
④ 김창호는 광부 분장을 하고 사진을 찍는 것을 재미있게 여기고 있다.
⑤ 김창호는 인터뷰를 하고 광고 계약을 하는 등 언론의 관심을 받고 있다.

03 ㉠을 연출하기 위한 지시로 적절한 것은?

① 의심하는 듯 눈을 가늘게 뜬다.
② 짜증이 난 듯 얼굴을 찌푸린다.
③ 비아냥거리는 말투로 비웃음을 띠며 말한다.
④ 미소를 머금고 만족스러워하는 기색을 드러낸다.
⑤ 고뇌가 잘 드러나도록 표정을 어둡게 하며 말한다.

♥ 비아냥거리다: 얄밉게 빈정거리며 자꾸 놀리다.

04 ㉡에 대한 설명으로 가장 적절한 것은?

① 대중 언론이 진실보다 흥미를 좇는다는 점을 드러낸다.
② 대중 언론을 통해 사람들이 소통할 수 있다는 점을 드러낸다.
③ 대중 언론이 인간을 최우선의 가치로 여긴다는 점을 드러낸다.
④ 대중 언론이 현대 사회에서 없어서는 안 될 존재임을 드러낸다.
⑤ 대중 언론이 정보의 신속성과 정확성을 중시한다는 점을 드러낸다.

05 ㉢에서 알 수 있는 미스터 양의 가치관을 한 문장으로 쓰시오.

____

출세기 ② _ 윤대성

중간 부분 줄거리 김창호는 유명해지면서 돈을 많이 벌게 된다. 그러나 가족들을 외면한 채 유흥에 모든 돈을 탕진하고, 인기가 수그러들자 주위 사람들에게도 버림받는다.

나 22. 어느 방

ⓐ미스터 양, 손톱을 갈고 있다.

김창호: (호기 있게) 아, 미스터 양! 오랜만입니다.

미스터 양: (힐끗 보며) 미스터 양, 미스터 양 하지 말아요. 내 나이가 몇인데?

멈칫하는 김창호.

김창호: 저, 우리 다시 그전처럼 일합시다. 방송국도 나가고, 무슨 *바자회도 열고, 내 목소리 좋아졌습니다. 아. (발성)

미스터 양: 시끄러! 시끄러! 당신 뭐 하려고 그래? 난 당신 매니저 아니라구. 난 신인 가수 옥명아를 데뷔시킨 매니저야.

김창호: 나두 노래 기차게(말할 수 없을 만큼 좋거나 훌륭하게) 잘할 줄 안다구요. (ⓑ구성진 유행가를 술집 가락조로 한 구절 뽑는다.) / **미스터 양**: 그게 노래요? 편도선 앓는 소리지.

김창호: 전에는 내가 한마디 하면 모두 박수 쳤는데.

미스터 양: 그땐 당신이 상품 가치가 있을 때지. 지금은 다 잊어버렸다고요. 신기록이 또 나오기 전엔 김창호 씬 아무것도 아니야. 매니저가 뭔데? 상품 가치가 있는 사람만 골라내는 게 직업이야.

김창호: 그럼 다시 땅속으로 들어갔다가 더 오래 있다 나오면 안 될까요? 그동안 잘 먹어 둬서 자신 있는데……. / ⓒ김창호의 얼굴, 비참하리만치 진지하다.

다 25. 거리

거의 거지나 다름없이 된 지치고 *초췌한 수염투성이의 김창호, 기다시피 걸어온다. 그러다 문득 앞을 본다. 아들, 딸을 데리고 이불 짐을 들고 나오던 박 여인과 마주친다. 해산(아이를 낳음)을 해서 *해쓱해진 박 여인.

박 여인: 여보! 어떻게 여길? / 말을 못 하는 김창호. / **아들**: 아버지?

ⓓ아들, 딸 달려간다. 아무 말 없이 한 발 주저앉아 양팔에 안고 얼굴을 부비는 김창호. 천천히 고개 든다. 부인과 마주친다.

김창호: 애기는? / **박 여인**: (외면하며) 죽었어요. 사산(이미 죽은 태아를 분만하는 일)했어요.

김창호: (털썩 주저앉는다.) 왜? 왜 죽어? (땅을 긁으며 미친 듯) 배 속에서 그 캄캄한 곳에서 나오고 싶어 몸부림치는 애를 왜 죽여? 왜? 푸른 하늘을 보려구 참고 열 달이나 갇혀 있던 앤데, 왜 그냥 묻어 버려? 왜?

어디선가 폭음(폭발할 때 나는 큰 소리). / 사이렌 소리. / 김창호 벌떡 일어난다. / ⓔ사이렌 소리 더 크게.

김창호: 아! (괴로운 비명을 지르며) 가야지! / **박 여인**: 여보! (잡는다.)

김창호: ㉠내가 저 속에 있어야 돼. 저 속에 내가 묻혀 있어야 돼. 난 그래두 살아남을 수 있어. 오래! 아주 오래! / **박 여인**: 여보 정신 차려요!

하강 아내의 사산 소식에 절망하던 김창호가 새로운 광산 (   )에 절규함.

작품 핵심

이 글의 구성

- **발단**: 광산 붕괴 사고로 광부들이 매몰되고, 그중 김창호만 16일 만에 구조되어 유일한 생존자가 됨으로써 언론을 통해 전 국민의 관심을 받게 된다.
- **전개**: 유명세를 얻어 출세하고 돈을 번 김창호는 가족들을 외면한 채 방탕하게 생활한다.
- **절정**: 상품 가치가 떨어져 언론에서 외면을 당하게 된 김창호는 결국 광산이 있는 곳으로 다시 돌아온다.
- **하강**: 김창호는 아내의 사산 소식과 새로운 광산 매몰 사고 소식을 듣고 절규한다.
- **대단원**: 광산 매몰 사고로 잠시 주목을 받던 김창호는 또다시 외면을 당하고, 하늘에서 기록을 세우겠다며 가족과 함께 떠난다.

이 글의 구조

주인공 김창호가 겪은 삶의 상승과 하강에 따른 구조

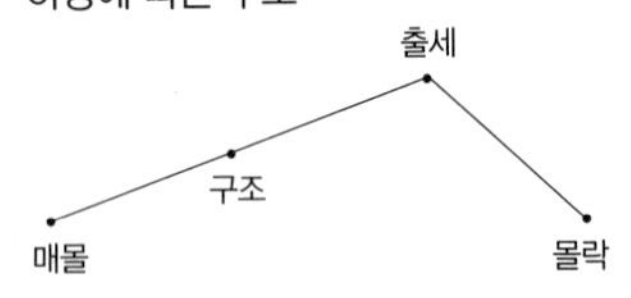

매몰	김창호가 광산 붕괴 사고로 갱에 매몰됨.
구조	구조된 김창호가 언론을 통해 엄청난 주목을 받음.
출세	유명해진 김창호가 부와 인기를 누림.
몰락	김창호의 상품 가치가 떨어지자 모두가 그를 외면함.

어휘 쏙쏙

- **바자회**: 공공 또는 사회사업의 자금을 모으기 위하여 벌이는 시장.
- **초췌하다**: 병, 근심, 고생 따위로 얼굴이나 몸이 여위고 파리하다.
- **해쓱해지다**: 얼굴에 핏기나 생기가 없어 파리해지다.

정답 출세 / 매몰 사고

중요
06

〈보기〉는 이 글의 소재가 된 실제 사건을 설명한 것이다. 〈보기〉를 고려하여 이 글을 감상한 내용으로 가장 적절한 것은?

보기

1967년 9월, 충남 청양군 구봉 광산의 지하 125m에 매몰되었던 양 모 씨의 구조 작업은 많은 언론의 관심 속에서 진행되었다. 양 씨는 지하 광산에 매몰된 지 15일 8시간 35분 만에 극적으로 구조돼 온 세상을 떠들썩하게 하였다. 당시 대통령이 비서관을 보내 구조 작업을 독려하고, 언론에서는 양 씨를 돕기 위한 성금 모금 운동을 대대적으로 벌이기도 하였다.

♥ 매몰되다: 보이지 않게 파묻히다.
♥ 독려: 감독하며 격려함.

① 이 글에는 〈보기〉의 사고가 일어난 근본적인 원인을 파헤치려는 의도가 드러나 있어.
② 이 글에는 〈보기〉와 같이 언론의 관심을 받아 자신의 삶을 개척하는 데 성공한 인물이 등장하고 있어.
③ 이 글은 〈보기〉의 양 씨와 같은 광산 노동자가 고된 삶을 살게 된 사회적 원인을 탐구하고 분석하고 있어.
④ 이 글은 〈보기〉의 시대 상황을 사실적으로 그려 냄으로써 부당한 노동 현실을 고발하려는 작가의 의도를 드러내고 있어.
⑤ 이 글은 〈보기〉의 사건을 소재로 삼아 인간의 존엄성보다 상업적인 가치를 중요시하는 오늘날 언론의 행태를 풍자하고 있어.

♥ 존엄성: 감히 범할 수 없는 높고 엄숙한 성질.

07

이 글에 나타난 미스터 양의 행위를 나타낼 속담으로 알맞은 것은?

① 방귀 뀐 놈이 성낸다.
② 달면 삼키고 쓰면 뱉는다.
③ 지렁이도 밟으면 꿈틀한다.
④ 송충이는 솔잎을 먹어야 한다.
⑤ 종로에서 뺨 맞고 한강에서 눈 흘긴다.

08

㉠에 담긴 김창호의 생각으로 적절한 것은?

① 매몰된 갱 안에서 두려워하고 있을 동료들을 구출해야 해.
② 광부는 내 천직이야. 광부로서의 삶을 다시 시작하고 싶어.
③ 다시 살아 나온다면 이번에는 유명세에 휘둘리지 않을 거야.
④ 매몰 사고에서 또 살아 나오면 내 상품 가치를 다시 높일 수 있을 텐데.
⑤ 잘못 살아온 지난날이 부끄러워. 차라리 매몰 사고로 세상을 떠나고 싶어.

09

지시 내용을 고려할 때 ⓐ~ⓔ 중 지시문의 종류가 다른 하나는?

① ⓐ ② ⓑ ③ ⓒ ④ ⓓ ⑤ ⓔ

달리는 차은 ❶ _ 김태용 외

가 S# 5. 마을 *포구 앞(저녁)

배를 타고 나가려고 그물을 손질하느라 *여념이 없는 아버지 앞에서 얘기를 꺼내려고 서 있는 차은, 한 손엔 '전학 동의서'가 들려 있다.

아버지: (차은은 쳐다보지도 않고) 왜? / **차은**: 아버지! 이것 좀 보세요.

아버지: 뭔데? / **차은**: 저희 육상부 *해산한대요. / **아버지**: 근데?

차은: 코치 선생님이 서울로 전학 가재요. / **아버지**: 왜?

차은: 저, 선수로 잘할 거 같다고 같이 가재요. 가도 돼요? 다른 친구들도 다 가요.

대답 없는 아버지, 작은 기름통을 들고 다가온다.

아버지: 이거 가지고 집에 가라! / **차은**: (기운 없이) 네.

한 손엔 기름통, 한 손엔 '전학 동의서'를 들고 서 있는 차은, 여전히 망설이고 서 있다. 배를 타고 바다로 나가는 아버지.

중간 부분 줄거리 육상부 친구들이 전학을 가고 혼자 남은 차은은 육상에 대한 미련으로 속상함을 느낀다. 어느 날 같은 반 영찬과 함께 있던 차은은 마을 어귀에서 엄마와 마주친다. 영찬은 필리핀 출신인 차은의 엄마를 보고 당황하고, 차은의 엄마는 영찬을 집에 초대한다.

나 S# 15. 차은네 거실(저녁)

엄마: (영찬에게) 사과 먹어요. 이름이 뭐라고? / **차은**: 최영찬이야!

엄마: (웃으며 차은에게) 누가 너한테 물어보니? (영찬에게) 먹어요.

영찬, 사과를 빤히 바라보다가, 어렵게 입을 연다.

영찬: 엄마가 저녁에 먹는 사과는 독이래요. / **엄마**: 그래?

동민은 맛있게 먹고 있고, 차은은 영찬을 바라본다. 방에서 울리는 전화벨! 동민이 쪼르르 달려간다.

동민: (㉠V.O.) 여보세요! / **영찬**: …….

동민: (V.O.) 엄마! 마르세 이모! / **차은**: ……. / **엄마**: 으응.

수화기를 건네받은 차은의 엄마, "하이!" 하더니 큰 목소리로 악센트 강한 필리핀 말을 거침없이 내뱉는다. 신나게 통화하는 엄마의 필리핀 말소리가 들린다. 슬쩍슬쩍 차은의 엄마를 쳐다보는 영찬에게 동민이는 바싹 다가와 앉는다.

동민: 형아! 필리핀 말 할 줄 알아? / 대답은 않고, 차은을 바라보는 영찬.

영찬: 너는 할 줄 알아?

차은: (*뿔났다.) 친엄마 아니거든! / **영찬**: …….

동민: (차은의 말을 또 따라 한다.) 친엄마 아니거든! 엄마!

동민이 통화 중인 엄마한테 쪼르르 달려가며 일러바친다.

동민: 누나가 친엄마 아니래!

놀라 바라보는 엄마의 시선에 차은은 고개를 돌린다.

전개 차은은 (   )을 허락해 주지 않는 아버지 때문에 속상해하고, 집에 놀러 온 영찬 앞에서 (   ) 출신임을 드러내는 새엄마를 창피하게 여김.

작품 핵심

갈래	시나리오
성격	사실적, 서사적
배경	• 시간: 현대 • 공간: 새만금 사업이 진행 중인 바닷가 마을
제재	차은의 꿈
주제	청소년기의 꿈의 좌절과 극복
특징	① 다문화 가정에서 일어나는 갈등과 그 해결 과정을 그려 냄. ② 청소년의 꿈과 진로에 관한 고민을 담아냄.

✪ 등장인물의 특징

차은	육상 선수를 꿈꾸는 열네 살 소녀. 꿈을 포기하지 않는 당차고 굳은 의지를 지님.
엄마	필리핀 사람이며 자상하고 정이 많음. 자신을 거부하는 차은에게 마음을 열고 적극적으로 다가감.
아버지	무뚝뚝하고 권위적임.
동민	장난기가 많고 철이 없으며 천진난만함.

쏙쏙

- **포구**: 강이나 내에서 바닷물이 드나들어 배가 출입하는 곳의 첫머리.
- **여념**: 어떤 일에 대하여 생각하고 있는 것 이외의 다른 생각.
- **해산**: 집단, 조직, 단체 따위가 해체하여 없어짐.
- **뿔나다**: 성이 나다.

중요

01

이 글에 대한 설명으로 적절하지 않은 것은?

① 영화로 만들어 상영하기 위해 쓴 시나리오이다.
② 인물의 대사와 행동을 통해 사건이 전개되고 있다.
③ 청소년기의 꿈과 갈등에 관한 문제를 다루고 있다.
④ 국제결혼으로 이루어진 다문화 가정의 이야기를 그리고 있다.
⑤ 많은 이들이 일자리를 찾아 도시로 떠나던 1970년대가 시대적 배경이다.

♥ 국제결혼: 국적이 다른 남녀가 결혼하는 일.
♥ 다문화: 한 사회 안에 여러 민족이나 여러 국가의 문화가 혼재하는 것을 이르는 말.

02

(가)~(나)에서 알 수 있는 차은의 특징으로 알맞지 않은 것은?

① 바닷가 마을에 살고 있다.
② 학교 육상부에서 활동하였다.
③ 서울로 전학을 가고 싶어 한다.
④ 필리핀 출신의 새엄마와 함께 산다.
⑤ 제멋대로인 동생을 창피하게 여긴다.

03

(가)에서 알 수 있는 아버지의 성격으로 적절한 것은?

① 순박함. ② 겸손함. ③ 자상함.
④ 무뚝뚝함. ⑤ 무기력함.

♥ 순박하다: 거짓이나 꾸밈이 없이 순수하며 인정이 두텁다.

04

(가)에서 알 수 있는 차은의 꿈이 무엇인지 쓰시오.

____

05

㉠의 용어가 의미하는 바로 알맞은 것은?

① 화면이 점점 어두워짐.
② 특정 부분을 크게 확대함.
③ 따로따로 촬영한 화면을 떼어 붙임.
④ 장면의 순간적인 변화를 연속으로 보여 줌.
⑤ 인물이 화면에 등장하지 않고 목소리만 들림.

달리는 차은 ❷ _ 김태용 외

다 S# 18. 차은네 마당(낮)

•툇마루에 누워 만화책을 읽고 있는 차은, 새 운동화에 신이 난 동민이 차은을 부르며 마당으로 들어온다. 동민을 따라 들어오는 엄마.

동민: 누나! 이것 좀 봐라! 새 운동화다!

차은이 별 관심을 보이지 않자, 동민은 "아빠!" 하고 부르며 쪼르르 밖으로 나가고, 쇼핑백을 들고 선 엄마가 차은의 곁에 앉는다.

엄마: ㉠차은아! 집에 있었어? 안 나갔어? / **차은**: (꿈적도 않는다.)

엄마: 엄마가 뭐 사 왔어. 맞춰 봐!

엄마가 들고 있던 쇼핑백에서 신발을 꺼내 차은 앞에 자랑하듯 내놓는다.

엄마: 짜잔! 차은아! 이거 봐 봐! / **차은**: ㉡…….

엄마: 너, 달리기 잘한다며? 너 달리기할 때 신으라고.

차은, 읽던 만화책을 챙겨 들고 일어선다.

차은: 달리기할 때 그런 거 신는 거 아니거든! / **엄마**: 왜? 이거 마음에 안 들어?

차은, 엄마가 뽐내는 새 운동화를 쳐다보지도 않고, 제 신발을 챙겨 신는다.

엄마: 안 예뻐? 되게 비싼 건데. (새 운동화를 차은 앞에 내려놓으며) 그럼 남자 친구 만날 때 신어!

차은: 걔 남자 친구 아니거든. 내가 남자 친구 아니라고 몇 번이나 말해! 내 말 못 알아들어! / **엄마**: ……. / **차은**: …….

엄마: (속상한 마음에 새 운동화를 차은의 앞에 던지듯 놓으며) 그래! 신지 마! 갖다 버려!

차은: ㉢그래! 버려! / 차은, 새 운동화를 발로 차더니, 대문을 향해 걸어 나간다.

라 S# 20. 차은네 거실(저녁)

상에 둘러앉아 아무 말 없이 조용히 식사 중인 차은의 가족. 거실 구석 텔레비전에선 갑작스러운 •한파를 알리는 일기 예보가 흘러나온다. 동민은 머리에 쭈글쭈글한 외계인 가면을 쓰고 있고, 차은은 무언가 결심한 듯 식사에 여념 없는 아버지를 바라본다.

차은: (수저를 내려놓고) 아버지! 저 육상 계속할래요! 전학 갈 거예요.

아버지: 안 돼! / **차은**: 다른 애들은 다 갔단 말이에요.

아버지는 대꾸도 없고, 차은의 엄마가 걱정스러운 듯 차은을 바라본다.

차은: ㉣저 잘 뛰어요! 전학 갈래요. / 여전히 대답 않고 밥을 먹는 아버지.

차은: 저 갈 거예요. / **아버지**: 밥 먹어!

차은은 속상한데, 아버지의 그런 행동이 무슨 신호라도 되는 듯, 동민이 쪼르르 일어나 방으로 들어가더니, 커다란 회초리 하나 들고 나온다. 회초리를 아버지에게 건네주고, 차은의 옆에 '엎드려 자세'를 보여 주는 동민.

동민: (매 맞는 자세를 흉내 내며) ㉤누나, 이렇게 엎드려 뻗쳐!

차은은 속상한데, 동민은 신이 나서 계속 차은을 부른다. 갑자기 텔레비전 소리, 픽! 집 안의 모든 불이 꺼진다. 정전이다!

작품 핵심

✪ 이 글의 구성

- **발단**: 차은이 다니는 학교의 육상부가 해산되자 차은은 서울에 있는 학교로 전학 갈 것을 권유받는다.
- **전개**: 아버지는 차은의 전학을 허락하지 않는다. 새엄마는 차은과 같이 있던 반 친구 영찬을 집으로 초대하고, 차은은 영찬 앞에서 필리핀 출신임을 드러내는 새엄마를 창피하게 여긴다.
- **절정**: 영찬이 낸 소문 때문에 차은은 아이들에게 '필리핀'이라고 놀림을 당한다. 속상한 차은은 자신을 위해 새 운동화를 사 온 엄마와 말다툼을 하고, 아버지가 자신의 전학을 계속 반대하자 가출을 한다.
- **하강**: 차은은 엄마의 설득으로 함께 서울 나들이를 떠난다. 엄마는 어린 차은을 위해 한국에 남았던 사연을 이야기한다.
- **대단원**: 차은은 빈 경기장에서 엄마와 함께 뛰다가 울면서 엄마와 화해한다. 그 후 차은은 육상 선수의 꿈을 이룬다.

✪ 이 글에 나타난 갈등 양상

차은	
육상을 계속하기 위해 서울에 있는 학교로 전학을 가고 싶음.	보통의 한국 엄마와는 다른 필리핀 출신의 새엄마가 불만스럽고 창피함.
↕	↕
아버지	**엄마**
차은의 전학을 허락하지 않음.	차은과 친해지려고 관심과 애정을 쏟음.

- **툇마루**: 툇간에 놓은 마루.
- **한파**: 겨울철에 기온이 갑자기 내려가는 현상.

동민이 "와! 정전이다!" 즐겁게 소리 지르고, 부스럭거리는 소리 너머 촛불이 켜진다. 초를 들고 있는 엄마와 아버지. 금세 들어온 전등 아래, 차은이 사라졌다!

절정 차은이 아버지와의 갈등과 새엄마와의 갈등 때문에 (   )을 함.

■ 소주제 정답 전학 / 필리핀 / 가출

중요

06

(다)에서 차은이 엄마와 갈등하는 근본적인 원인으로 알맞은 것은?

① 아버지와 엄마 사이의 불화
② 필리핀 출신인 새엄마에 대한 불만
③ 자신에게 관심이 없는 아버지의 태도
④ 영찬을 자신의 남자 친구로 몰아가는 엄마의 말
⑤ 달리기용이 아닌 일반 운동화를 사 온 엄마의 행동

♥ 불화: 서로 화합하지 못함. 또는 서로 사이좋게 지내지 못함.

07

(다)를 읽고 엄마에 대해 파악한 내용으로 적절한 것은?

① 차은이 달리기를 잘하는 것을 부러워한다.
② 자신의 취향을 아이들에게 강요하려 한다.
③ 참을성이 부족하여 가족에게 짜증을 잘 낸다.
④ 남매를 차별하지 않고 공평하게 대하려 한다.
⑤ 차은에게 먼저 적극적으로 다가가 친해지려 한다.

♥ 취향: 하고 싶은 마음이 생기는 방향. 또는 그런 경향.

08

다음 설명에 해당하는 소재를 (다)에서 찾아 쓰시오.

> 차은에 대한 엄마의 사랑과 관심을 나타내는 동시에, 차은과 엄마 사이에 갈등을 일으키는 소재이다.

09

(라)에 대한 반응으로 적절하지 <u>않은</u> 것은?

① 민석: 차은은 아버지에게 반항적인 태도를 보이고 있어.
② 희지: 차은은 전학을 가려는 이유를 분명하게 밝히고 있어.
③ 주원: 아버지는 차은의 요구를 들어주지 못해 미안해하고 있어.
④ 현수: 엄마는 차은이 아버지에게 크게 혼날까 봐 걱정하고 있어.
⑤ 경은: 동민은 차은이 잘못된 행동을 한다고 생각해서 회초리를 가져온 거야.

중요

10

㉠~㉤ 중, 연출자가 다음과 같이 요구했을 부분으로 알맞은 것은?

> 굳은 결심과 의지가 잘 드러나도록 단호한 말투로 연기해 주세요. 표정과 눈빛에서도 단호함이 느껴지게 해 주시고, 동시에 상대방에 대한 불만스러움도 드러나게 해 주세요.

① ㉠　　② ㉡　　③ ㉢　　④ ㉣　　⑤ ㉤

♥ 단호하다: 결심이나 태도, 입장 따위가 딱 잘라서 결정하는 면이 있고 엄격하다.

Ⅱ

비문학

독해의 원리와 방법
01 글의 종류 이해하기
02 예측하며 읽기
03 요약하며 읽기
04 설명 방법을 파악하며 읽기
05 논증 방법을 파악하며 읽기
06 표현 방법과 의도를 평가하며 읽기
07 관점이나 형식의 차이를 파악하며 읽기

정보를 전달하는 글
01 옹기종기 우리 옹기
02 건물에 숨겨진 비밀

설득하는 글
01 꿀벌 없는 지구
02 내가 원하는 우리나라
03 최만리의 반대 상소와 조정의 입장

01 글의 종류 이해하기

❶ 목적에 따른 글의 종류

- 정보를 전달하는 글: 정보를 전달하는 것이 목적인 글로, 설명문, 기사문, 보고문 등이 있다.
- 설득하는 글: 독자를 설득하는 것이 목적인 글로, 논설문, 건의문, 연설문, 광고문 등이 있다.

❷ 설명문

(1) 개념: 어떤 대상에 대한 정보나 지식 등을 독자들이 이해하기 쉽게 풀이하여 쓴 글

(2) 특성

- 객관성: 글쓴이의 개인적 의견을 드러내는 것을 피하고, 있는 그대로의 사실을 전달한다.
- 사실성: 정확한 사실에 근거하여 설명한다.
- 명료성: 내용이 분명하게 전달되도록 정확하고 간결한 문장으로 쓴다.
- 평이성: 독자들이 잘 이해할 수 있도록 쉬운 표현을 사용한다.
- 체계성: 일정한 순서에 따라 내용을 짜임새 있게 구성한다.

(3) 구성

처음 (머리말)	독자의 관심을 유도하고, 글을 쓰게 된 동기나 목적, 설명 대상을 제시함.
중간 (본문)	대상에 대해 구체적으로 설명함.
끝 (맺음말)	중간 부분의 내용을 요약 · 정리하고 마무리함.

❸ 논설문

(1) 개념: 글쓴이가 자신의 주장이나 의견을 타당한 근거를 들어 제시함으로써 독자를 설득하는 글

(2) 특성

- 주관성: 글쓴이의 주관적인 의견이나 주장이 드러난다.
- 타당성: 근거의 내용이 이치에 맞고 글쓴이의 주장을 적절하게 뒷받침해야 한다.
- 신뢰성: 출처가 분명하고 신뢰할 수 있는 근거를 제시해야 한다.
- 체계성: '서론 – 본론 – 결론'의 3단 구성에 따라 내용을 짜임새 있게 전개한다.
- 명료성: 의미를 정확하게 전달하기 위해 간결한 문장과 명확한 표현을 사용한다.

(3) 구성

서론	문제를 제기하고, 글을 쓰게 된 동기나 목적을 제시함.
본론	주장을 뒷받침할 수 있는 타당한 근거를 제시하면서 주장을 구체적으로 전개함.
결론	본론 내용을 요약 · 정리하고, 앞으로의 전망이나 과제, 당부 등을 제시함.

❹ 건의문

(1) 개념: 개인이나 단체에게 어떤 문제를 개선하거나 해결하도록 요구하는 글

(2) 건의 내용의 요건

- 합리성: 건의하는 내용이 이론이나 이치에 맞아야 한다.
- 공익성: 건의하는 내용이 공동체에 유익한 것이어야 한다.
- 공정성: 건의하는 내용이 어느 한쪽으로 치우치지 않고 공평해야 한다.
- 실현 가능성: 제시한 해결 방안이 실현할 수 있는 것이어야 한다.

(3) 구성

처음	건의 대상(독자), 첫인사, 자기소개
중간	• 건의하고자 하는 문제 상황 제시 • 문제를 개선하기 위한 해결 방안, 근거, 기대 효과 제시
끝	• 건의 내용의 요약 • 건의 내용의 수용에 대한 긍정적인 기대 • 끝인사, 날짜와 서명

5 연설문

(1) 개념: 여러 사람 앞에서 자신의 의견이나 주장을 말하기 위하여 쓴 글

(2) 특성

- 청중을 설득하기 위한 주장과 근거가 논리적으로 제시된다.
- 청중의 흥미와 수준을 고려하여 표현한다.

6 보고문

(1) 개념: 어떤 목적을 가지고 조사, 관찰, 실험한 과정이나 결과를 체계적으로 정리하여 다른 사람에게 전달하는 글

(2) 특성

- 현실적으로 가치가 있고, 실제로 조사, 관찰, 실험을 할 수 있는 주제를 다루어야 한다.
- 내용이 정확성과 객관성을 갖추어야 한다.

7 기사문

(1) 개념: 알릴 만한 가치가 있는 사실을 대중 매체를 통해 정확하고 신속하게 전달하는 글

(2) 특성

- 육하원칙에 따라 정확한 사실을 전달한다.
- 어느 한쪽에 치우치지 않고 공정하게 작성한다.
- 일반적으로 '표제 – 부제 – 전문 – 본문 – 해설'로 구성된다.

8 광고문

(1) 개념: 어떤 대상에 대한 정보를 널리 알려 독자를 설득함으로써 특정한 행동을 이끌어 내려는 글

(2) 종류

- 목적에 따라: 공공의 이익을 추구하는 공익 광고와, 상업적 이익을 추구하는 상업 광고로 나뉜다.
- 매체에 따라: 인쇄 광고, 음성 광고, 영상 광고, 인터넷 광고 등이 있다.

적용 문제

1 설명문의 특성으로 알맞지 않은 것은?

① 어떤 대상에 대한 지식이나 정보를 전달한다.
② 뜻이 분명한 단어와 간결한 문장을 사용한다.
③ 글쓴이의 경험과 가치관이 진솔하게 드러난다.
④ 독자가 잘 이해할 수 있게 쉬운 표현을 사용한다.
⑤ '머리말 – 본문 – 맺음말'의 순서에 따라 체계적으로 쓴다.

2 논설문의 구성 단계에 대한 설명으로 알맞은 것은?

① 서론: 타당한 근거를 들어 주장을 전개한다.
② 서론: 문제를 제기하고 독자의 관심을 유도한다.
③ 본론: 글쓴이의 주장을 요약 · 정리한다.
④ 본론: 앞으로의 전망과 과제를 제시한다.
⑤ 결론: 글을 쓰게 된 동기나 목적을 제시한다.

3 다음 설명에 해당하는 글의 종류를 쓰시오.

> 같은 시간, 같은 장소에 모인 여러 사람 앞에서 자신의 생각을 밝혀 그들을 설득하기 위한 글이다. 듣는 이의 특성을 고려하여 이해하기 쉽고 흥미를 끌 수 있는 표현을 사용하는 것이 좋다.

4 건의문의 내용이 갖추어야 할 요건이 아닌 것은?

① 합리성　② 상업성　③ 공정성
④ 공익성　⑤ 실현 가능성

5 다음 설명을 읽고 ○ 또는 X에 표시하시오.

(1) 기사문은 표제, 부제, 전문, 본문 등의 요소로 구성된다. (○, X)
(2) 보고문을 쓸 때에는 독자의 흥미를 끌 수 있도록 허구적인 내용을 포함하여 쓴다. (○, X)
(3) 건의문을 쓸 때에는 문제 상황을 자세히 설명하고 그에 대한 개선 방안은 건의 대상이 마련하게 해야 한다. (○, X)
(4) 인쇄 광고, 영상 광고, 인터넷 광고는 매체를 기준으로 나눈 광고문의 종류이다. (○, X)

02 예측하며 읽기

1 예측하며 읽기의 개념

글의 정보를 수동적으로 받아들이기만 하는 것이 아니라, 글에 언급되지 않는 내용이나 앞으로 전개될 내용 등을 추측하고, 추측한 내용을 확인하며 능동적으로 읽는 것

2 예측하며 읽기의 효과

- 글 읽기에 집중할 수 있다.
- 글의 내용을 더 오래 기억할 수 있다.
- 글을 읽는 재미를 주며, 사고력을 키워 준다.
- 글쓴이의 의도를 좀 더 효과적으로 파악할 수 있다.
- 글의 내용을 더 깊이 있고 분명하게 이해할 수 있다.
- 능동적으로 글을 읽고 비판적으로 사고하는 태도를 기를 수 있다.

3 예측하며 읽는 방법

- 자신의 배경지식이나 경험을 활용하여 글의 내용을 예측한다.
- 글에 나타난 정보, 즉 글의 제목이나 소제목, 그림, 도표, 사진 등을 통해 글의 내용이나 구조를 예측한다.
- 글의 종류와 형식을 통해 글의 구조나 전개될 내용을 예측한다.
  예 글의 종류가 논설문인 경우, 결론 부분에서 글쓴이의 주장을 요약하고 강조하는 내용이 제시될 것이라고 예측할 수 있다.
- 글을 쓰는 데 영향을 미친 사회·문화적 상황을 고려하여, 글쓴이의 의도나 글이 사회에 미칠 효과 등을 예측한다.
- 자신이 예측한 내용이 실제 글의 내용이나 흐름과 일치하는지 확인하며 읽는다.

4 예측하며 읽을 때 활용할 수 있는 장치

(1) 글의 제목

- 제목은 글의 주제나 화제를 담아 글의 내용을 압축적으로 드러낸다.
- 제목을 통해 글의 주제나 중심 내용을 예측할 수 있다.

(2) 소제목

- 소제목은 글의 구성 단계나 의미 단위별로 해당 부분의 핵심 내용을 드러낸다.
- 소제목을 통해 글의 구조와 세부 내용을 예측할 수 있다.

(3) 그림, 사진, 도표

- 그림, 사진, 도표는 머릿속에 쉽게 떠올리기 어려운 내용이나 복잡한 내용을 시각적으로 보여 주어 내용을 쉽게 이해할 수 있도록 돕는다.
- 그림, 사진, 도표를 통해 글의 화제나 내용을 짐작할 수 있다.

5 예측하며 읽을 요소들

요소	내용
글의 중심 내용	글의 제목이나 소제목, 사진이나 그림 등을 보고 글에서 다루는 주제를 예측함.
글의 흐름	소제목, 사진이나 그림 등을 통해 글의 흐름을 예측함.
이어질 내용	글의 흐름, 글의 내용과 관련된 배경지식이나 경험을 활용하여 이어질 내용을 예측함.
글의 결말	전개되는 글의 내용을 바탕으로 글의 결말이 무엇일지 예측함.
글쓴이의 의도	겉으로 분명하게 드러나 있거나 글 속에 간접적으로 제시된 글쓴이의 의도를 예측함.
글이 독자나 사회에 미칠 영향	글의 내용을 독자들이 어떻게 받아들일지, 글이 사회적으로 어떤 가치가 있을지를 예측함.

6 예측하며 읽기의 평가 항목

- 자신의 배경지식과 경험을 활용하며 글을 읽을 수 있는가?
- 글에 나타난 정보를 활용하여 내용을 예측할 수 있는가?
- 예측한 내용을 실제 글의 내용과 비교하며 읽을 수 있는가?
- 글이 독자나 사회에 미칠 영향을 예측할 수 있는가?

7 예측하며 읽기의 예

> 인간의 삶에서 돈의 힘은 막강하다. 지구상에는 돈의 힘을 누리는 부자도 많지만 하루에 1달러도 안 되는 돈으로 연명하는 사람도 10억 명 이상은 된다. 물론 그보다 더 못한 여건 속에서 겨우 생존만 하는 사람도 많이 있다. 보이지 않는 곳에 막대한 돈이 있다고 하면, 그런 돈이 어디 있느냐고 되묻겠지만 그 돈은 분명히 우리 주위에 있다.
>
> 미국에 사는 내과 의사인 엔키 탠 씨는 갑자기 밀어닥친 지진 해일로 폐허가 되어 버린 인도네시아의 아체 지역으로 갔다. 엔키 씨는 그곳에서 다친 아이들을 치료하고 피해자들을 살리기 위해 노력했다. 엔키 씨뿐만 아니라 자원봉사자 수천 명이 대재앙의 피해자들을 돕기 위해 28개국에서 모여들었다.
>
> 엔키 씨의 자원봉사는 당연히 보수를 받지 않고 하는 활동이다. 바로 이런 것들에 보이지 않는 부가 숨어 있다. 이런 무보수 활동은 돈을 받고 하는 경제 활동과 마찬가지로 무척 가치 있는 일이다.
>
> – 앨빈 토플러, 〈보이지 않는 돈〉

(1) 〈보이지 않는 돈〉이라는 글의 제목을 바탕으로 하여 예측하기

➡ 우리가 일반적으로 사용하는 ________가 아니라 무형의 가치에 대해 다룬 내용일 것이다.

(2) 자원봉사를 했던 경험을 바탕으로 하여 예측하기

➡ 자원봉사라는 의미 있는 일이 ________를 지닌다고 보고 그에 대해 이야기한 글일 것이다.

(3) 글의 구조를 고려하여 예측하기

➡ '눈에 보이는 ________만으로 부를 평가해서는 안 된다.'는 글쓴이의 주장이 끝부분에 나올 것이다.

적용 문제

1 예측하며 읽기에 대한 설명으로 적절하지 않은 것은?

① 능동적으로 글을 읽는 방법이다.
② 독자의 집중력과 사고력을 키워 준다.
③ 글의 내용에 대해서만 예측하며 읽는 것이다.
④ 글의 내용을 이해하고 기억하는 데 도움을 준다.
⑤ 글의 제목, 그림, 사진 등을 활용하여 예측할 수 있다.

2 글에서 예측하며 읽을 요소가 아닌 것은?

① 글의 결말 ② 이어질 내용
③ 글의 중심 내용 ④ 독자의 배경지식
⑤ 글이 사회에 미칠 영향

3 다음 글을 읽고 물음에 답하시오.

> 현대인의 먹거리와 그 생산 과정에 문제가 생기자, 이를 바로잡기 위해 일어난 운동이 슬로푸드 운동이다. '슬로푸드'란 패스트푸드와 대비되는 개념으로, 천천히 시간을 들여서 만들고 먹는 음식을 뜻한다.
>
> 슬로푸드 운동은 전 세계적으로 확산되어, 사라져 가는 슬로푸드를 복원하는 일을 중점적으로 추진하고 있다. 그리고 최근에는 전통적인 농업 방식을 추구하고, 생물의 다양성을 보존하며, 지구 생태계를 보호하고, 느리게 살기를 추구하는 등 그 범위를 차츰 넓혀 가는 중이다.
>
> 옛날 우리 조상들이 먹던 음식은 모두 슬로푸드였다. 메주로 담근 된장, 간장, 고추장이나 김치, 젓갈 등 우리의 전통 음식은 현대 과학의 기준에서 보더라도 완벽한 슬로푸드라고 할 수 있다.
>
> 슬로푸드 운동에 적극적으로 참여하는 일은 단지 천천히 시간을 들여서 만든 음식을 먹자는 의미에서 더 나아가, 현재 우리 사회가 안고 있는 많은 문제들을 해결하는 방법이 될 수 있다. 과연 어떤 점에서 그럴까?
>
> – 김종덕, 〈건강한 삶의 지킴이, 슬로푸드〉

(1) 이 글의 다음에 어떤 내용이 이어질지 쓰시오.

(2) 이 글에서 우리의 전통 음식을 완벽한 슬로푸드라고 한 이유를 바르게 예측한 것은?

① 역사가 오래된 음식이어서
② 점점 사라져 가고 있는 음식이어서
③ 적은 비용으로 만들 수 있는 음식이어서
④ 천천히 시간을 들여서 만들고 먹는 음식이어서
⑤ 생산자나 생산 과정을 정확히 알 수 있는 음식이어서

■ 예측하며 읽기의 예 (1) 화폐 (2) 경제적 가치 (3) 돈

03 요약하며 읽기

1 요약하며 읽기의 개념

글의 중심 내용을 압축하고 주제를 찾아 자신의 언어로 간략하게 정리하는 것

2 요약하며 읽기의 필요성

- 글의 내용을 정확하게 이해할 수 있다.
- 글의 중심 내용을 빨리 파악할 수 있다.
- 글의 내용을 체계적으로 기억할 수 있다.

3 요약하며 읽기의 유의점

① 다음 사항들을 고려해야 한다.

요약의 목적	글을 읽는 목적에 따라 중심 내용이 달라짐.
요약문의 분량	요약문의 분량에 따라 중심 내용과 문장의 재구성 정도가 달라짐.
정보의 중요도	중요도가 높은 정보를 중심으로 요약해야 중심 내용이 효과적으로 정리됨.

② 요약을 할 때에는 글의 내용을 그대로 옮기는 것이 아니라 자신의 말로 재구성해야 한다.

4 문단 요약하기

(1) **선택하기**: 중심 내용이 직접 드러난 핵심 단어나 중심 문장을 선택하는 방법

> 예 우주 개발에 따른 경제적 파급 효과가 매우 크다. 일본의 한 연구소의 분석에 따르면, 기상 위성 한 대가 농업, 수산, 항공 등의 피해를 사전에 예방함으로써 벌어들이는 비용이 연간 1조 원에 달한다고 한다.
> → 우주 개발에 따른 경제적 파급 효과가 매우 크다.

(2) **삭제하기**: 덜 중요하거나 중복되는 내용을 지우는 방법

> 예 아버지가 저녁으로 국수를 드신다. 아버지가 국수를 맛있게 드신다.
> → 아버지가 저녁으로 국수를 맛있게 드신다.

(3) **일반화하기**: 비슷한 개념들끼리 묶거나, 하위 개념 여러 개를 하나의 상위 개념으로 묶는 방법

> 예 우리 어머니는 사과, 포도, 참외, 수박, 바나나 등을 좋아하신다.
> → 우리 어머니는 과일을 좋아하신다.

(4) **재구성하기**: 전체 내용을 다시 구성하여 중심 문장을 만드는 방법

> 예 우리 형은 늦잠을 자는 일이 없다. 방 청소도 열심히 한다. 빨래도 밀리지 않는다.
> → 우리 형은 부지런한 생활 습관을 지니고 있다.

5 글 전체 요약하기

① 문단의 중심 내용을 파악하고 관련 문단끼리 묶기
② 내용 구조도 등을 통해 글의 구조를 정리하기
③ 요약한 내용을 종합하여 글 전체 내용을 요약하기
④ 요약한 내용을 검토하고 수정하기

6 읽기 목적에 따른 요약하기의 방법

새로운 정보 얻기	글에서 새롭게 알게 된 내용을 중심으로 요약함.
비교하며 읽기	대상 간의 공통점과 차이점을 중심으로 요약함.
교훈과 감동 얻기	인물의 말과 행동 중에서 감동적인 부분을 중심으로 요약함.

7 글의 종류에 따른 요약하기의 방법

(1) **설명문**

- '처음(머리말) – 중간(본문) – 끝(맺음말)'의 구조를 고려하여 문단 단위로 요약한다.
- 설명 내용 가운데 중요한 정보를 중심으로 요약하고, 구체적인 사례는 삭제한다.

(2) 논설문

- '서론 – 본론 – 결론'의 구조를 고려하여 문단 단위로 요약하고 문단의 관계를 정리한다.
- 글쓴이의 주장과 근거를 중심으로 요약한다.

8 요약하며 읽기의 예

(1) '선택하기'의 방법으로 요약하기

> 김치는 우리나라의 가장 대표적인 반찬으로 꼽힌다. 갓 지은 뜨거운 밥에 잘 익은 김치 한 쪽. 그 맛은 우리나라 사람들이 외국에 나가 있을 때 가장 그리워하는 것이다.

→ ______________는 우리나라의 가장 대표적인 반찬으로 꼽힌다.

(2) '삭제하기'의 방법으로 요약하기

> 친절한 사람은 어떤 사람인가? 친절한 사람은 다른 사람의 일에 두루 관심을 갖고 도우려고 애쓰는 사람이다. 친절한 사람은 주변 사람들에게 긍정적인 기운을 북돋워 주는 사람이다.

→ ________________은 다른 사람의 일에 관심을 갖고 도우려고 애쓰고, 주변 사람들에게 긍정적인 기운을 북돋워 준다.

(3) '일반화하기'의 방법으로 요약하기

> 나는 햄버거, 감자튀김, 프라이드치킨 등을 좋아하지만, 평소에 달리기나 줄넘기를 자주 하고 윗몸 일으키기나 수영을 하며 체중을 조절한다.

→ 나는 ________________를 좋아하지만, 평소에 운동을 하며 체중을 조절한다.

(4) '재구성하기'의 방법으로 요약하기

> 황사는 천식과 같은 호흡기 질환을 일으키고, 아토피 피부염을 악화시키는 원인이 되어 황사가 심한 날에는 초등학교가 휴교를 하기도 한다. 또한 황사가 동반하는 흙먼지와 탁한 공기는 항공 운항과 통신에도 장애를 일으킨다.

→ ______________는 우리의 일상생활과 산업에 엄청난 피해를 끼치고 있다.

■ 요약하며 읽기의 예 (1) 김치 (2) 친절한 사람 (3) 패스트푸드 (4) 황사

적용 문제

1 요약하기에 대한 설명으로 알맞지 않은 것은?

① 글의 일부분을 그대로 옮겨 적는 것이다.
② 글의 종류에 따라 요약하기의 방법이 다르다.
③ 글의 내용을 정확하게 이해하는 데 도움을 준다.
④ 글의 내용을 체계적으로 기억할 수 있게 해 준다.
⑤ 정보의 중요도를 고려하여 내용을 요약해야 한다.

2 〈보기〉에서 활용한 요약하기의 방법을 쓰시오.

> 보기
>
> 승현이는 브로콜리를 좋아한다. 토마토, 당근, 양상추, 파프리카도 좋아한다.
> → 승현이는 야채를 좋아한다.

3 다음 글에 나타난 글쓴이의 주장을 요약한 내용으로 알맞은 것은?

> 생태계를 파괴하는 외래종이 범람하고 있으나 대책은 어디에서도 찾아볼 수 없다. 춘천 주변의 10개 산에서 확인된 외래 식물이 지난 30년간 2배 이상 늘었다는 보고는 충격적이다. 외래 동식물이 점령 범위를 늘려 가고 있다는 지적은 어제오늘의 일이 아니나 이 정도인지는 몰랐다.
> 강원대 연구 팀은 최근 조사에서 1979년에 발견된 뱀톱, 붕어마름, 백작약 등 182종을 찾지 못했다고 한다. 반면 새로 분포가 확인된 종은 돼지풀, 단풍잎돼지풀, 미국쑥부쟁이, 가시 박 등으로, 외래 식물이 차지하는 비율이 훨씬 높아졌다.
> 호수에서도 외래 어종이 토종의 씨를 말린다는 조사가 있었다. 동해안의 송지호, 영랑호 등 7개 호수에는 생태계를 교란하는 외래종이 다량 서식한다.
> 외래 식물은 큰 무리를 이루며 왕성히 자라 자생 식물의 생육을 방해하고, 외래 어종은 토종 어류, 수서 곤충 등에 치명적 타격을 입히고 있다. 먹이 사슬마저 위협할 지경에 이르렀다. 당국은 이러한 외래종에 대한 대책을 서둘러야 한다.

① 자생 식물이 점차 멸종되고 있다.
② 호수에도 외래종이 다수 서식하고 있다.
③ 외래종에 관해 더욱 활발하게 연구해야 한다.
④ 생태계를 파괴하는 외래종에 대한 대책을 서둘러 마련해야 한다.
⑤ 춘천 주변의 산에 서식하는 외래 식물이 지난 30년간 두 배 이상 늘어났다.

04 설명 방법을 파악하며 읽기

❶ 설명 방법의 개념

- 설명의 대상 또는 개념을 독자가 쉽게 이해할 수 있도록 활용하는 글의 짜임을 뜻한다.
- 설명 방법은 주로 정보를 전달하는 글에 사용된다.

❷ 설명 방법을 파악하며 읽을 때의 효과

- 글의 구조를 파악하는 데 도움이 된다.
- 글의 주요 내용을 효과적으로 이해할 수 있다.
- 내용을 정확하게 이해함으로써 글을 비판적으로 읽을 수 있다.

❸ 설명 방법의 종류

(1) 정의

- 어떤 말이나 대상의 뜻을 명확하게 밝혀 설명하는 방법이다.
- 주로 '무엇은 무엇이다.'의 형태로 나타난다.

> 예 씨름은 모래판에서 두 사람이 서로의 샅바를 붙잡고 겨루는 경기이다.

(2) 예시

- 어떤 일이나 현상에 대하여 구체적이고 친근한 예를 들어 보이며 설명하는 방법이다.
- 일반적인 원리나 법칙, 진술 등을 구체화하여 독자가 내용을 이해하는 데 도움을 줄 수 있다.

> 예 나무의 수명은 사람보다 긴 경우가 많다. 예를 들어 느티나무, 밤나무, 은행나무는 수명이 천 년이나 된다.

(3) 비교

둘 이상의 대상을 견주어 공통점이나 유사점을 중심으로 설명하는 방법이다.

> 예 문어와 오징어는 둘 다 위급한 상황에서 먹물을 뿌려 적을 위협한다.

(4) 대조

둘 이상의 대상을 견주어 차이점을 중심으로 설명하는 방법이다.

> 예 한지는 주로 닥나무 껍질에서 뽑아낸 섬유를 원료로 하여 사람의 손으로 직접 만든다. 그러나 양지는 나무껍질을 가공해 만든 펄프를 원료로 하여 기계로 대량 생산된다.

(5) 분류

어떤 대상들을 공통적인 특성에 근거하여 상위 항목으로 묶어 설명하는 방법이다.

> 예 봉산 탈춤, 양주 별산대놀이, 고성 오광대, 송파 산대놀이 등은 모두 한국 고유의 민속극이다.

(6) 구분

상위 항목을 하위 항목으로 나누어 설명하는 방법이다.

> 예 문학의 갈래에는 시, 소설, 수필, 희곡 등이 있다.

(7) 인과

어떤 일이 일어나게 된 원인과 결과를 밝혀 설명하는 방법이다.

> 예 겨울이 되면 감기에 걸리기가 쉽다. 추위 때문에 면역력이 약해져서 바이러스가 쉽게 침투할 수 있기 때문이다. 또한 날씨가 춥다고 좁은 공간에 많은 사람이 모여 지내는 일이 많아져서 감기가 유행하기도 쉽다.

(8) 분석

하나의 대상을 그것을 구성하는 각각의 요소로 나누어 설명하는 방법이다.

> 예 바이올린은 몸통, 지판, 줄감개, 줄받침대 등으로 이루어져 있다.

(9) 과정

일이 되어 가는 방법이나 순서를 중심으로 설명하는 방법이다.

예 떡볶이를 만들려면 먼저 물에 고추장을 풀어 끓이다가, 떡을 넣고, 떡이 익을 무렵에 야채를 넣어 주면 된다.

4 설명 방법을 파악하며 읽기의 예

소금은 짠맛이 나는 백색의 물질로, 나트륨 원자 하나가 염소 원자 하나와 결합한 분자들의 결정체이다. 사람에게 필요한 소금의 양은 하루에 3그램 정도로 적지만, 소금이 우리 몸에 들어가면 나트륨 이온과 염화 이온으로 나뉘어 생명 유지는 물론, 신진대사를 촉진시키기 위한 많은 일들을 한다. 예를 들어, 소금은 혈액과 위액 등 체액의 주요 성분일 뿐만 아니라 우리 몸에 쌓인 각종 노폐물을 배출시킴으로써 생리 기능을 조절하는 역할을 한다. 그러므로 사람뿐만 아니라 모든 동물이 소금 없이는 생명을 유지할 수 없는 것이다.

육식 동물은 먹이에 있는 염분을 통해 충분한 소금을 섭취할 수 있지만, 초식 동물은 풀과 나뭇잎의 염분만으로는 부족하기 때문에 몸에서 땀이나 오줌으로 소금이 빠져나가지 않도록 조심한다.

– 장인용, 〈소금 없인 못 살아〉

(1) 소금의 개념을 설명하기 위해 ______________의 방법을 사용함. ➡ 소금은 짠맛이 나는 백색의 물질로, 나트륨 원자 하나가 염소 원자 하나와 결합한 분자들의 결정체이다.

(2) 소금의 역할을 설명하기 위해 ______________의 방법을 사용함. ➡ 소금은 체액의 주요 성분이며, 우리 몸에 쌓인 노폐물을 배출시켜 생리 기능을 조절한다.

(3) ______________의 방법을 사용하여 육식 동물과 초식 동물의 특성을 설명함. ➡ 육식 동물은 먹이를 통해 충분한 소금 섭취가 가능하지만 초식 동물은 그렇지 않다.

■ 설명 방법을 파악하며 읽기의 예 (1) 정의 (2) 예시 (3) 대조

적용 문제

1 인과의 설명 방법이 사용된 것은?

① 철기 시대의 무기로는 칼, 창, 화살 등이 있다.
② 설명문은 객관적이지만, 논설문은 주관적이다.
③ 시는 형식에 따라 정형시, 자유시, 산문시로 나뉜다.
④ 인구의 증가와 산업화 때문에 환경 오염이 심해졌다.
⑤ 정삼각형은 세 변의 길이가 같고, 세 각의 크기가 같은 삼각형이다.

2 다음 ㉠, ㉡에 사용된 설명 방법을 각각 쓰시오.

㉠ 다른 나라에서 들어오지 않고 원산지가 우리 땅인 식물을 '자생 식물'이라 한다.
㉡ 어떤 동물들은 시각을 이용하여 서로 의사를 전달한다. 까치와 가까운 새인 어치는 머리 깃털을 세우는 각도에 따라 마음 상태나 사회적 지위를 나타낸다고 한다.

3 〈보기〉에 사용된 설명 방법으로 알맞은 것은?

보기

오페라와 뮤지컬은 노래뿐 아니라 춤과 연기, 무대 장치 등 다양한 예술 요소가 결합된 종합 예술이라는 공통점을 지닌다. 하지만 오페라와 뮤지컬은 소재와 배경, 극의 구성 면에서 차이점을 지닌다. 오페라는 주로 옛날이야기를 다루지만 뮤지컬은 시·공간적 배경이 다양하다. 또한 오페라는 노래를 중심으로 전개되어 배우들의 동작이 크지 않은 데 비해, 뮤지컬은 노래와 춤, 연기가 거의 동등한 비중으로 구성된다.

① 정의와 과정 ② 비교와 대조
③ 구분과 예시 ④ 비교와 인과
⑤ 인과와 대조

4 문장에 사용된 설명 방법이 나머지와 다른 것은?

① 야구, 농구, 탁구, 축구, 배구는 구기 종목이다.
② 시계는 시침, 분침, 초침, 태엽으로 만들어져 있다.
③ 곤충은 머리, 가슴, 배의 세 부분으로 이루어져 있다.
④ 자동차를 구성하는 부품에는 바퀴, 핸들, 엔진, 차체 등이 있다.
⑤ 혈액은 고형 성분인 혈구와 액체 성분인 혈장으로 구성되어 있다.

05 논증 방법을 파악하며 읽기

1 논증의 개념

다른 사람을 설득하거나 자신의 주장을 정당화하기 위해 근거를 제시하여 자신의 주장이 타당하다는 것을 논리적으로 증명하는 방식

2 논증의 요소

주장	어떤 대상이나 문제에 대한 생각 또는 의견
근거	주장을 뒷받침하는 이유나 자료

3 논증의 방법

대표적인 논증 방법으로 연역과 귀납이 있다.

연역	• 일반적인 원리나 진리를 전제로 하여 특수한 사실을 결론으로 이끌어 내는 방법 • 삼단 논법이 대표적임.
귀납	• 개별적인 사례나 원리를 검토한 뒤 그 결론으로 일반적인 사실이나 원리를 이끌어 내는 방법 • 일반화나 유추가 있음.

4 연역

- 결론의 내용이 전제에 포함되어 있기 때문에 전제로 제시된 일반적 원리가 참이면 결론은 언제나 참이라고 볼 수 있다.
- 새로운 원리나 사실을 발견해 내기 어렵기 때문에 개별 사실에 관한 진술이 참인지 거짓인지를 검증하는 데 주로 사용된다.

예

[대전제] 일반적 원리	모든 사람은 죽는다.
▼	
[소전제] 일반적 사실	소크라테스는 사람이다.
▼	
[주장] 개별적 사실	그러므로 소크라테스는 죽는다.

5 귀납

- 자연 과학 법칙을 세울 때 유용하다.
- 새로운 지식을 확장해 나갈 수 있다는 장점이 있다.
- 하나의 예외만 발견되어도 결론이 부정돼 논리가 무너지게 된다.
- 귀납 논증에 따라 얻은 결론이 진리로 인정받기 위해서는 오랜 기간의 관찰과 경험이 필요하다.

(1) 일반화

각각의 사례로 미루어 볼 때 같은 종류의 나머지 사례도 같을 것이라고 일반화하는 것이다.

예

[근거] 개별적 사례	세종 대왕은 죽었다.
[근거] 개별적 사례	이순신 장군도 죽었다.
[근거] 공통성 판단	세종 대왕과 이순신 장군은 사람이다.
▼	
[주장] 일반적 원리	그러므로 모든 사람은 죽는다.

(2) 유추

- 두 대상 A, B의 어떤 속성이 유사하다는 것을 근거로 하여 다른 속성도 유사할 것이라고 결론을 이끌어 내는 논증 방식이다.
- 두 대상 간의 유사성이 얼마나 본질적이고 적절한지에 따라 논증의 타당성이 결정된다.

예

[근거] 대상 A의 특성	동물은 숨을 쉬는 생물이다. (동물의 특성)
▼	
[근거] 두 대상 A와 B의 유사성	식물도 동물처럼 생물이다. (식물과 동물의 유사성)
▼	
[주장] 대상 B의 특성	그러므로 식물도 숨을 쉴 것이다. (식물의 특성)

6 논증 방법을 파악하며 읽기의 예

(1) 글에 사용된 논증 방법 파악하기

> 인생은 장기를 두는 행위와 비슷하다. 장기에는 일정한 규칙이 있기 때문에 장기짝을 이렇게 두면 상황이 어떻게 되리라고 예측할 수 있다. 그러나 반드시 예측한 대로만 장기가 진행된다면 장기라는 놀이는 성립하지 않는다. 인생도 마찬가지이다. 인생에도 규칙이 있어 지금까지 살아온 삶에 비추어 앞으로의 삶을 어느 정도 예측할 수 있다. 그러나 인생 역시 예측한 대로만 흘러가지는 않는다. 이처럼 인생은 지(知)와 무지(無知) 사이의 방황이다.

→ 인생과 장기의 유사성을 근거로 주장을 이끌어 내고 있으므로, ________의 논증 방법이 사용되었다.

(2) 연역의 논증 방법으로 결론 이끌어 내기

대전제	인간의 다양한 특성과 능력을 제한하는 것은 바람직하지 않다.
소전제	성 역할을 구분하고 나누는 것은 인간의 다양한 특성과 능력을 제한하는 것이다.
주장(결론)	그러므로 성 역할을 구분하고 나누는 것은 ____________.

(3) 귀납의 논증 방법으로 결론 이끌어 내기

근거(개별적 사례)	닭은 알을 낳는다. 까치도 알을 낳는다. 참새도 알을 낳는다. 닭, 까치, 참새는 모두 조류이다.
주장(결론)	그러므로 조류는 ____________.

■ 논증 방법을 파악하며 읽기의 예 (1) 유추 (2) 바람직하지 않다 (3) 알을 낳는다

적용 문제

1 논증 방법 중 연역에 대한 설명으로 적절한 것은? (정답 2개)

① 일반적인 원리나 진리를 전제로 제시한다.
② 새로운 지식을 확장해 나갈 수 있다는 장점이 있다.
③ 두 대상 사이의 유사성을 근거로 결론을 이끌어 낸다.
④ 결론이 진리로 인정받기 위해서는 오랜 기간의 관찰과 경험이 필요하다.
⑤ 개별 사실에 관한 진술이 참인지 거짓인지를 검증하는 데 주로 사용된다.

2 〈보기〉에 사용된 논증 방법에 대한 설명으로 알맞은 것은?

보기
- 독일은 도시 농업을 활성화하여 건강과 휴양을 위한 공간으로 활용하고 있다.
- 쿠바는 도시 농업을 통해 식량 자급률을 높이고, 환경 오염을 줄이는 녹색 혁명을 이루었다.
- 이처럼 도시 농업은 합리적이고 효율적인 선택이다.

① 보편적 법칙에 기초하여 구체적인 결론을 이끌어 낸다.
② 개별적이고 구체적인 사실에서 일반적인 결론을 이끌어 낸다.
③ 문제 상황의 원인을 분석한 뒤에 그 문제의 해결 방안을 제시한다.
④ 근거로 든 원리가 참이면 이로부터 나온 결론 역시 참이 될 수밖에 없다.
⑤ 두 대상 사이의 유사성을 근거로 다른 속성도 서로 유사할 것이라고 추측한다.

3 다음 중 유추의 논증 방법이 사용된 것은?

① 포유동물은 허파로 숨을 쉰다. 고래는 포유동물이다. 그러므로 고래는 허파로 숨을 쉰다.
② 꿩은 날 수 있다. 독수리도 날 수 있다. 비둘기도 날 수 있다. 그러므로 모든 새는 날 수 있다.
③ 지구에는 공기와 물이 있고 생물이 존재한다. 화성에도 공기와 물이 있다. 그러므로 화성에도 생물이 존재할 것이다.
④ 서울에 홍수가 자주 발생하고 있다. 이를 해결하기 위해 도로를 물이 잘 통과되는 아스팔트로 교체하고 도시 곳곳에 나무를 많이 심어야 한다.
⑤ 사과는 위에서 아래로 떨어진다. 돌멩이도 위에서 아래로 떨어진다. 책도 위에서 아래로 떨어진다. 그러므로 모든 물체는 위에서 아래로 떨어진다.

독해의 원리와 방법

06 표현 방법과 의도를 평가하며 읽기

❶ 표현 방법의 개념

- 글쓴이가 글의 주제와 자신의 의도를 효과적으로 드러내기 위해 사용하는 방법이다.
- 어휘나 문장 표현뿐만 아니라 도표, 그림, 사진 등과 같은 시각 자료, 동영상 자료 등을 모두 포함한다.

❷ 표현 방법과 의도를 평가하며 읽는 방법

- 글에 사용된 표현 방법을 파악하며 읽는다.
- 어휘, 문장, 시각 자료 등에 담긴 글쓴이의 의도를 파악하며 읽는다.
- 글쓴이가 사용한 표현 방법이 어떤 효과를 지니는지, 설명하려는 대상이나 관념을 드러내기에 적절한지 판단하며 읽는다.

❸ 관용 표현

(1) 개념과 종류

- 일정 시간 반복적 · 지속적으로 사회에서 두루 사용되어 온 언어 표현이다.
- 속담, 격언, 관용어 등이 관용 표현에 속한다.

속담	예로부터 전해 오는 교훈이나 풍자가 담긴 쉽고 짧은 말. 대체로 완결된 문장 형식이며, 평범한 사람들의 지혜를 담고 있음. 예 발 없는 말이 천 리 간다. → 말을 삼가야 한다는 뜻
격언	인생에 대한 교훈이나 경계 따위를 간결하게 표현한 짧은 글 예 시간이 금이다. → 시간의 중요성을 강조한 말
관용어	둘 이상의 단어가 결합하여 특별한 의미로 사용되는 관습적인 말. 단어의 의미만으로는 뜻을 짐작하기 어려움. 예 간이 크다 → 겁이 없고 매우 대담하다는 뜻

(2) 효과

- 상황을 간결하게 요약하거나 의미를 함축적으로 드러내는 데 효과적이다.
- 말하고자 하는 바를 인상적으로 전달할 수 있다.

❹ 다양한 매체 자료

(1) 자료의 종류와 특징

종류	특징	예
사진, 그림	• 대상을 시각화하여 보여 줌. • 사물의 모양이나 특성, 상태에 관한 정보를 정확히 전달할 수 있음.	• 한옥의 구조와 형태 • 여행지 풍경
도표, 그래프	수치의 변화나 비율, 어떤 과정이나 분포 등을 시각화하여 명료하고 압축적으로 보여 줌.	• 지역별 투표율 • 세계의 온도 변화 양상
동영상	• 연속적인 움직임이나 변화를 보여 주어 생생한 간접 경험의 기회를 제공함. • 시청각을 복합적으로 활용하여 현장감과 사실성을 높여 줌. • 흥미 유발과 주의 집중에 매우 효과적임.	• 판소리 공연의 특징 • 스포츠 종목별 기술

(2) 자료 활용의 효과

- 독자의 관심과 흥미를 유발할 수 있다.
- 전달하고자 하는 내용의 신뢰성을 높일 수 있다.
- 독자가 잘 모르거나 떠올리기 어려운 대상을 간단명료하게 전달할 수 있다.
- 복잡하거나 의미를 파악하기 어려운 내용을 쉽게 이해시킬 수 있다.

(3) 자료의 적절성을 평가하며 읽기

- 자료가 정확하고 신뢰할 만한 것인지 판단한다.
- 매체의 특성을 고려하여 자료를 사용했는지 살펴본다.
- 자료의 형식과 분량이 내용을 전달하는 데 효과적인지 평가한다.
- 자료의 제시 방법과 제시 순서가 적절한지 평가한다.
- 독자의 상황과 수준을 고려한 자료인지 판단한다.
- 글쓴이의 의도를 드러내는 데 도움이 되는 자료인지 평가한다.

5 표현 방법과 의도를 평가하며 읽기의 예

㉮ '구슬이 서 말이라도 꿰어야 보배다.'라는 말처럼, 사전이 아무리 가까이에 있다 한들 그것을 찾아보지 않으면 사전 속의 지식은 남의 머릿속에 든 지식일 뿐이다. 아무리 크고 마르지 않는 샘물이라 할지라도 그 샘물을 먹지 않고 바라보기만 한다면 목을 축일 수가 있겠는가? 목동이 말을 물가까지 끌고 갈 수는 있으나 그 물가에서 목을 축이는 일은 말 스스로가 해야 하는 법이다.

– 이순원, 〈사전을 찾아 읽는 즐거움〉

㉯ 시끄러운 말소리, 가시 돋친 말, 심한 욕설……. 오늘 하루도 입 때문에 너무나 힘들었다. 하루만이라도 좋으니 입을 멀리 보내 버리면 얼마나 좋을까? 간절히 꿈꾸며 잠이 든다.

– 정재승, 〈고맙다, 입아〉

㉰ ○○중학교 2학년 학생 300명을 대상으로 아침 식사 실태를 조사한 결과, 얼마나 자주 아침을 먹느냐는 질문에 25%의 학생만이 '매일 먹는다.'고 답했다. '가끔 거른다.' 28%, '거의 먹지 않는다.' 36%였으며, '전혀 먹지 않는다.'는 학생도 7%나 되는 것으로 나타났다.

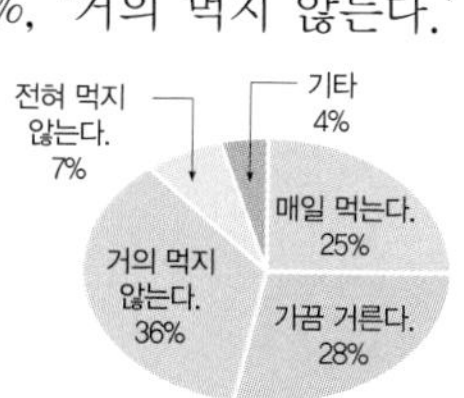

(1) ㉮에 쓰인 관용 표현 파악하기

→ ____________을 사용하여 사전이 가까이에 있어도 그것을 사용하지 않으면 소용없다는 의미를 인상적으로 드러내고 있다.

(2) ㉯에 쓰인 관용 표현 파악하기

→ '가시 돋치다'는 공격의 의도나 불평불만이 있다는 뜻을 나타내는 ____________이다.

(3) ㉰에 사용된 자료의 적절성 평가하기

→ ____________를 사용하여 정보를 한눈에 쉽게 파악할 수 있게 하였다.

■ 표현 방법과 의도를 평가하며 읽기의 예 (1) 속담 (2) 관용어 (3) 그래프

적용 문제

1 자료의 적절성을 판단하는 기준으로 적절하지 않은 것은?

① 자료의 수가 많고 종류가 다양한지 판단한다.
② 예상 독자의 수준에 맞는 자료인지 판단한다.
③ 자료의 제시 방법과 순서가 적절한지 판단한다.
④ 글의 내용을 효과적으로 뒷받침하고 있는지 판단한다.
⑤ 글쓴이의 의도를 드러내기에 알맞은 자료인지 판단한다.

2 〈보기〉의 글쓴이가 활용할 만한 자료로 알맞지 않은 것은?

보기

현재까지 발견되어 인류가 알고 있는 생물은 식물이 50만 종, 동물이 150만 종에 이른다. 보고서는 이 중에서 식물 종의 23%가 멸종 위기에 처해 있는 것으로 나타났다고 전했다.

세계 보건 기구의 조사를 보면 전 세계 개발 도상국과 저개발국 인구 중 80%가 식물을 약으로 사용하고 있다고 한다. 보고서는 이들 약용 식물이 과도한 채집으로 인해 멸종 위기에 놓여 있다고 지적했다.

또한 보고서에 따르면 동물의 경우에도 1970년~2006년 척추동물의 마릿수가 31%나 줄어들었다고 한다. 양서류 6만 종, 조류는 1만 종, 포유류 5,000종이 멸종 위기에 처해 있다.

– 박근태, 〈생명이 사라지는 지구〉

① 멸종 위기에 처한 생물의 사진
② 생물의 멸종 실태를 다룬 다큐멘터리 영상
③ 동물 종별 멸종 위기 현황을 나타낸 그래프
④ 멸종 위기에 처한 생물의 분포를 나타낸 지도
⑤ 약용으로 사용되는 식물의 효능을 정리한 도표

3 관용 표현에 대한 설명으로 알맞지 않은 것은?

① 속담, 격언, 관용어 등이 포함된다.
② 간결한 표현으로 깊은 인상을 줄 수 있다.
③ 의미를 함축적으로 드러내는 데 효과적이다.
④ 둘 이상의 단어가 결합해 습관적으로 함께 쓰인다.
⑤ 결합된 각각의 단어는 사전적인 의미만을 나타낸다.

4 다음 문장에서 '씀씀이가 후하고 크다'는 의미를 나타내는 관용 표현을 찾아 그대로 쓰시오.

그는 손이 커서 친구가 오면 상다리가 부러지도록 음식을 차리곤 했다.

독해의 원리와 방법

07 관점이나 형식의 차이를 파악하며 읽기

❶ 글에 나타나는 관점이나 형식의 차이

- 동일한 화제를 다루더라도 글마다 서로 다른 관점에서 쓰일 수 있다.

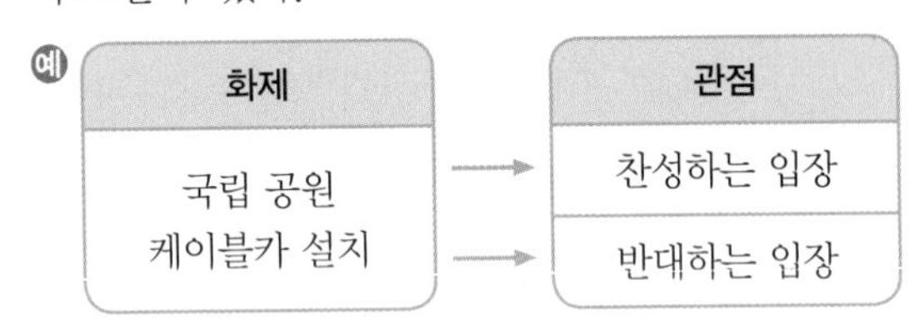

- 글의 화제나 목적이 같더라도 글의 형식이 다양하게 나타날 수 있다.

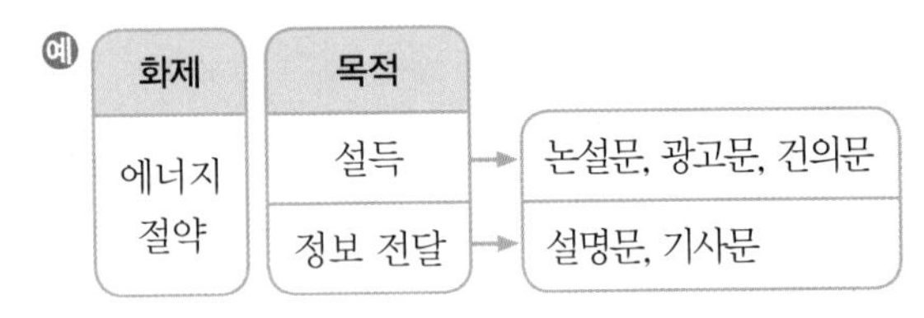

❷ 글의 관점 파악하기

(1) 관점의 개념: 사물이나 현상을 관찰할 때, 그것을 바라보는 사람의 태도나 방향 등을 의미한다.

(2) 관점의 차이가 발생하는 이유: 사람마다 인식 수준, 경험, 가치관 등이 다르기 때문이다.

(3) 관점을 파악하며 읽기

- 글쓴이가 글을 쓴 목적을 판단하며 읽는다.
- 글쓴이가 중요하게 생각하는 가치를 파악하며 읽는다.
- 글쓴이의 관점이 글의 내용과 어떻게 연관되어 있는지 파악하며 읽는다.
- 글의 어조나 표현 등에서 대상을 바라보는 글쓴이의 시각을 파악하며 읽는다.

(4) 관점을 파악하며 읽을 때의 효과

- 글쓴이가 전달하려는 내용을 분명하게 이해할 수 있다.
- 한 편의 글에서 글쓴이의 관점은 일관성 있게 유지되므로, 글의 앞부분에서 관점을 파악하면 뒷부분의 내용을 예측하며 읽을 수 있다.

❸ 관점이나 형식의 차이를 파악하며 읽기

(1) 필요성

한 가지 관점이나 형식으로 쓰인 글만 읽으면 사고의 폭이 좁아질 수 있고, 글의 내용을 수동적으로 받아들이거나 자신의 지식에만 의존하여 비판하게 된다.

(2) 방법

- 동일한 대상이나 비슷한 화제를 다룬 여러 글들을 찾아 읽는다.
- 내용이나 형식에서 각각의 글들에 어떤 차이가 있는지 비교한다.
- 글쓴이의 관점이나 주장, 또는 글의 내용이나 근거가 각각 어떻게 다른지 파악한다.
- 두 글의 공통점이나 차이점을 비교하며 글쓴이의 의도와 그 글이 나오게 된 사회 · 문화적 맥락을 파악한다.

(3) 효과

- 대상에 대한 다양한 정보를 얻고 의견들을 비교해 봄으로써 대상 자체에 대해 폭넓게 이해할 수 있다.
- 글이 쓰인 사회 · 문화적인 상황, 글에 담긴 의도나 목적을 좀 더 쉽게 파악할 수 있다.
- 대상에 대한 선입관이나 성급한 판단을 수정하고 균형 있는 시각을 가질 수 있다.
- 여러 글을 비교하며 읽는 과정에서 대상에 대한 자신의 관점을 뚜렷하게 가질 수 있고, 자신의 관점에서 대상을 평가할 수 있게 된다.

❹ 자신의 관점을 세워 능동적으로 글 읽기

- 관점이나 입장, 형식 등을 고려하여 서로 관련성 있는 글을 폭넓게 읽고, 이를 바탕으로 자신의 관점을 정리한다.
- 글이나 화제에 대해 다른 사람과 이야기를 나누며 생각을 비교해 본다.

5 관점이나 형식의 차이를 파악하며 읽기의 예

㉮ 사회의 도움으로 모은 재산을 다시 사회에 돌려주려는 마음, 자신이 모은 재산으로 사회의 어려움을 함께 나누려는 마음의 표현이 바로 기부이다. 함께 잘 살기 위해 돈을 쓰는 일이야말로 돈의 주인이 되어 인간의 본성을 실현하는 한 방법이 될 수 있다. 또한 이러한 기부 행위를 통해 자녀에게 돈보다 훨씬 귀중한 진짜 삶의 가치를 물려줄 수 있다. 재산을 자녀들에게 물려주지 않고 사회에 환원할 때, 오히려 자녀들에게 더 좋고 아름다운 세상이 열릴 수 있다는 것을 하루빨리 깨달아야 할 것이다.

㉯ 우리 사회에는 재산 상속을 비판하며 재산의 사회 기부를 역설하는 사람이 적지 않다. 물론 우리 사회의 부유층이 자발적으로 기부한다면, 그것은 분명히 우리 사회의 발전에 이바지하는 좋은 일이다. 그러나 은연중에 기부는 옳고 상속은 나쁘다는 식으로 상속 대신 기부를 강요하는 듯한 분위기를 만드는 것은 옳지 않다. 왜냐하면 이는 자본주의 경제의 기본 원리, 즉 사유 재산을 소유하고, 그것을 소유자 뜻대로 사용할 수 있는 권리를 침해하고 간섭하는 부당한 행위이기 때문이다.

(1) ㉮, ㉯의 공통 화제 파악하기

➡ ㉮, ㉯의 두 글에서 다루고 있는 공통 화제는 '재산을 ____________하는 문화'이다.

(2) ㉮, ㉯의 관점의 차이 파악하기

➡ ㉮에서는 사회에 재산을 기부하는 문화의 필요성을 제시하며 기부 문화에 대한 긍정적 관점을 드러낸다.

➡ ㉯에서는 ______________이 자본주의 사회에서 정당한 권리임을 말하며 일방적으로 기부를 강요하는 문화에 대한 부정적 관점을 드러낸다.

적용 문제

1 관점이 서로 다른 두 글을 읽는 방법으로 적절하지 않은 것은?

① 두 글의 중심 내용을 정확히 파악한다.
② 대상에 대한 글쓴이의 시각을 파악한다.
③ 두 글의 공통점과 차이점을 비교해 본다.
④ 두 글의 관점을 평가하고 자신의 관점을 정리한다.
⑤ 두 글 중 어느 관점을 지지할 것인지 먼저 정한 뒤 글을 읽는다.

2 다음은 삶의 방식과 속도에 관한 두 개의 글이다. ㉮와 ㉯를 비교한 내용으로 적절하지 않은 것은?

㉮ '빨리빨리'라는 특성이 안고 있는 부작용이 없는 것은 아니지만, 이제는 이 특성을 약화시키기보다는 오히려 잘 활용하여 발전의 에너지로 전환하는 일이 중요할 것 같다. '빨리빨리'의 성격은 에너지를 함축하고 있다. 한국인이 '뛰고, 튀고, 저돌적'인 이유가 바로 이 에너지 때문이다. 〈중략〉 정직과 질서 그리고 친절이 가미된 '빨리빨리'가 진짜 '빨리빨리'이고, 이렇게 튀는 한국에 미래와 희망이 있다는 이야기가 아닐까?

– 문용린, 〈'빨리빨리'에 희망이 있다〉

㉯ '느림'은 빠름에 반대되는 개념으로, 속도에 빠져든 사회를 치유하기 위해 꼭 필요한 요소이다. '느림'은 우리를 기본과 원칙에 충실하게 한다. 무엇보다도 '느림'은 우리를 보다 인간답게 만들어 준다. '느림'은 남을 제치고 자기만 아는 경쟁적인 삶에서 벗어나 남들과 더불어 사는 것을 가능하게 한다. 〈중략〉 우리는 24시간 계속해서 일할 수 있는 기계가 아니라, 일도 하고 놀기도 해야 하는 사람이다. 기계가 아니라 사람으로서 존엄을 지키려면 속도 전쟁에서 벗어나 '느림'의 가치를 재발견해야 한다.

– 김종덕, 〈느림의 가치를 재발견하자〉

① ㉮와 ㉯는 우리 사회가 '빨리빨리' 문화에 익숙함을 전제하고 있다.
② ㉮와 달리 ㉯는 속도에 빠진 우리 사회를 치유해야 한다고 주장한다.
③ ㉮는 '빨리빨리'의 특성을, ㉯는 '느림'의 특성을 긍정적으로 여긴다.
④ ㉮에는 '빨리빨리'의 특성을 긍정적 에너지로 활용할 수 있다는 생각이 드러난다.
⑤ ㉯에는 남들보다 더 빨리 나아간 뒤에 '느림'의 특성을 즐겨야 한다는 생각이 드러난다.

■ 관점이나 형식의 차이를 파악하며 읽기의 예 (1) 기부 (2) 재산 상속

정보를 전달하는 글

01 옹기종기 우리 옹기 ❶ _ 한향림 옹기박물관

가 옹기(흙으로 빚은 항아리)는 신석기 시대의 토기(원시 시대에 쓰던, 흙으로 만든 그릇)에서 유래한다. 우리 조상들은 아주 오래전부터 흙을 물에 반죽하여 모양을 만들고, 그늘에 말려서 그릇을 만들었다. 그런데 이렇게 만든 그릇은 단단하지 못해서 오랫동안 사용할 수 없었다. 그래서 사람들은 더욱 단단한 그릇을 만들기 위해 여러 가지 방법을 고민했다. 그러다 평평한 땅에 구덩이를 파고, 그 속에 불을 붙여 그릇을 굽게 되었다. 그 결과 불에서 구운 그릇이 그늘에서 말린 그릇보다 더욱 단단하고 가벼워진다는 사실을 알게 되었다.

삼국 시대에는 평평한 땅에 구덩이를 파던 것에서 발전하여, 경사진 산비탈에 굴을 파서 가마(숯이나 도자기·기와·벽돌 따위를 구워 내는 시설)를 만들고, 지상으로 굴뚝을 내었다. 이렇게 그릇을 넣고 굽는 가마의 모양이 바뀌자, 열이 바깥으로 빠져나가는 것을 막아 주어 구덩이 속의 온도가 800도 이상까지 높아졌다. 온도가 더 높아지면서 그릇은 더욱 단단하고 가벼워지기 시작했다.

모양이 오늘의 독(간장, 술, 김치 따위를 담가 두는 데에 쓰는 큰 오지그릇이나 질그릇)과 같아지고, '옹(甕)'이라는 용어가 큰 저장용 항아리를 일컫는 말로 사용된 것도 삼국 시대부터이다.

그리고 조선 시대 초기인 1444년, 《세종실록》에서 독 '옹(甕)' 자에 그릇을 뜻하는 '기(器)' 자를 붙인 '옹기'라는 단어가 처음 등장했다. 조선 시대에는 수저통, 밥그릇, 단지 등 그 쓰임새에 따라 다양한 옹기가 만들어졌을 만큼 옹기 문화가 발달하였다.

중간 1 옹기의 유래와 (　　　　　　)

나 옹기는 만드는 과정에 따라 질그릇과 푸레독, 오지그릇으로 나눌 수 있다.

질그릇은 진흙으로 만든 뒤 *잿물을 입히지 않고 800도와 900도 사이에서 구워 낸 그릇이다. 가마의 온도가 800도 정도로 올라갔을 때 생소나무 가지를 아궁이에 넣고 입구를 막으면, 소나무 가지가 타면서 나오는 연기가 밖으로 빠져나오지 못하고 질그릇의 표면으로 스며들게 된다. 그러면 질그릇은 검은 회색으로 바뀌게 된다. 질그릇은 공기를 잘 통하게 하고, 습도를 조절하기도 하고, *정화 작용을 하는 기능도 갖고 있다. 그래서 *화로, *시루, 밥통, 화분과 같이 물이나 불을 취급하는 데 많이 사용된다.

푸레독의 '푸레'는 '푸르스름하다'라는 순우리말로 푸른빛이 도는 항아리를 뜻한다. 푸레독은 질그릇과 같이 잿물을 바르지 않는다. 그 대신 가마의 온도가 800도에서 900도까지 올라가면 산소를 차단한 다음, 가마 안에 소금을 뿌려 준다. 그리고 1,100도에서 1,200도까지 온도를 올려서 굽는데, 이때 소금이 녹으며 흙에 스며들게 되고, 이것이 잿물의 역할을 대신해 물이 새지 않도록 한다.

오지그릇은 진흙으로 만든 뒤, 잿물을 입혀 1,000도에서 1,200도 사이의 높은 온도에서 구운 그릇이다. 표면에 광택(빛의 반사로 물체의 표면에서 반짝거리는 빛. 윤기)이 나고 단단한 것이 특징이다. 김칫독, 술독, 물독 등 옹기 중에서 가장 많이 사용되고 있다.

중간 2 옹기를 만드는 과정에 따라 나눈 옹기의 (　　　　　　)

지문 핵심

갈래	설명문
성격	객관적, 설명적, 체계적
제재	옹기
주제	우수한 전통문화인 옹기에 대한 이해
특징	① 다양한 설명 방법을 활용하여 옹기에 관한 정보를 알려 줌. ② 시각 자료를 적절하게 활용하여 글의 내용을 이해하는 데 도움을 줌.

✿ 내용 전개상의 특징

(가)	옹기의 역사를 '신석기 시대 → 삼국 시대 → 조선 시대'의 시간의 흐름에 따라 설명함.
(나)	• '구분'의 설명 방법을 사용하여 옹기를 제작 과정에 따라 나눔. • '정의'의 설명 방법을 사용하여 질그릇, 푸레독, 오지그릇의 개념을 설명함.

✿ 옹기의 유래와 종류

옹기

유래	신석기 시대의 토기
명칭	조선 시대 《세종실록》에 처음 등장
종류	질그릇, 푸레독, 오지그릇

어휘 쏙쏙

- **잿물**: 짚이나 나무를 태운 재를 우려낸 물. 유약.
- **정화**: 불순하거나 더러운 것을 깨끗하게 함.
- **화로**: 숯불을 담아 놓는 그릇. 주로 불씨를 보존하거나 난방을 위하여 씀.
- **시루**: 떡이나 쌀 따위를 찌는 데 쓰는 둥근 질그릇.

01

이와 같은 글을 읽는 방법으로 가장 적절한 것은?

① 정서와 분위기를 느끼며 읽는다.
② 인물의 심리를 파악하면서 읽는다.
③ 핵심적인 정보를 요약하면서 읽는다.
④ 갈등의 원인과 해결 과정을 살피면서 읽는다.
⑤ 주장과 근거의 관계가 긴밀한지 파악하면서 읽는다.

02

이 글의 내용과 일치하지 않는 것은?

① 옹기라는 단어는 조선 시대에 처음 나타났다.
② 굽는 온도가 높아지면 그릇이 더 단단해진다.
③ 질그릇은 물이나 불을 취급하는 데 주로 사용된다.
④ 소금을 뿌려서 구우면 그릇이 단단해지고 광택이 난다.
⑤ 불에 굽지 않은 그릇은 단단하지 못해서 오래 사용하기 어렵다.

03

<보기>는 이 글에서 활용할 수 있는 사진 자료이다. (가)와 (나)에 사용될 자료가 적절하게 나뉜 것은?

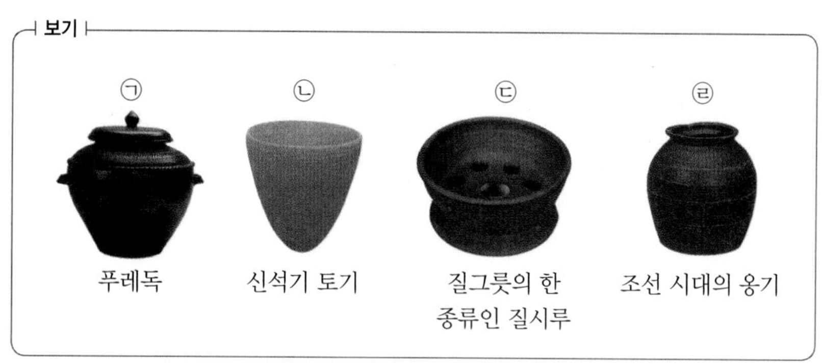

	(가)	(나)
①	㉠, ㉡	㉢, ㉣
②	㉠, ㉢	㉡, ㉣
③	㉡, ㉢	㉠, ㉣
④	㉡, ㉣	㉠, ㉢
⑤	㉢, ㉣	㉠, ㉡

04

(나)의 내용을 다음과 같은 표로 정리할 때, ⓐ~ⓒ에 들어갈 내용을 각각 쓰시오.

종류	잿물의 사용 여부	굽는 온도	표면
질그릇	잿물을 바르지 않음.	800~900도	ⓐ
푸레독	ⓑ	1,100~1,200도	푸른색
오지그릇	잿물을 바름.	ⓒ	광택

정보를 전달하는 글

01 옹기종기 우리 옹기 ❷ _ 한향림 옹기박물관

다 이물질(정상적이 아닌 다른 물질)을 모두 골라낸 흙을 일주일 정도 물에 재워 두었다가 윗물을 버려 주면 부드러운 갯벌의 진흙 같은 *점토로 바뀐다. 그 후 점토가 적당한 점력(끈끈하고 차진 힘이나 기운)이 생길 때까지 '흙 밟기'를 한다. 그런 다음 깨끼칼로 조금씩 깎아 내며 제거되지 않고 남아 있는 돌, 나무뿌리 등을 골라내는 '깨끼질'을 한다. 이물질이 다 걸러지면 조금씩 깎아 냈던 흙을 다시 모아 떡을 만들 때 떡메를 치듯이 흙을 친다.

점토가 그릇을 빚기 좋은 상태로 부드러워지면 옹기장이(옹기 만드는 일을 업으로 하는 사람)가 *물레에 점토를 올린 뒤 본격적으로 옹기를 만든다. 옹기를 만들 때는 먼저 물레 위에 하얀 백토(빛깔이 희고 부드러우며 고운 흙) 가루를 뿌리고 점토 덩어리를 올린 뒤, 방망이로 두들겨 바닥 모양을 먼저 잡는다. 바닥 밑판의 모양이 완성되면 ㉠가래떡보다 훨씬 굵게 만든 흙가래를 한 단씩 쌓아 올리는 '타렴질'을 한다. 타렴질로 쌓은 옹기의 몸체를 안쪽에는 도개(질그릇 따위를 만들 때, 그릇의 속을 두드려서 매만지는 데 쓰는 조그마한 방망이)를 대고, 바깥쪽에는 수레로 옹기의 안팎에서 박수 치듯 쳐 주면서 모양과 두께를 일정하게 만드는 '수레질'을 한다. 그런 다음 옹기에 근개를 대고 물레를 돌리면서 표면을 매끈하게 다듬는 '근개질'을 한다.

마지막으로 옹기의 입 모양을 만드는 '전잡기'를 하고, 옹기 표면에 근개의 모서리를 대고 물레를 돌려 선 같은 띠가 새겨지도록 장식한다. 모양이 만들어진 옹기는 불에 굽기 전까지 잘 말려야 한다.

그 후 적당히 건조된 옹기 표면에 잿물을 입힌다. 옹기의 입과 바닥을 잡고 잿물이 든 통에 넣어 돌려 주면 잿물이 자연스럽게 골고루 입혀진다. 잿물을 바른 옹기가 마르면 가마 안으로 들어가게 된다. 가마 안에 옹기를 채울 때는 허리를 숙인 채 일일이 손으로 옮기는 과정이 필요하다. 옹기를 다 채운 뒤에는 주로 건조시킨 소나무 장작을 사용하여 가마의 불을 지펴 준다. 서서히 가마 안의 불을 키워 가며 1,200도 정도까지 온도를 올려 주면 잿물이 서서히 녹아내리면서 드디어 옹기가 완성된다.

라

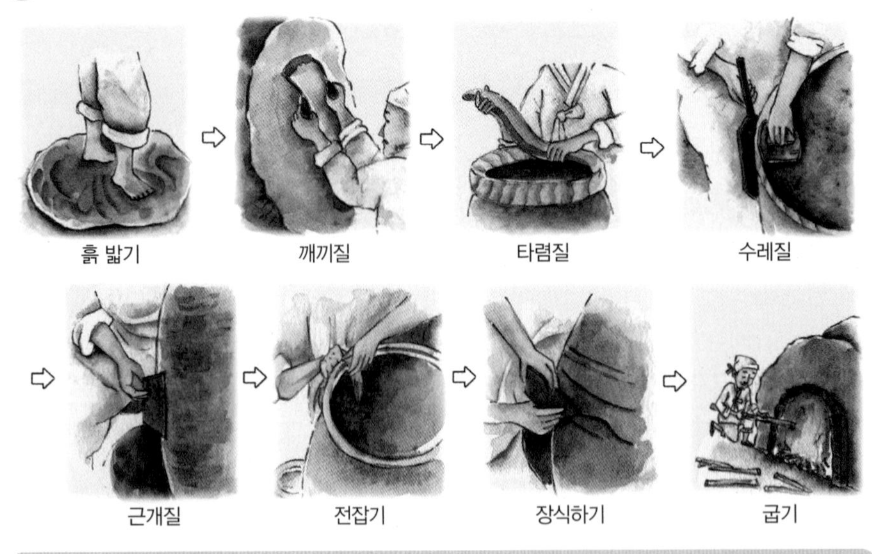

중간 3 옹기를 제작하는 (   )

지문 핵심

 내용 전개상의 특징

(다)	• '과정'의 설명 방법을 사용하여 옹기를 제작하는 순서를 설명함. • '정의'의 설명 방법을 사용하여 옹기 제작에 쓰이는 용어들을 풀이함.
(라)	옹기의 제작 과정을 나타낸 그림을 제시함.

✪ 이 글에서 활용한 자료의 특징

옹기의 제작 과정을 나타낸 시각 자료(그림)

⬇

- 옹기의 제작 과정을 한눈에 쉽게 이해할 수 있도록 도움.
- 설명 대상을 좀 더 생생하게 전달함.
- 독자의 흥미를 유발함.

어휘 쏙쏙

- **점토**: 작은 알갱이로 이루어진 부드럽고 차진 흙.
- **물레**: 도자기를 만들 때, 흙을 빚거나 무늬를 넣기 위해 판을 돌려서 사용하는 기구.

■ 소주제 정답 역사 / 종류 / 과정

05

이 글을 읽고 난 반응으로 보기에 적절하지 않은 것은?

① 주아: 옹기 하나를 완성하기까지 여러 단계를 거치는구나.
② 현수: 옹기에는 우리 조상들의 정성과 지혜가 담겨 있는 것 같아.
③ 나정: 옹기를 만들기 위해 많은 시간과 노력이 든다는 걸 알게 되었어.
④ 강준: 나도 옹기를 직접 만들어서 생활에 활용해 보고 싶다는 생각이 들었어.
⑤ 윤희: 다행히 오늘날에는 옹기를 만드는 과정이 간편해져서 옹기가 더 널리 이용되고 있는 거야.

06

다음 설명을 고려할 때, 포함되는 제작 단계가 나머지와 다른 하나는?

> 옹기 제작 과정은 크게 '점토 만들기', '옹기 모양 만들기', '말리고 굽기'의 세 단계로 나눌 수 있다.

① 근개질 ② 깨끼질 ③ 수레질
④ 전잡기 ⑤ 타렴질

07

(다)의 내용을 다른 매체로 전달하려고 할 때, 매체와 자료 형태가 적절하게 연결되지 않은 것은?

	매체	자료 형태
①	교양 잡지	옹기 제작 과정을 자세하고 선명하게 촬영한 사진
②	라디오 방송	옹기장이가 옹기의 제작 과정을 설명하는 음성 자료
③	어린이 신문	귀여운 캐릭터가 옹기를 직접 만들어 가는 만화 영상
④	인터넷 블로그	옹기 제작 과정을 순서대로 정리한 표와 동영상
⑤	텔레비전 방송	옹기를 만드는 영상과 그것을 설명하는 내레이션

♥ 블로그: 자신의 관심사에 따라 자유롭게 칼럼, 일기, 취재 기사 따위를 올리는 웹 사이트.

중요

08

(라)에 제시된 자료의 특징으로 알맞지 않은 것은? (정답 2개)

① 독자의 흥미와 관심을 유발한다.
② 설명 대상을 좀 더 생생하게 전달한다.
③ 수치의 변화를 일목요연하게 드러낸다.
④ 설명 내용을 간단하고 쉽게 이해할 수 있게 한다.
⑤ 시각과 청각을 복합적으로 활용하여 사실성을 높여 준다.

♥ 일목요연하다: 한 번 보고 대번에 알 수 있을 만큼 분명하고 뚜렷하다.

09

㉠에 사용된 것과 같은 설명 방법이 쓰인 것은?

① 개나리와 진달래는 둘 다 봄에 피는 꽃이다.
② 나무를 무분별하게 베어서 산사태가 발생하였다.
③ 우리나라 발효 음식의 대표적인 예로 김치를 들 수 있다.
④ 한지(韓紙)는 우리나라 고유의 방법으로 만든 종이를 말한다.
⑤ 우리 화폐에는 주로 인물이 그려져 있지만, 아프리카의 화폐에는 동식물이 그려져 있다.

정보를 전달하는 글

02 건물에 숨겨진 비밀 _ 정재승

가 백화점은 각종 쇼핑의 중심이 되는 매장의 진열대 외에도 기둥과 벽, 에스컬레이터, 계산대 등 모든 것이 상업적 전략에 따라 이루어지고 있다. 복잡하게만 보이는 백화점을 통해 상업적인 건물에 숨겨진 비밀을 알아보자.

처음 설명 대상이 '(   )에 숨겨진 비밀'임을 제시함.

나 우선 백화점에는 유리와 거울이 유난히 많다. 기둥이나 벽도 거울처럼 사람의 모습이 비치는 반들반들한 대리석으로 되어 있다. *남녀노소 누구나 거울 앞을 지날 때면 무의식적으로 거울에 비친 자신의 모습을 들여다보는 습관이 있기 때문에 걷는 속도가 느려진다. 그러므로 거울 앞에 선 사람은 그냥 스쳐 지나갈 수도 있는 주위 진열대에 무의식적으로 좀 더 관심을 갖게 되며 거울에 비친 반대편 물건에 시선이 끌릴 수도 있다. 그래서 백화점의 거울은 고객의 시선을 한 번이라도 더 제품에 쏠리게 만드는 수단인 것이다.

다 매장 내 물건을 진열하는 데에도 숨겨진 법칙이 있다. 백화점에서 많이 팔리기를 원하는 상품들은 어디에 전시되어 있을까? 이것은 매장을 돌아다니는 소비자들의 습관과 관련이 있다. 사람들은 가장 자연스럽고 편안한 방식으로 움직이게 마련이다. 영국, 오스트레일리아처럼 좌측통행을 하는 나라의 사람들은 왼쪽에 붙어서 걷는 특성이 있으며, 에스컬레이터에서 내려서 왼쪽 방향으로 도는 경향이 있다. 그래서 에스컬레이터에서 내려오면 왼쪽 옆에 값싼 할인 상품을 늘어놓고 파는 것을 볼 수 있다.

라 지하 식품 매장에는 어떤 숨은 뜻이 있을까? 지하 식품 매장의 핵심은 '계산대'이다. 소비자들은 잘 느끼지 못하겠지만 계산대 쪽 바닥이 다른 부분에 비해 약간 높게 설계돼 있다. 소비자가 필요한 물건들을 쇼핑 수레에 가득 담고 계산을 하려고 계산대 쪽으로 가다 보면 조금씩 힘이 들게 된다. 따라서 걷는 속도도 조금씩 느려지고, 그러다 보면 눈에 띄는 물건이 있을 때 멈추고 그 물건을 집어 들 확률이 높아진다. 특히 무심코 지나쳤던 물건을 다시 살펴보기 위해 방향을 반대 방향으로 돌리게 되면 경사가 낮아지기 때문에 쇼핑 수레는 저절로 계산대에서 멀어지는 방향으로 미끄러져 내려간다. 결국 소비자는 *무의식중에 다시 매장 깊숙이 들어가게 되는 것이다.

중간 (   )을 통해 살펴본 상업적인 건물의 설계와 운영의 비밀

마 이렇듯 매장의 거울 배치에서부터 계산대의 바닥 높이에 이르기까지, 백화점의 구석구석은 소비자의 구매 습관을 분석해 소비자들이 매장에서 더 많은 물건을 더 쉽게 구경하고 결국에는 그것들을 구매하도록 설계되어 있다. 소비자의 입장에서는 백화점과 같은 상업적인 건물에 숨겨진 의도를 아는 것이 필요하다.

끝 상업적인 건물은 소비자의 (   )를 유도하도록 설계됨.

지문 핵심

갈래	설명문
성격	객관적, 체계적, 분석적
제재	상업적인 건물(백화점)의 구조
주제	소비를 유도하는 상업적인 건물(백화점)의 설계와 운영
특징	① 백화점을 예로 들어 상업적인 건물의 설계와 운영에 대해 설명함. ② 질문을 제시하여 독자의 호기심과 관심을 유도함.

이 글의 구조

처음	설명 대상 제시 → 상업적인 건물에 숨겨진 비밀
중간	백화점을 통해 본 상업적인 건물의 설계와 운영의 특징 • 거울 배치 • 물건 배치 • 계산대의 바닥 높이
끝	설명 내용의 요약 · 정리 → 상업적인 건물은 소비자의 구매를 유도하도록 설계됨.

어휘 쏙쏙

- **남녀노소**: 남자와 여자, 늙은이와 젊은이란 뜻으로, 모든 사람을 이르는 말.
- **무의식중**: 자기도 모르는 사이.

■스스로 정답 상업적인 건물 / 백화점 / 구매

01

이 글에 대한 설명으로 적절하지 않은 것은?

① 백화점을 예로 들어 설명하고 있다.
② 질문을 제시해 독자의 흥미를 유발하고 있다.
③ '처음 – 중간 – 끝'의 세 부분으로 나눌 수 있다.
④ 상업적인 건물의 설계와 운영에 대해 설명하고 있다.
⑤ 건물을 설계할 때에 주의해야 할 사항들이 제시되어 있다.

중요

02

글쓴이가 이 글을 쓴 의도로 가장 적절한 것은?

① 상품 판매를 촉진하는 진열 방식을 제안하기 위해
② 상업적인 건물의 비윤리적 운영 실태를 고발하기 위해
③ 주체적인 소비자가 되어야 한다고 사람들을 설득하기 위해
④ 상업적인 건물에 숨겨진 의도에 대한 정보를 제공하기 위해
⑤ 소비자를 현혹하는 백화점에 대한 불매 운동을 촉구하기 위해

♥ 현혹: 정신을 빼앗겨 하여야 할 바를 잊어버림. 또는 그렇게 되게 함.

03

이 글의 구조에 따라 내용을 정리할 때, 적절하지 않은 것은?

처음	① 상업적인 건물에는 숨겨진 비밀이 있다.
중간	② 백화점에 거울이 많은 이유는 고가의 제품을 팔기 위해서이다. ③ 매장의 물건들은 매장을 돌아다니는 소비자들의 습관을 고려하여 진열된다. ④ 지하 식품 매장의 계산대는 바닥이 다른 부분에 비해 약간 높게 설계돼 있다.
끝	⑤ 상업적인 건물은 소비자의 구매를 유도하도록 설계되어 있다.

♥ 유도: 사람이나 물건을 목적한 장소나 방향으로 이끎.

04

다음 독자가 이 글을 읽었을 때의 반응을 예측한 내용으로 적절한 것은?

> 물건이 잘 안 팔려서 고민하는 슈퍼마켓 주인

① 거울 반대편에는 물건을 진열하지 말아야겠어.
② 계산대 쪽 바닥의 높이는 중요하지 않은 것 같아.
③ 많이 팔고 싶은 물건은 거울 근처 진열대에 놓아두어야겠어.
④ 계산대 쪽에는 소비자가 빨리 지나가게 물건을 놓지 말아야겠어.
⑤ 소비자들의 통행 방향과 상관없이 자유롭게 물건을 배치해야겠어.

05

(다)에 사용된 설명 방법으로 알맞은 것은?

① 예시 ② 분류 ③ 분석
④ 정의 ⑤ 대조

설득하는 글

01 꿀벌 없는 지구 _ 이명렬

가 꿀벌의 꽃가루받이(수분. 종자식물에서 수술의 화분이 암술머리에 옮겨 붙는 일) 활동 덕분에 인간은 다양한 곡식과 과일을 쉽게 얻을 수 있었다. 과학 기술이 급속도로 발전하고 있는 오늘날에도 전 세계 주요 농작물의 71%는 꿀벌에 수정을 의존하고 있다. 이러한 꿀벌의 꽃가루받이 활동은 곡식과 과일의 생산에 직접적인 도움을 주는 것 외에도 가축이 먹을 풀을 더 잘 자라게 하여 우유와 고기의 품질과 생산성까지 높여 준다.

나 또 산과 들판의 갖가지 꽃에서 분비되는 고급 *자연식품인 꿀과 꽃가루는 꿀벌이 없으면 수집할 수 없다. 인류가 꿀벌에 관심을 두기 시작한 것은 기원전 1만 3천 년 전의 일이다. 오래전 인류는 야생에서 직접 꿀을 채취하다가, *농경 사회로 접어들면서 집 근처에 벌통을 마련하고 꿀벌을 키우는 이른바 '양봉'(꿀을 얻기 위하여 벌을 기름)을 시작했다. 그리하여 천연 *감미료인 벌꿀뿐만 아니라 건강식품인 꽃가루, 벌집을 만들기 위해 꿀벌이 만들어 내는 물질인 '밀', 꿀벌이 만든 천연 *항생제로 불리는 '프로폴리스', 암세포의 성장을 억제하는 것으로 알려진 '로열 젤리'(여왕벌이 될 새끼를 위하여 벌이 분비한 하얀 자양분의 액체) 등을 얻고 있다.

다 그런데 2006년 미국에서 꿀벌들이 원인 모를 이유로 갑자기 집단으로 사라지는 현상이 나타났다. 22개 주에서 꿀벌의 수가 50~90퍼센트가 줄어든 것이다. 양봉 업계에 비상이 걸린 것은 물론 꿀벌의 꽃가루받이에 의존하는 아몬드, 사과, 블루베리 농가들도 생산량에 큰 영향을 받았다. 이런 현상은 캐나다와 브라질을 비롯해 호주, 프랑스, 영국, 독일, 이탈리아에서도 일어났다. 이렇게 *동시다발로 꿀벌이 갑자기 없어지는 것을 '꿀벌 집단 실종 현상(CCD)'이라 한다. 이 현상이 시작된 미국에서는 국립 연구소와 대학에서 수천억 원의 연구비를 들여 원인을 밝히는 일에 몰두했다. 그리하여 벌통의 잦은 원거리 이동, 기생충의 심한 감염, 농약에 대한 만성 중독(어떤 약이나 물질을 장기간 많이 사용하여 습관성이 되어 생기는 중독), *면역력 결핍, 여러 바이러스 질병의 감염과 같은 원인들이 섞여 나타난 것으로 판단했다.

라 꿀벌의 생존이 이렇게 계속 위협받는다면 앞으로 어떤 일이 더 발생할지 알 수 없다. 사람 손으로 일일이 꽃가루를 옮겨 주는 것은 거의 불가능하기 때문에 농산물 생산에 차질(하던 일이 계획이나 의도에서 벗어나 틀어지는 일)이 생길 것이다. 그렇게 되면 우리 식탁에서 국내산 딸기, 참외, 수박, 사과, 배 같은 과일을 접하기 어려울 수 있다. 다른 농산물 가격도 *폭등할 것이고, 그 피해는 우리 모두가 감당해야 한다.

본론 꿀벌의 중요성 및 (　　　　　)에 위협을 받고 있는 꿀벌의 실태

마 꿀벌은 생태계를 지켜 주는 인류의 동반자이며 꽃과 우리 식탁을 연결해 주는 징검다리 역할을 하는 소중한 생물이다. 그런 꿀벌이 오늘날 생존의 위협을 받고 있다. 하지만 우리에게는 이를 해결하기 위한 방안을 찾아낼 인력이나 예산은 턱없이 부족하다. 꿀벌 없는 지구에서는 인간도 살 수 없다는 것을 우리 모두 기억하며 꿀벌을 지키기 위한 개인의 관심은 물론 국가 차원의 노력이 필요하다.

결론 꿀벌을 (　　　　　)하기 위한 노력이 필요함.

지문 핵심

갈래	논설문
성격	논리적, 설득적
제재	꿀벌
주제	꿀벌을 보호하기 위한 노력 촉구
특징	① 타당성 있는 근거를 제시하여 주장을 뒷받침함. ② 구체적인 수치를 제시하여 객관성과 신뢰성을 높임. ③ 문제가 악화되는 상황을 가정하여 주제를 강조함.

✪ 글쓴이의 주장과 근거

주장	꿀벌을 지키기 위한 적극적인 관심과 노력이 필요하다.
근거	• 꿀벌은 인간의 생존에 큰 도움을 주는 중요한 존재이다. • 꿀벌은 현재 생존에 위협을 받고 있으며, 꿀벌이 사라지면 인간에게 많은 피해가 생길 것이다.

어휘 쏙쏙

- **자연식품**: 방부제나 인공 색소 따위를 넣지 아니한 자연 그대로의 식품.
- **농경**: 논밭을 갈아 농사를 지음.
- **감미료**: 단맛을 내는 데 쓰는 재료를 통틀어 이르는 말.
- **항생제**: 미생물이 만들어 내는 항생물질로 된 약제. 다른 미생물이나 생물 세포를 선택적으로 억제하거나 죽임.
- **동시다발**: 같은 시기에 여러 가지가 발생함.
- **면역력**: 외부에서 들어온 병원균에 저항하는 힘.
- **폭등하다**: 갑자기 큰 폭으로 오르다.

■ 소제 정답 생존 / 보호

01 **이 글의 내용과 일치하지 않는 것은?**

① 꿀벌은 생태계를 지켜 주는 중요한 생물이다.
② 인류는 농경을 하면서 꿀벌을 키우기 시작했다.
③ 꿀벌이 없으면 농산물 생산에 큰 차질이 생긴다.
④ 꿀벌 집단 실종 현상은 여러 원인이 작용하여 나타난 것이다.
⑤ 꿀벌이 사라지는 현상은 인류가 양봉을 시작하면서부터 발생했다.

중요
02 **이 글을 평가하기 위해 점검한 내용으로 적절하지 않은 것은?**

	평가 기준	점검
①	주장을 뒷받침하는 근거가 제시되었는가?	예, 아니요
②	근거가 객관적이며 타당성을 지니고 있는가?	예, 아니요
③	주장이 사회의 일반적인 이치나 도리에 맞는가?	예, 아니요
④	문제 해결을 위한 구체적인 실천 방안을 제시하고 있는가?	예, 아니요
⑤	주장과 근거가 논리적으로 긴밀하고 타당하게 연결되었는가?	예, 아니요

♥ 긴밀하다: 서로의 관계가 매우 가까워 빈틈이 없다.

중요
03 **(가)~(마)에 대한 설명으로 적절하지 않은 것은?**

① (가): 구체적인 수치를 제시하면서 꿀벌의 필요성을 드러냈다.
② (나): 꿀벌에게서 얻는 물질들을 나열하며 꿀벌의 유용성을 강조하였다.
③ (다): 실제 사례에 대한 글쓴이의 주관적 평가를 제시하여 설득력을 높였다.
④ (라): 꿀벌이 사라질 때 생길 수 있는 부정적 상황을 예측하여 꿀벌의 중요성을 강조하였다.
⑤ (마): 문제 상황에 대한 글쓴이의 관점을 밝히며 주장을 강조하였다.

04 **Ⓐ는 이 글의 일부를 정리한 것이고, Ⓑ는 꿀벌에 대해 서술한 다른 글의 일부이다. Ⓐ와 Ⓑ의 논증 방식을 바르게 비교한 것은?**

> Ⓐ 꿀벌은 식물의 번식을 도와 생태계를 유지시키고, 곡식과 과일의 생산에 도움을 주며, 우유와 고기의 품질을 높인다. 또한 양봉을 통해 건강에 도움이 되는 물질을 얻을 수 있다. 그러므로 꿀벌은 인류에게 매우 소중한 생물이다.
> Ⓑ 동물들이 다른 개체와 일정한 상호 관계를 형성하며 살아갈 때 '사회'라는 말을 사용한다. 꿀벌은 여왕벌, 수벌, 일벌 등으로 나뉘어 분업을 통해 상호 관계를 형성한다. 따라서 꿀벌은 사회를 이루어 살아가는 동물이라고 볼 수 있다.

① Ⓐ와 Ⓑ는 둘 다 개별적 사실에서 보편적 원리를 이끌어 내고 있다.
② Ⓐ와 Ⓑ는 둘 다 문제의 원인을 분석하고 해결 방안을 제시하고 있다.
③ Ⓐ와 Ⓑ는 둘 다 대상 간의 유사성을 바탕으로 결론을 이끌어 내고 있다.
④ Ⓐ는 개별적 사실에서 보편적 원리를 이끌어 내고 있으며, Ⓑ는 보편적 원리에서 개별적 사실을 이끌어 내고 있다.
⑤ Ⓐ는 보편적 원리에서 개별적 사실을 이끌어 내고 있으며, Ⓑ는 개별적 사례들을 검토하여 공통성을 판단하고 있다.

♥ 보편적: 모든 것에 공통되거나 들어맞는 것.

설득하는 글

02 내가 원하는 우리나라 _ 김구

가 나는 우리나라가 세계에서 가장 아름다운 나라가 되기를 원한다. 가장 부강한(부유하고 강한) 나라가 되기를 원하는 것은 아니다. 내가 남의 침략에 가슴이 아팠으니 내 나라가 남을 침략하는 것을 원치 아니한다. 우리의 부력은(재산을 지닌 정도) 우리의 생활을 풍족히 할 만하고 우리의 강력은 남의 침략을 막을 만하면 족하다. 오직 한없이 가지고 싶은 것은 높은 문화의 힘이다. 문화의 힘은 우리 자신을 행복하게 하고 나아가서 남에게 행복을 주겠기 때문이다.

나 지금, 인류에게 부족한 것은 무력도 아니요, 경제력도 아니다. 자연 과학의 힘은 아무리 많아도 좋으나 인류 전체로 보면 현재의 자연 과학만 가지고도 편안히 살아가기에 넉넉하다. 인류가 현재에 불행한 근본 이유는 인의가(어짊과 의로움) 부족하고 자비가 부족하고 사랑이 부족한 때문이다. 이 마음만 발달이 되면 현재의 물질력으로 20억이 다 편안히 살아갈 수 있을 것이다. 인류의 이 정신을 *배양하는 것은 오직 문화이다.

다 나는 우리나라가 남의 것을 모방하는 나라가 되지 말고 이러한 높고 새로운 문화의 근원이 되고 목표가 되고 모범이 되기를 원한다. 그래서 진정한 세계의 평화가 우리나라에서, 우리나라로 말미암아서 세계에 실현되기를 원한다. 홍익인간(弘益人間)(널리 인간을 이롭게 함)이라는 우리 국조(나라의 시조) 단군의 이상이 이것이라고 믿는다.

또 우리 민족의 재주와 정신과 과거의 단련이 이 사명을(맡겨진 임무) 달성하기에 넉넉하고 우리 국토의 위치와 기타 지리적 조건이 그러하며, 또 1차, 2차의 세계 대전을 치른 인류의 요구가 그러하며, 이러한 시대에 새로 나라를 고쳐 세우는, 우리가 서 있는 시기가 그러하다고 믿는다. 우리 민족이 주연 배우로 세계 무대에 등장할 날이 눈앞에 보이지 아니하는가.

서론 우리나라가 높고 새로운 (   )를 창조하는 나라가 되기를 원함.

라 이 일을 하기 위하여 우리가 할 일은 사상의 자유를 확보하는 정치 양식의 건립과 국민 교육의 *완비다. 내가 위에서 자유와 나라를 강조하고 교육의 중요성을 말한 것은 이 때문이다.

마 최고 문화 건설의 사명을 달한 민족은 일언이폐지하면(한마디로 그 전체의 뜻을 말함) 모두 성인을 만드는 데 있다. 대한 사람이라면 간 데마다 신용을 받고 대접을 받아야 한다. 우리의 적이 우리를 누르고 있을 때에는 미워하고 분해하는 살벌, 투쟁의 정신을 길렀었거니와, 적은 이미 물러갔으니 우리는 증오의 투쟁을 버리고 화합의 건설을 일삼을 때다. 집안이 불화하면 망하고 나라 안이 갈려서 싸우면 망한다. 동포 간의 증오와 투쟁은 망조다(망하거나 패할 징조). 우리의 용모에서는 화기가(온화한 기색) 빛나야 한다. 우리 국토 안에는 언제나 춘풍이 태탕하여야(넓고 커야) 한다. 이것은 우리 국민 각자가 한번 마음을 고쳐먹음으로 되고 그러한 정신의 교육으로 영속될(영원히 계속될) 것이다. 최고 문화로 인류의 모범이 되기로 사명을 삼는 우리 민족의 각원(各員)(각각의 인원)은 이기적 개인주의자여서는 안 된다. 우리는 개인의 자유를 극도로 주장하되, 그것은 저 짐승들과 같이 ⓐ저마다 제 배를 채우기에 쓰는 자유가 아니요, ⓑ제 가족을, 제 이웃을, 제

지문 핵심

갈래	논설문
성격	설득적, 주관적, 의지적
제재	내가 원하는 우리나라의 모습
주제	문화 국가 건설에 대한 염원
특징	① 민족과 나라를 생각하는 글쓴이의 정신이 담겨 있어 설득력과 호소력이 강함. ② 주장을 강조하기 위해 다양한 표현 방법을 사용함. ③ 광복 직후 좌우로 나뉘어 대립하던 혼란한 현실 속에서 우리 민족이 나아갈 길을 제시함.

글쓴이의 생각

바라는 것
높은 문화의 힘을 가진 나라 • 인의, 자비, 사랑의 정신을 지닌 나라 • 세계의 평화를 실현하고 주도하는 나라
우리의 할 일
사상의 자유를 확보하는 정치 양식 건립, 국민 교육의 완비, 민족의 화합

이 글이 쓰일 당시의 시대적 상황

1945년 8월 15일, 우리나라가 일제로부터 해방된 직후 '한반도를 미 · 영 · 중 · 소 4개국의 신탁 통치하에 둔다.'는 신탁 통치안을 두고 좌익과 우익이 대립하였다. 이때 김구와 임시 정부를 포함한 우익 세력들은 신탁 통치를 반대하며 우리나라의 완전한 독립을 요구하는 운동을 전개했다. 한편 좌익 세력들은 처음에는 신탁 통치에 반대하다가 1946년 1월 2일에 신탁 통치에 찬성하는 의사를 밝혔다.

어휘 쏙쏙

- **배양하다**: 인격, 역량, 사상 따위가 발전하도록 가르치고 키우다.
- **완비**: 빠짐없이 완전히 갖춤.

국민을 잘 살게 하기에 쓰이는 자유다. ⓒ공원의 꽃을 꺾는 자유가 아니라 ⓓ공원에 꽃을 심는 자유다.

본론 (　　　　　　) 건설을 위해 우리가 해야 할 일

■소주제 정답 문화 / 문화 국가

01

글쓴이가 원하는 우리나라의 모습으로 알맞지 않은 것은?

① 높은 문화의 힘을 가진 나라
② 행복을 나누는 아름다운 나라
③ 세계에서 가장 부유하고 강한 나라
④ 세계의 평화를 주도할 수 있는 나라
⑤ 인의, 자비, 사랑의 정신을 가진 나라

♥ 인의: 어질과 의로움.
♥ 자비: 남을 깊이 사랑하고 가엾게 여김. 또는 그렇게 여겨서 베푸는 혜택.

02

이 글에서 답을 찾을 수 있는 질문이 아닌 것은?

① 지금 인류에게 부족한 것은 무엇인가?
② 1차, 2차 세계 대전은 각각 언제 발생하였는가?
③ 글쓴이가 파악하고 있는 당시 우리 민족의 현실은 어떠한가?
④ 우리 민족이 문화의 힘을 키우기 위해 해야 할 일은 무엇인가?
⑤ 글쓴이가 높은 문화의 힘을 가지고 싶어 하는 이유는 무엇일까?

03

이 글을 읽고 글쓴이와 가상 인터뷰를 하기 위해 만든 질문으로 적절하지 않은 것은?

① 문화 국가를 건설하기 위해 더 필요한 조건이 있다면 무엇일까요?
② 우리나라가 현재 가지고 있는 문화의 힘이 있다면 어떤 것이 있을까요?
③ 문화 국가를 건설하기 위해 청년들이 실천할 수 있는 일이 무엇일까요?
④ 우리나라가 문화 국가 건설에 필요한 여건을 전혀 갖추지 못했는데도 이를 주장하시는 이유는 무엇인가요?
⑤ 가난 때문에 어려운 나라도 많은데, 문화의 힘보다 그들을 도울 수 있는 경제력을 먼저 키우는 것은 어떨까요?

♥ 여건: 주어진 조건.

04

글쓴이가 새로운 문화 국가를 건설하기 위해 우리가 해야 할 일로 제시한 것 두 가지를 찾아 쓰시오.

____

05

ⓐ~ⓓ를 의미가 비슷한 것끼리 바르게 묶은 것은?

① ⓐ / ⓑ, ⓒ, ⓓ　　② ⓒ / ⓐ, ⓑ, ⓓ　　③ ⓐ, ⓑ / ⓒ, ⓓ
④ ⓐ, ⓒ / ⓑ, ⓓ　　⑤ ⓐ, ⓓ / ⓑ, ⓒ

설득하는 글

03 최만리의 반대 상소와 조정의 입장 _ 최만리 외

가 최만리의 반대 상소

(상소: 신하들이 어떤 사연이나 의견을 적어 임금에게 올리는 글)

감히 말씀드리고자 합니다.

우선 ㉠우리는 예부터 대국 중화(세계 문명의 중심이라는 뜻으로, 주변국에서 중국을 대접하여 이른 말)의 제도를 본받아 실행해 왔습니다. 그런데 그와 아무 관련이 없는 새 글자를 만든 것은 학문에도, 정치에도 아무 유익함이 없을 줄 압니다. 더구나 글자 제정은 의견을 두루 청취하면서 시간을 두고 가부(옳고 그름. 또는 찬성과 반대)를 논해야 마땅한데도 너무 성급하게 결정했습니다. 혹시라도 중국 측에서 시비를 걸어올까 두렵습니다.

주변국들이 제 글자를 가지고 있다고 하나, 그들은 모두 오랑캐(언어나 풍습이 다른 민족을 낮잡아 이르는 말)입니다. 더구나 이미 우리는 *이두라는 문자를 가지고 있습니다. 이두는 반드시 한자를 익혀야 쓸 수 있기에 오히려 학문에 도움이 됩니다. 만약, 관리들이 쉽게 언문만 익히게 된다면, 결국에는 한자를 아는 이가 없어질 것입니다. ㉡지금 할 일이 태산같이 많은데 어찌하여 급하지도 않은 언문을 익히는 일에 부담을 주시는지 이해할 수 없습니다.

㉢언문이 비록 유익하다고 할지라도 한낱 기예(기술상의 재주와 솜씨)에 불과합니다. 학업에 정진하고(힘써 나아가고) 정신을 연마해야(힘써 배우고 닦아야) 할 어린 왕자들과 유생(유학을 공부하는 선비)들이 시간을 허비해 기예 익히기에만 몰두한다면 이는 크나큰 국가적 손실입니다. 감히 고하오니 부디 헤아려 주시옵소서.

나 조정의 입장

(조정: 임금이 나라의 정치를 신하들과 의논하거나 집행하는 곳. 또는 그런 기구)

최근 최만리 등 일부 사대부들이 우리글 훈민정음에 대해 반대하는 내용의 상소를 올린 것은 조정의 본뜻을 이해하지 못한 처사로 심히 유감스러운(마음에 차지 아니하여 섭섭하거나 불만스럽게 남아 있는 느낌) 일이다.

우선, 그들은 앞으로 관리들이 훈민정음 때문에 학문을 소홀히 할 것이라고 하는데, 이는 전혀 이치에 맞지 않는 말이다. 한자에 대한 표준음이 정해져 있지 않아 백성들이 여러모로 불편해하는 엄연한 사실을 그들은 애써 외면하고 있다. ㉣'牧丹'을 두고 어떤 이는 '목단'으로, 어떤 이는 '모란'으로 발음한다. 이러니 똑같이 한문을 공부하고도 서로 뜻이 통하지 않는 결과가 생긴 것이다.

또, 그들은 훈민정음만 가지고 관리를 뽑으면 아무도 성리학(중국 송나라의 주희가 집대성한 유교 철학으로, 조선의 통치 이념이 된 학문)을 공부하지 않을 것이라고 하는데, 이는 사실을 왜곡한 것이다. 유교 경전에 대한 학습과 연구는 국가에서 정한 공부의 핵심 요소이다. ㉤시험 과목에 훈민정음을 추가한다는 것이지 훈민정음만으로 관리를 뽑는다고 한 적이 없다.

그리고 장차 한자를 아는 사람이 적어지면 사회 기강이 무너진다고 주장하는데, 이것은 지나친 생각이다. ⓐ지금까지 우리 사회에서 한자는 배우기가 너무 어려워 극히 일부 사람들만 사용해 왔고, 나머지 대부분의 사람들은 글자를 모르고 살아왔다.

끝으로, 훈민정음 창제는 유교 정신의 실천과 사회 질서 확립에 어긋나는 것이 아님을 밝혀 두는 바이다.

지문 핵심

가 최만리의 반대 상소

갈래	건의문(상소문)
성격	설득적, 비판적, 논리적
제재	훈민정음 창제 및 반포
주제	훈민정음의 창제 및 반포를 반대함.
특징	① 임금을 독자로 하여 쓴 상소문임. ② 근거를 들어 주장을 논리적으로 뒷받침함.

훈민정음의 창제 및 반포를 반대하는 최만리의 근거

- 학문과 정치에 유익함이 없다.
- 중국의 시비가 염려된다.
- 글자를 가진 주변국은 모두 오랑캐이다.
- 우리에게는 이미 이두라는 문자가 있다.
- 기예에 불과한 언문 익히기에 몰두하는 것은 국가적 손실이다.

나 조정의 입장

갈래	논설문
성격	설득적, 비판적, 논리적
제재	최만리 등의 반대 상소
주제	훈민정음 창제 및 반포의 정당성
특징	반대 상소에 담긴 근거를 조목조목 반박함.

훈민정음의 창제 및 반포가 정당하다는 조정의 근거

- 한자에 대한 표준음이 정해져 있지 않아 백성들이 불편해한다.
- 시험 과목에 훈민정음을 추가한다는 것이지 훈민정음만으로 관리를 뽑는 것이 아니다.
- 한자를 아는 사람이 적어지면 사회 기강이 무너진다는 주장은 지나친 생각이다.
- 훈민정음 창제는 유교 정신의 실천과 사회 질서 확립에 어긋나지 않는다.

어휘 쏙쏙

- **이두**: 한자의 음과 뜻을 빌려 우리말을 적은 표기법.

중요
01
(가)와 같은 글에 대한 설명으로 알맞지 않은 것은?

① 정보를 전달하는 것이 목적이다.
② 문제 상황을 구체적으로 제시한다.
③ 주장을 뒷받침하는 근거가 나타나 있다.
④ 독자에 맞게 격식과 예의를 갖추어 쓴다.
⑤ 글쓴이의 요구 사항이 분명하게 드러나 있다.

02
(가)와 (나)의 관계로 가장 적절한 것은?

① (가)는 (나)의 전제이다.
② (가)는 (나)의 결론이다.
③ (나)는 (가)의 요약이다.
④ (나)는 (가)의 근거이다.
⑤ (나)는 (가)에 대한 반박이다.

♥ 전제: 어떠한 사물이나 현상을 이루기 위하여 먼저 내세우는 것.
♥ 반박: 어떤 의견, 주장, 논설 따위에 반대하여 말함.

중요
03
(가)와 (나)의 두 글쓴이가 나눈 대화 내용으로 보기에 알맞지 않은 것은?

(가): 훈민정음 창제를 당장 그만두시옵소서. ············ ①
(나): 훈민정음 창제의 본뜻을 이해하지 못하다니 유감스럽네. ············ ②
(가): 어찌 이런 일을 두루 의견을 묻지 않고 성급하게 결정하시옵니까? ············ ③
중국이 새로 만든 글자를 문제 삼을 수도 있습니다. ············ ④
(나): 그 문제에 대해서는 다 방비를 해 두었으니 걱정하지 말게. ············ ⑤

중요
04
(가)와 (나)에서 알 수 있는 당시의 시대적 상황으로 적절하지 않은 것은?

① 많은 사람들이 글자를 모른 채 살았다.
② 같은 한자를 사람마다 다르게 읽기도 하였다.
③ 사회 기강과 질서가 무너져 혼란이 극심하였다.
④ 성리학과 관련된 시험을 치르게 해 관리를 뽑았다.
⑤ 유교 경전을 학습하고 연구하는 것을 중요하게 여겼다.

05
㉠~㉤ 중 〈보기〉와 가장 관련 깊은 것은?

보기

사대주의는 자국보다 세력이 강한 국가에 복종하거나, 맹목적으로 그 문화를 받아들이려는 주의를 말한다. 주체성 없이 세력이 큰 나라에 붙어 그를 받들어 섬기며 자국의 존립을 유지하려는 태도이다.

① ㉠ ② ㉡ ③ ㉢ ④ ㉣ ⑤ ㉤

♥ 맹목적: 주관이나 원칙이 없이 덮어놓고 행동하는 것.

06
ⓐ를 바탕으로 '한글'의 우수성을 한 문장으로 서술하시오.

조건

사용자의 범위, 학습의 난이도 측면에서 한자와 다른 점을 쓸 것

Ⅲ

운법

01 언어의 본질
02 음운의 체계
03 품사의 종류와 특성
04 어휘의 체계와 양상
05 단어의 정확한 발음과 표기
06 문장의 짜임
07 담화의 개념과 특성
08 한글의 창제 원리

언어의 본질

정답과 해설 22 ▶▶

❶ 언어의 자의성

• 언어가 나타내는 내용(의미)과 그것을 표현하는 형식(말소리) 사이에는 필연적인 연관성이 없다는 특성이다.

• 어떤 의미를 나타내는 말소리는 우연히 결정된 것이며 언어 사회마다 다르다.

예
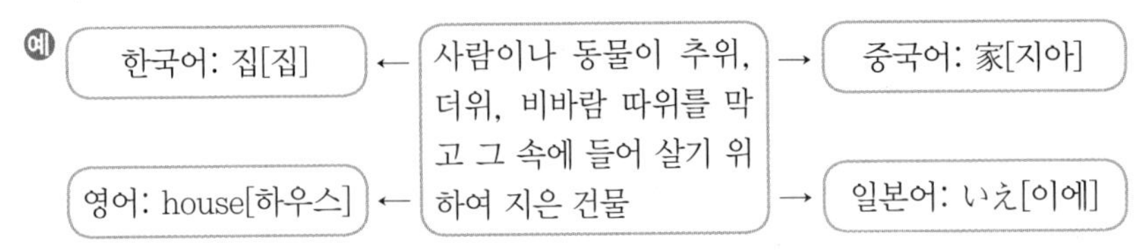

❷ 언어의 사회성

• 어떤 의미를 특정한 말소리로 나타내자고 사회적으로 약속한 후에는 개인이 그 약속을 마음대로 바꿀 수 없다는 특성이다.

• 언어의 내용과 형식에 관한 약속이 정해지면, 같은 언어를 사용하는 사람들끼리는 그 약속을 지켜야 원활하게 의사소통을 할 수 있다.

예
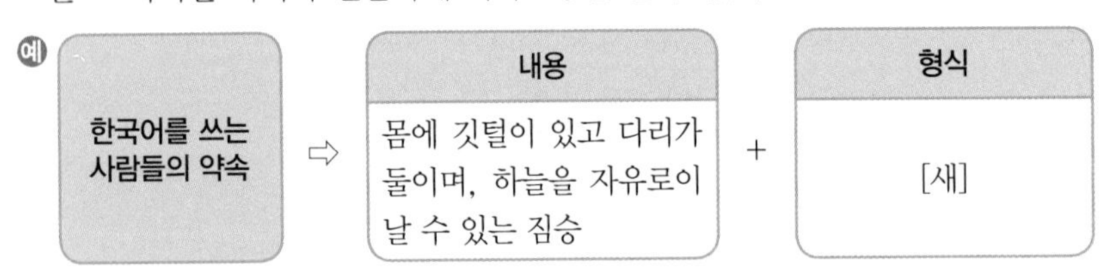

– 저기 새가 날고 있어. (○)

– 저기 물고기가 날고 있어. (X)

❸ 언어의 역사성

시간이 흐르면서 말소리나 의미가 변하기도 하고, 쓰이던 말이 사라지거나 없던 말이 생기기도 하는 특성이다.

예

소리가 변한 말	[나모] → [나무], [곶] → [꽃]
의미가 변한 말	• 어여쁘다: 불쌍히 여기다 → 예쁘다 • 세수: 손을 씻음. → 손이나 얼굴을 씻음. • 얼굴: 전체의 모습, 형체 → 눈, 코, 입이 있는 머리의 앞면
사라진 말	온(숫자 '백'의 옛말), 즈믄(숫자 '천'의 옛말), 가람('강'의 옛말), 미르('용'의 옛말), 슈룹('우산'의 옛말)
새로 생긴 말	인터넷, 누리꾼, 스마트폰, 햄버거, 인공위성

❹ 언어의 창조성

인간이 습득한 언어 지식을 활용하여 새로운 단어를 만들거나, 단어들을 결합해 무수히 많은 문장을 만들어 사용할 수 있는 특성이다.

예
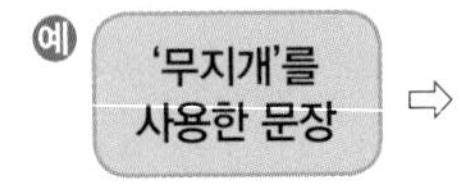

⇨

• 무지개가 예쁘다. • 예쁜 무지개가 떴다.
• 무지개는 일곱 빛깔이다. • 무지개를 보니 기분이 좋다.

개념 확인 문제

1 언어의 본질에 대한 설명을 읽고 ○ 또는 X에 표시하시오.

(1) 어떤 의미와 그것을 표현하는 말소리의 관계는 필연적이다. (○, X)

(2) 시간의 흐름에 따라 언어의 의미나 말소리가 변화하는 것을 언어의 자의성이라고 한다. (○, X)

(3) 인간은 이미 알고 있는 언어 지식을 활용해 새로운 단어나 문장을 무한히 만들어 낼 수 있다. (○, X)

(4) 언어는 사람들 사이의 약속이어서 개인이 마음대로 바꿀 수 없는데, 이를 언어의 사회성이라고 한다. (○, X)

2 승호와 민규의 말에서 알 수 있는 언어의 본질을 각각 쓰시오.

> 승호: '사랑'을 꼭 '사랑[사랑]'이라고 표현해야 할까? 영어에서는 'love[러브]'라고 표현하니까 꼭 '사랑[사랑]'이라고 해야 할 이유가 없어.
> 민규: 맞아. 하지만 한국어를 쓰는 사람들은 '사랑'을 [사랑]으로 나타내자고 약속했으니까 개인이 그걸 마음대로 바꿀 수는 없지.

3 언어의 변화 양상이 나머지와 다른 것은?

① 즈믄 ② 비행기
③ 인터넷 ④ 컴퓨터
⑤ 휴대 전화

4 다음 사례와 관련된 언어의 본질은?

> 어린 동생이 자신이 아는 단어들을 이용하여 계속해서 문장을 만들어 냈다.

① 자의성 ② 기호성
③ 사회성 ④ 역사성
⑤ 창조성

01 언어의 본질에 대해 잘못 이해한 것은?

① 지수: 언어의 의미와 말소리는 필연적으로 결합된 것이 아니야.
② 해경: 언어는 시간이 흐르면서 소멸되거나 새로 생겨나기도 해.
③ 주미: 우리는 상황에 따라 새로운 문장들을 만들어서 표현할 수 있지.
④ 상우: 하지만 우리 마음대로 단어의 의미를 바꿔 사용하면 의사소통에 문제가 생길 수 있어.
⑤ 재영: 인간은 창조적으로 사고하는 존재이기 때문에 언어의 내용과 형식의 관계를 개인적으로 정해서 쓸 수 있어.

02 〈보기〉의 '그'가 고려하지 않은 언어의 본질은?

보기

그는 이제부터 침대를 '사진'이라고 부르기로 하였다.
"피곤하군. 사진 속으로 들어가야겠어."
그는 이렇게 말했다. 그러고는 아침마다 한참씩 사진 속에 누운 채로 이제부터 의자를 뭐라고 부를까 고심했다. 그러다가 의자를 '시계'라고 부르기로 했다.
그러니까 그는 자리에서 일어나 옷을 입고, 시계 위에 앉아 양발을 책상 위에 괴고 있었다. 그러나 책상은 이제 더는 책상이 아니었다. 그는 책상은 '양탄자'라고 불렀다.
그러니까 남자는 아침에 사진 속에서 일어나 옷을 입고, 양탄자와 함께 놓인 시계 위에 앉아, 무엇을 무엇이라고 부를 수 있는지를 고심했다.

– 페터 빅셀, 〈책상은 책상이다〉

① 언어의 규칙성 ② 언어의 기호성
③ 언어의 사회성 ④ 언어의 창조성
⑤ 언어의 역사성

03 다음 ㉠, ㉡과 관련된 언어의 본질을 각각 쓰시오.

㉠ '얼굴'은 소리와 의미가 변한 단어이다. 옛날에는 [얼골]이라고 소리 냈었고, 머리의 앞면을 뜻하는 지금과 달리 전체의 모습, 형체를 의미했다.
㉡ 구관조에게 "사랑해."라는 말을 가르쳤을 때 구관조는 그 말만을 반복할 따름이지만, 인간은 그 말을 바탕으로 "나는 당신을 사랑해요.", "서로 사랑하는 마음으로 살아요!" 등의 다양한 문장을 만들어 사용할 수 있다.

㉠: ____________ ㉡: ____________

04 〈보기〉에서 알 수 있는 언어의 특성으로 알맞은 것은?

보기

사람의 신체 부위 중 팔목 끝부분을 한국어로 '손[손]'이라고 한다. 영어로는 'hand[핸드]', 중국어로는 '手[서우]', 일본어로는 'て[테]'라고 한다.

① 언어는 사회의 유지와 발전에 이바지한다.
② 언어를 개인이 마음대로 바꾸면 의미 전달이 어렵다.
③ 언어는 그 의미가 축소되기도 하고 확대되기도 한다.
④ 언어의 내용과 형식의 결합은 자의적으로 이루어진다.
⑤ 새로운 사물이 생기면 그것을 나타낼 말이 새로 생겨난다.

05 언어의 사회성과 관련된 예로 적절한 것은?

① [불휘]라는 말의 소리가 바뀌어 현재는 [뿌리]라고 한다.
② 선희가 '오징어'를 '오리'로 바꾸어 말했더니 친구가 알아듣지 못했다.
③ '하늘'이라는 대상을 '하늘[하늘]'로 표현한 것은 우연히 그렇게 된 것이다.
④ '어리다'는 옛날에 '어리석다'는 뜻이었는데 지금은 '나이가 적다'는 의미로 쓰인다.
⑤ '나는 ( )이다.'에서 ( )에 다양한 단어를 넣어 각각 다른 의미를 지닌 문장을 만들 수 있다.

06 〈보기〉에 나타난 언어의 특성과 관련된 예로 알맞은 것은?

보기

'어사'는 옛날에 있었던 관직 이름이고, '수라'는 궁중에서 임금에게 올리는 밥을 높여 이르던 말이다. 이러한 말들은 그것이 가리키는 대상이 없어지면서 점차 사라지게 되었다.

① 한국어를 쓰는 사람들은 태양을 뜻하는 말을 '해[해]'라고 부르기로 약속했다.
② 한국에는 김치의 종류가 많아서 '백김치', '물김치', '파김치', '총각김치'라는 말이 있다.
③ 옛날에는 숫자 100을 나타내는 말을 '온'이라고 했으나 지금은 '백'이라는 말로 바뀌었다.
④ 우리나라에서는 '모', '벼', '쌀', '밥'이 각각 다른 대상을 나타내지만, 영어에서는 'rice[라이스]'라는 하나의 단어를 사용한다.
⑤ '호흡하며 냄새를 맡는 구실을 하는 얼굴 중앙의 부분'을 한국어로는 '코[코]'라고 하지만, 영어로는 'nose[노우즈]'라고 발음한다.

음운의 체계

① 음운의 개념

말의 뜻을 구별해 주는 소리의 가장 작은 단위를 음운이라고 한다.

예 감, 밤, 잠 ⇨ 'ㄱ, ㅂ, ㅈ'에 의해 뜻이 구별되므로 'ㄱ, ㅂ, ㅈ'은 음운이다.

② 음운의 종류

- 자음(19개): 소리를 낼 때 공기의 흐름이 발음 기관의 장애를 받는 소리. 모음 없이는 홀로 소리 날 수 없다.
- 모음(21개): 공기가 발음 기관의 장애를 받지 않고 나오는 소리. 자음 없이도 홀로 소리 날 수 있다.

③ 국어의 자음 체계

소리 내는 방법 \ 소리 내는 위치			입술소리	잇몸소리	센입천장소리	여린입천장소리	목청소리
안울림소리	파열음	예사소리	ㅂ	ㄷ		ㄱ	
		된소리	ㅃ	ㄸ		ㄲ	
		거센소리	ㅍ	ㅌ		ㅋ	
	파찰음	예사소리			ㅈ		
		된소리			ㅉ		
		거센소리			ㅊ		
	마찰음	예사소리		ㅅ			ㅎ
		된소리		ㅆ			
울림소리	비음		ㅁ	ㄴ		ㅇ	
	유음			ㄹ			

(1) 소리 내는 위치에 따른 자음 분류

입술소리	두 입술 사이에서 나는 소리
잇몸소리	혀끝과 윗잇몸 사이에서 나는 소리
센입천장소리	혓바닥과 센입천장 사이에서 나는 소리
여린입천장소리	혀의 뒷부분과 여린입천장 사이에서 나는 소리
목청소리	목청 사이에서 나는 소리

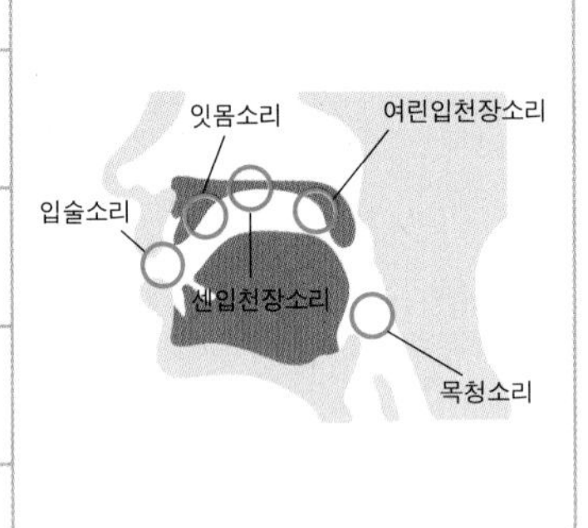

(2) 소리 내는 방법에 따른 자음 분류

① 목청의 울림 여부에 따라

안울림소리	발음할 때 목청이 울리지 않고 나는 소리
울림소리	발음할 때 목청이 울리며 나는 소리

개념 확인 문제

1 말의 뜻을 구별해 주는 (　　　　) 의 가장 작은 단위를 음운이라고 한다.

2 음운에 대한 설명을 읽고 ○ 또는 X 에 표시하시오.

(1) '달'과 '발'에서 뜻을 구별해 주는 음운은 'ㄷ, ㅂ'이다. (○, X)

(2) 자음은 공기가 발음 기관의 장애를 받지 않고 나오는 소리이다. (○, X)

(3) 모음은 자음 없이 홀로 소리 날 수 없다. (○, X)

(4) 자음은 소리 내는 위치와 방법에 따라 나눌 수 있다. (○, X)

3 다음 설명에 해당하는 자음은?

> 혓바닥과 센입천장 사이에서 나는 소리

① ㄲ ② ㄴ ③ ㅃ ④ ㅈ ⑤ ㅎ

4 다음 중 소리 내는 위치가 나머지와 다른 것은?

① ㄱ ② ㄷ ③ ㅅ ④ ㄹ ⑤ ㄴ

5 다음 자음들이 소리 나는 위치로 알맞은 것은?

> ㅁ, ㅂ, ㅃ, ㅍ

① 목청 사이
② 두 입술 사이
③ 혀끝과 윗잇몸 사이
④ 혓바닥과 센입천장 사이
⑤ 혀 뒤와 여린입천장 사이

6 다음을 발음할 때 목청이 울리는 것과 울리지 않는 것으로 구분하시오.

> ㄱ, ㄴ, ㄸ, ㄹ, ㅁ, ㅇ, ㅌ, ㅍ

(1) 목청이 울리는 것:
(2) 목청이 안 울리는 것:

② 소리 낼 때 방해를 받는 방법에 따라

파열음	폐에서 나오는 공기를 막았다가 터뜨리면서 내는 소리
파찰음	파열음과 마찰음의 성질을 다 갖는 소리로, 공기를 막았다가 조금씩 틈을 열면서 마찰을 일으키며 내는 소리
마찰음	입안이나 목청 사이의 통로를 좁혀 그 틈 사이로 공기가 마찰하여 나오는 소리
비음	입안의 통로를 막고 코로 공기를 내보내며 내는 소리
유음	혀끝을 잇몸에 가볍게 대었다가 떼거나, 혀끝을 잇몸에 댄 채 공기를 그 양옆으로 흘려 보내며 내는 소리

③ 소리의 세기에 따라

예사소리	특별히 세게 내지 않아도 자연스럽게 예사로 나는 소리
된소리	예사소리보다 목의 근육을 긴장시켜 내는 소리
거센소리	숨이 거세게 터져 나오게 하여 내는, 크고 거친 느낌의 소리

4 국어의 모음 체계

(1) 단모음과 이중 모음

- 단모음: 소리 낼 때 입술 모양이나 혀의 위치가 고정되어 달라지지 않는 모음
  예 ㅏ, ㅐ, ㅓ, ㅔ, ㅗ, ㅚ, ㅜ, ㅟ, ㅡ, ㅣ
- 이중 모음: 소리 낼 때 입술 모양이나 혀의 위치가 처음과 달라지는 모음
  예 ㅑ, ㅒ, ㅕ, ㅖ, ㅘ, ㅙ, ㅛ, ㅝ, ㅞ, ㅠ, ㅢ

(2) 단모음의 체계

혀의 앞뒤 / 입술 모양 / 혀의 높낮이	전설 모음		후설 모음	
	평순 모음	원순 모음	평순 모음	원순 모음
고모음	ㅣ	ㅟ	ㅡ	ㅜ
중모음	ㅔ	ㅚ	ㅓ	ㅗ
저모음	ㅐ		ㅏ	

① 혀의 앞뒤 위치에 따라

전설 모음	혀의 최고점이 앞쪽에 있을 때 소리 나는 모음
후설 모음	혀의 최고점이 뒤쪽에 있을 때 소리 나는 모음

② 혀의 높낮이에 따라

고모음	발음할 때 입이 조금 열려서 혀의 위치가 높은 모음
중모음	발음할 때 고모음보다 입이 조금 더 열려서 혀의 위치가 중간인 모음
저모음	발음할 때 입이 크게 열려서 혀의 위치가 낮은 모음

③ 입술의 모양에 따라

원순 모음	발음할 때 입술을 둥글게 오므린 상태에서 소리 내는 모음
평순 모음	발음할 때 입술을 평평하게 하여 소리 내는 모음

개념 확인 문제

7 발음 기관 사이의 마찰에 의해 발음되는 소리는?

① ㄱ ② ㅁ ③ ㅅ
④ ㅌ ⑤ ㅍ

8 다음에서 설명하는 자음이 아닌 것은?

> 폐에서 나오는 공기를 막아 압축했다가 터뜨리면서 내는 소리

① ㄱ ② ㅋ ③ ㄷ
④ ㅃ ⑤ ㅎ

9 다음 중 거센소리에 해당하는 것은?

① ㅁ ② ㅂ ③ ㅆ
④ ㅌ ⑤ ㅇ

10 소리 낼 때 입술의 모양이나 혀의 위치가 처음과 나중이 달라지는 모음은 ( )이고, 입술 모양이나 혀의 위치가 달라지지 않는 모음은 ( )이다.

11 다음 중 단모음이 아닌 것은?

① ㅐ ② ㅑ ③ ㅔ
④ ㅜ ⑤ ㅣ

12 혀의 앞뒤 위치에 따라 모음을 나눌 때, 나머지와 다른 것은?

① ㅏ ② ㅜ ③ ㅡ
④ ㅣ ⑤ ㅓ

13 혀의 높낮이에 따라 단모음을 분류할 때, 다음 모음의 종류를 쓰시오.

> ㅐ, ㅏ

14 입술 모양이 평평한 상태로 발음되는 모음은?

① ㅗ ② ㅚ ③ ㅜ
④ ㅟ ⑤ ㅡ

실전 문제

01 음운에 대한 설명으로 알맞지 않은 것은?

① 말의 뜻을 구별해 주는 소리의 가장 작은 단위이다.
② 모음은 단모음 10개와 이중 모음 11개로 이루어진다.
③ 자음은 소리 낼 때의 혀의 위치와 입술 모양에 따라 나눌 수 있다.
④ 자음은 소리 내는 방법에 따라 파열음, 파찰음, 마찰음 등으로 분류된다.
⑤ 모음은 소리 낼 때 공기의 흐름이 발음 기관의 방해를 받지 않고 나는 소리이다.

02 〈보기〉에서 말의 의미를 각각 다르게 만들어 주는 음운을 각 단어에서 찾아 차례대로 쓰시오.

보기
갈다 말다 살다 달다

03 자음이 소리 나는 위치가 바르게 연결된 것은?

① ㅎ – 센입천장과 혓바닥
② ㅂ, ㅃ, ㅍ, ㅁ – 목청 사이
③ ㅈ, ㅉ, ㅊ – 윗잇몸과 혀끝
④ ㄷ, ㄸ, ㅌ, ㄴ, ㄹ – 두 입술 사이
⑤ ㄱ, ㄲ, ㅋ, ㅇ – 여린입천장과 혀 뒤

04 다음 중 목청을 울리며 내는 소리가 아닌 것은?

① ㄴ ② ㄷ ③ ㄹ ④ ㅁ ⑤ ㅇ

05 소리 내는 위치가 나머지 자음들과 다른 하나는?

① ㄱ ② ㅇ ③ ㄲ ④ ㅉ ⑤ ㅋ

06 〈보기〉의 내용을 모두 만족시키는 소리로 알맞은 것은?

보기
• 두 입술 사이에서 나는 소리이다.
• 코로 공기를 내보내면서 나는 소리이다.

① ㄱ ② ㄷ ③ ㅁ ④ ㅅ ⑤ ㅍ

07 다음 중 가장 세고 거친 느낌을 주는 단어는?

① 달랑달랑 ② 사박사박 ③ 찌걱찌걱
④ 터덜터덜 ⑤ 쏙닥쏙닥

08 다음은 자음 체계를 정리한 표이다. ㉠~㉣에 들어갈 자음이 모두 적절하게 제시된 것은?

소리 내는 방법 \ 소리 내는 위치		입술소리	잇몸소리	센입천장 소리	여린입천장소리	목청소리
안울림 소리	예사소리	㉠				
	된소리				㉡	
	거센소리		㉢			
울림 소리	비음					
	유음		㉣			

① ㉠: ㅂ ㉡: ㄲ ㉢: ㅊ ㉣: ㄹ
② ㉠: ㄱ ㉡: ㅃ ㉢: ㅅ ㉣: ㄹ
③ ㉠: ㅂ ㉡: ㄲ ㉢: ㅌ ㉣: ㄹ
④ ㉠: ㅍ ㉡: ㅆ ㉢: ㅋ ㉣: ㄴ
⑤ ㉠: ㅊ ㉡: ㄸ ㉢: ㅌ ㉣: ㄴ

09 혀끝과 윗잇몸 사이에서 소리 나는 자음으로만 이루어진 단어는?

① 고리 ② 나사 ③ 대파
④ 마차 ⑤ 부자

10 〈보기〉에서 여린입천장소리가 들어 있는 단어의 개수는?

보기
가지, 호박, 토마토, 상추, 당근, 콩나물, 도라지

① 3개 ② 4개 ③ 5개 ④ 6개 ⑤ 7개

11 모음에 대한 설명으로 알맞지 않은 것은?

① 단모음은 소리 낼 때 혀의 위치가 바뀌지 않는다.
② 모든 모음은 목청을 울리며 소리 내는 울림소리이다.
③ 소리 낼 때 입술 모양이 달라지는 것은 이중 모음이다.
④ 입술 모양에 따라 평순 모음과 원순 모음으로 구분한다.
⑤ 혀의 높이에 따라 전설 모음과 후설 모음으로 구분한다.

12 소리 낼 때 입술 모양이 나머지와 다른 것은?

① ㅓ ② ㅚ ③ ㅟ ④ ㅗ ⑤ ㅜ

13 소리 낼 때 입술 모양이나 혀의 위치가 달라지지 않는 모음끼리 묶인 것은?

① ㅏ, ㅐ, ㅓ, ㅚ, ㅑ　② ㅗ, ㅜ, ㅟ, ㅚ, ㅡ
③ ㅒ, ㅐ, ㅔ, ㅖ, ㅙ　④ ㅗ, ㅛ, ㅜ, ㅠ, ㅚ
⑤ ㅏ, ㅓ, ㅔ, ㅐ, ㅞ

14 모음을 다음과 같이 둘로 구분했을 때, 그 기준으로 적절한 것은?

ㅣ, ㅔ, ㅐ, ㅟ, ㅚ	ㅡ, ㅓ, ㅏ, ㅜ, ㅗ

① 입술 모양
② 혀의 높낮이
③ 목청의 울림 여부
④ 소리의 세기 정도
⑤ 혀의 최고점의 앞뒤 위치

15 〈보기〉의 내용을 모두 만족시키는 모음은?

보기
- 혀의 최고점이 뒤쪽에 위치하여 발음된다.
- 혀의 위치를 가장 낮춘 상태에서 발음된다.

① ㅏ　② ㅔ　③ ㅗ　④ ㅟ　⑤ ㅣ

16 다음 모음들의 공통점으로 알맞은 것은?

ㅣ, ㅟ, ㅡ, ㅜ

① 소리 낼 때 혀의 높이가 낮다.
② 소리 낼 때 혀의 높이가 높다.
③ 혀의 최고점의 위치가 뒤쪽이다.
④ 소리 낼 때 입술 모양이 둥글다.
⑤ 소리 낼 때 입술 모양과 혀의 위치가 달라진다.

17 밑줄 친 단어 중 원순 모음이 사용된 것은? (정답 2개)

드디어① 여름② 방학이다. 내일은③ 외갓집④으로 출발한다⑤.

18 다음 중 단모음으로만 이루어진 단어는?

① 야식　② 예술　③ 무의식
④ 쇠고기　⑤ 월드컵

19 국어의 단모음 중 소리 낼 때 혀의 높이가 중간인 모음으로만 이루어진 단어는?

① 상인　② 어부　③ 세모
④ 농부　⑤ 아기

20 다음 단어의 음운에 대한 설명으로 알맞은 것은? (정답 2개)

섬

① 전설 모음이 사용되었다.
② 사용된 음운의 개수는 모두 4개이다.
③ 목청을 울리며 소리 나는 자음이 들어 있다.
④ 사용된 자음은 모두 윗잇몸과 혀끝에서 소리 난다.
⑤ 사용된 모음은 소리 낼 때 입술 모양이 둥글지 않다.

21 〈보기〉의 내용을 모두 만족시키는 음운으로 이루어진 단어는?

보기
- 초성: 입술소리, 된소리
- 중성: 후설 모음, 저모음
- 종성: 여린입천장소리, 울림소리

① 빵　② 뽕　③ 팡　④ 짱　⑤ 쫑

22 다음 단어를 소리 낼 때 발음 기관에서 일어나는 현상이 아닌 것은?

사랑

① 입술이 평평한 모양이 된다.
② 혀의 최고점이 뒤쪽에 있다.
③ 공기를 혀의 양옆으로 흘려 보내며 소리가 난다.
④ 공기를 막았다가 거세게 터뜨리면서 소리가 난다.
⑤ 혀끝과 잇몸 사이로 공기가 마찰하며 소리가 난다.

03 품사의 종류와 특성

❶ 품사의 개념

공통된 성질을 가진 단어끼리 묶어 놓은 단어의 갈래를 품사라고 한다.

❷ 품사의 분류

(1) 품사의 분류 기준

형태	기능	의미
단어가 문장에서 쓰일 때 형태가 변하는가.	문장에서 단어가 어떤 기능을 하는가.	단어들이 지닌 공통된 의미가 무엇인가.

(2) 품사의 분류

형태	기능	의미
형태가 변하지 않는 말 (불변어)	체언	명사, 대명사, 수사
	수식언	관형사, 부사
	관계언	조사
	독립언	감탄사
형태가 변하는 말 (가변어)	용언	동사, 형용사

(3) 품사 분류의 의의: 문장에 쓰인 단어의 특성을 이해하고 체계적으로 파악할 수 있으며, 나아가 언어의 기능을 이해하는 데 도움이 된다.

❸ 품사의 종류와 특성

(1) 체언

- 문장에서 주로 주어나 목적어로 쓰이는 단어이다.
- 명사, 대명사, 수사를 통틀어 이르는 말이다.
- 문장에서 쓰일 때 형태가 변하지 않는다.
- 조사와 결합하여 쓰이기도 하고, 홀로 쓰이기도 한다.

명사	사람이나 사물, 추상적인 대상의 이름을 나타내는 단어 • 구체 명사: 구체적인 대상의 이름을 나타내는 명사 예 나무, 책상, 꽃 • 추상 명사: 추상적인 대상의 이름을 나타내는 명사 예 사랑, 희망, 삶
대명사	사람이나 사물, 장소의 이름을 대신하여 나타내는 단어 • 인칭 대명사: 사람의 이름을 대신하여 가리키는 것 예 나, 저, 우리, 저희, 너, 자네, 그분, 누구, 아무 • 지시 대명사: 사물이나 장소의 이름을 대신하여 가리키는 것 예 이것, 저것, 그것, 여기, 저기, 거기, 어디
수사	수량이나 순서를 나타내는 단어 • 양수사: 수량을 셀 때 쓰는 수사 예 하나, 둘, 셋, 일, 이, 삼 • 서수사: 순서를 나타내는 수사 예 첫째, 둘째, 제일, 제이

개념 확인 문제

1 다음 빈칸에 들어갈 알맞은 말을 순서대로 쓰시오.

> 단어는 ( )를 기준으로 할 때 9가지 품사로 나뉘고, ( )을 기준으로 할 때 5가지로 나뉜다. ( )를 기준으로 하면 불변어와 가변어의 둘로 나뉜다.

2 적용되는 품사의 분류 기준이 나머지와 다른 하나는?

① 명사 ② 관형사
③ 용언 ④ 감탄사
⑤ 조사

3 기능에 따라 분류할 때 같은 품사인 것을 모두 골라 쓰시오.

> 부사, 동사, 감탄사, 조사, 대명사, 형용사

4 체언에 대한 설명을 읽고 ○ 또는 X에 표시하시오.

(1) 체언은 문장에서 주로 서술어로 쓰인다. (○, X)
(2) 체언은 문장에서 쓰일 때 형태가 변하지 않는다. (○, X)
(3) 수사는 문장에서 쓰일 때 반드시 조사와 결합한다. (○, X)
(4) 대명사는 사물이 아닌 사람만을 가리킨다. (○, X)

5 다음 문장에서 체언에 해당하는 것을 모두 찾아 쓰시오.

> 그는 집에 오자마자 손을 씻고 사과 하나를 먹었다.

6 품사의 종류가 나머지와 다른 하나는?

① 나 ② 우리 ③ 하늘
④ 저희 ⑤ 그곳

(2) 용언

- 문장에서 주체의 동작, 상태, 성질을 서술하는 단어이다.
- 동사와 형용사를 통틀어 이르는 말이다.
- 단어의 기본형은 '-다'로 끝난다.
- 문장에서 쓰일 때 형태가 다양하게 변하는데, 이를 활용(活用)이라고 한다.

동사	• 사람이나 사물의 움직임을 나타내는 단어 예 뛰다, 먹다, 웃다, 자다, 날다 • 현재형(-ㄴ다/-는다), 명령형(-아라/-어라), 청유형(-자)이 가능함. 예 밥을 먹는다 / 먹어라 / 먹자 (○)
형용사	• 사람이나 사물의 상태나 성질을 나타내는 단어 예 맑다, 푸르다, 고요하다, 향기롭다, 착하다 • 현재형(-ㄴ다/-는다), 명령형(-아라/-어라), 청유형(-자)이 불가능함. 예 태희가 예쁜다 / 태희야, 예뻐라 / 태희야, 예쁘자 (X)

(3) 수식언

- 문장에서 다른 단어를 꾸며 주는 기능을 하는 단어이다.
- 관형사와 부사를 통틀어 이르는 말이다.
- 문장에서 쓰일 때 형태가 변하지 않는다.

관형사	• 체언 앞에 놓여서 체언을 꾸며 주는 단어 • 조사와 결합하지 않음. 예 새, 헌, 옛, 첫, 이, 그, 저, 한, 두, 여러, 온갖, 모든
부사	• 주로 용언 앞에 놓여서 용언을 꾸며 주는 단어 • 다른 부사나 관형사, 체언, 문장 전체를 꾸미기도 함. • 문장 내에서 위치가 비교적 자유로움. • 보조사('은, 는, 도, 만' 등)와 결합할 수 있음. 예 매우, 많이, 빨리, 아주, 너무, 잘, 이리, 그리, 과연, 그리고

(4) 관계언

- 문장에 쓰인 단어들의 문법적 관계를 나타내는 기능을 하는 단어이다.
- 조사를 이르는 말이다.
- 홀로 쓰이지 못하고 반드시 다른 단어에 붙어서 쓰인다.
- 문장에서 쓰일 때 형태가 변하지 않지만, 예외적으로 서술격 조사 '이다'는 형태가 변한다.

조사	주로 체언 뒤에 붙어 다른 말과의 문법적 관계를 나타내거나, 특별한 뜻을 더해 주는 단어 예 이/가, 을/를, 의, 으로, 에서, 께서, 에게, 이다, 도, 만, 조차

(5) 독립언

- 문장에서 다른 말들에 얽매이지 않고 독립적으로 쓰이는 단어이다.
- 감탄사를 이르는 말이다.
- 문장에서 쓰일 때 형태가 변하지 않으며, 조사와 결합하지 않는다.
- 생략되어도 문장이 성립하는 데 큰 영향을 주지 않는다.

감탄사	놀람, 반가움 등의 느낌이나 부름, 대답을 나타내는 단어 예 앗, 아하, 어머나, 응, 네, 그래, 어이, 야, 여보세요

개념 확인 문제

7 용언에 대한 설명을 읽고 ○ 또는 X에 표시하시오.

(1) 용언은 '어찌하다', '어떠하다'를 나타내는 단어이다. (○, X)

(2) 형태를 기준으로 품사를 나눌 때, 용언은 불변어에 해당한다. (○, X)

(3) 동사는 명령형으로 나타낼 수 있지만 형용사는 명령형으로 나타낼 수 없다. (○, X)

8 밑줄 친 말이 동사이면 '동', 형용사이면 '형'이라고 쓰시오.

(1) 나와 함께 <u>달리자.</u> (   )

(2) 형이 숙제를 <u>도와줬다.</u> (   )

(3) 날이 밝으려면 아직 <u>멀었다.</u> (   )

(4) 동생은 나보다 세 살 <u>어리다.</u> (   )

9 부사의 특징이 <u>아닌</u> 것은?

① 주로 용언을 꾸며 준다.
② 조사와 결합하지 않는다.
③ 문장 전체를 꾸미기도 한다.
④ 문장에서 위치가 비교적 자유롭다.
⑤ 문장에서 쓰일 때 형태가 변하지 않는다.

10 다음 문장에서 관형사, 부사, 조사를 찾아 각각 쓰시오.

> 이 책상은 아주 낡았지만, 나는 새 책상보다 이것을 더 소중하게 여긴다.

(1) 관형사: ____________

(2) 부사: ____________

(3) 조사: ____________

11 다음 문장에 사용된 품사가 <u>아닌</u> 것은?

> 하늘만큼 땅만큼 너를 사랑해.

① 명사 ② 조사
③ 동사 ④ 감탄사
⑤ 대명사

실전 문제

01 국어의 품사를 분류하는 기준을 〈보기〉에서 모두 고른 것은?

보기
- ㉠ 단어가 만들어지는 방법에 따라
- ㉡ 단어의 형태가 변하는지 여부에 따라
- ㉢ 단어가 문장 속에서 하는 기능에 따라
- ㉣ 단어가 지니고 있는 공통된 의미에 따라
- ㉤ 단어가 홀로 쓰일 수 있는지 여부에 따라

① ㉠, ㉡, ㉢ ② ㉠, ㉡, ㉣ ③ ㉡, ㉢, ㉣
④ ㉡, ㉣, ㉤ ⑤ ㉢, ㉣, ㉤

02 품사에 대한 설명으로 알맞지 않은 것은?

① 명사, 대명사, 수사를 체언이라고 한다.
② 움직임을 나타내는 단어를 동사라고 한다.
③ 용언, 독립언, 관계언은 불변어에 해당한다.
④ 관형사와 부사를 통틀어 수식언이라고 한다.
⑤ 부름이나 대답을 나타내는 단어는 감탄사이다.

03 〈보기〉에서 설명하는 품사의 단어로만 묶인 것은?

보기
구체적이거나 추상적인 대상의 이름을 나타내는 단어

① 가다, 먹다, 자다 ② 높다, 많다, 크다
③ 누구, 당신, 여기 ④ 매우, 많이, 정말
⑤ 사과, 서울, 행복

04 〈보기〉의 특성을 지닌 단어가 아닌 것은?

보기
- 문장의 주체를 서술하는 역할을 한다.
- 활용하면서 형태가 변한다.

① 오다 ② 빨리 ③ 노랗다
④ 즐겁다 ⑤ 말하다

05 의미를 기준으로 품사를 나눌 때, ㉠~㉢의 품사를 쓰시오.

그(㉠) 사람에게는 여동생 하나(㉡)와 남동생 둘이(㉢) 있다.

㉠: ________ ㉡: ________ ㉢: ________

06 밑줄 친 단어의 품사가 잘못 연결된 것은?

① 그녀는 무척 예쁘다. – 부사
② 저 가방이 마음에 든다. – 명사
③ 나는 점심을 맛있게 먹었다. – 형용사
④ 비행기가 구름 위를 날아간다. – 동사
⑤ 새 옷을 아주 깨끗이 빨았다. – 관형사

07 다음 문장에 사용된 품사가 아닌 것은?

우리는 이제 중학생이 되어 초등학교를 떠납니다.

① 명사 ② 부사 ③ 대명사
④ 조사 ⑤ 관형사

08 〈보기〉의 ㉠~㉤ 중 조사가 아닌 것은?

보기
학교㉠에 가려고 집㉡을 나서다가 잊은 것이 있어서 도로 집에 갔다. 그런데 내가 뭘 가지러 왔는지 생각㉢이 나지 않았다. 한참을 고민하며 찾다가 애꿎㉣은 우산 하나를 가져왔다. 그날은 하루 종일 햇빛이 쨍쨍했고, 난 체육 시간에 교복 차림으로 축구를 해야만 했다. 난 참 바보㉤이다.

① ㉠ ② ㉡ ③ ㉢ ④ ㉣ ⑤ ㉤

09 밑줄 친 단어의 품사가 수식언이 아닌 것은?

① 과연 그게 사실일까?
② 어제 새 가방을 샀다.
③ 온갖 꽃들이 피어난다.
④ 하얀 눈이 펑펑 내린다.
⑤ 나무들이 모두 쓰러졌다.

10 〈보기〉에서 감탄사를 모두 찾아 쓰시오.

보기
아버지: 현우야, 아빠랑 운동하러 갈래?
현우: 네, 그럴게요.
어머니: 여보, 지금 시간이 너무 늦었어요. 내일 해요.
아버지: 이런, 벌써 시간이 이렇게 됐네.

____

11 밑줄 친 단어 중 체언이 아닌 것은?

① 자네는 여기서 기다리게.
② 우리 민족의 특질과 통한다.
③ 저 학생은 방금 여기에 왔습니다.
④ 나현이는 하나를 가르치면 열을 안다.
⑤ 눈물을 닦아 낼 수 있는 것은 웃음이다.

12 밑줄 친 단어 중 관형사가 아닌 것은?

① 엄마, 나도 저런 옷을 입고 싶어요.
② 그 사람은 살며시 선물을 건네주었다.
③ 온 세상 어린이들을 다 만나고 오겠네.
④ 두껍아, 두껍아, 헌 집 줄게. 새 집 다오.
⑤ 모든 사람들이 민호를 쳐다보는 것 같았다.

13 〈보기〉의 ㉠~㉤ 중 품사가 다른 것은?

보기

나른한 오후, 점심시간 직후의 수업은 집중하기가 ㉠정말 힘들다. 오늘도 수업 시간에 ㉡꾸벅꾸벅 졸고 있는데, 선생님께서 내 주위를 쳐다보시며 "어이, 거기 너!"라고 말씀하셨다. ㉢갑자기 잠이 ㉣확 달아났다. 나는 엉겁결에 "저요?"라고 잠이 덜 ㉤깬 목소리로 말했고, 교실은 웃음바다가 되었다.

① ㉠ ② ㉡ ③ ㉢ ④ ㉣ ⑤ ㉤

14 〈보기〉에 대한 설명으로 적절하지 않은 것은?

보기

와, 사과가 모두 맛있네.

① 5가지의 품사가 사용된 문장이다.
② '와'가 없어도 문장이 무리 없이 성립한다.
③ '사과'는 단독으로 쓰이지 못하는 단어이다.
④ '모두'는 다른 단어를 꾸며 주는 기능을 한다.
⑤ '맛있네'는 단어가 활용하여 형태가 변한 것이다.

15 〈보기〉에 사용된 조사의 개수로 알맞은 것은?

보기

오늘은 전교생이 경복궁으로 소풍을 가는 날이다.

① 1개 ② 2개 ③ 3개
④ 4개 ⑤ 5개

16 밑줄 친 단어 중 수사가 아닌 것은? (정답 2개)

① 한 사람이 걸어간다.
② 중요한 것은 첫째, 신뢰이다.
③ 형준이는 친한 친구가 다섯이다.
④ 은지가 케이크 두 조각을 주었다.
⑤ 나는 오렌지 하나를 동생과 나누어 먹었다.

17 문장에서 사용되는 형태를 기준으로 할 때, 밑줄 친 단어의 품사가 다른 하나는?

① 참으로 맑고 아름다운 강물이다.
② 그는 열심히 공부하는 학생이다.
③ 작은 새가 나무 위에서 지저귄다.
④ 나는 사랑하는 사람과 함께 있다.
⑤ 고양이가 슬금슬금 곁으로 다가왔다.

18 감탄사가 사용된 문장이 아닌 것은?

① 응, 같이 갈게.
② 여보세요! 말 좀 물읍시다.
③ 슬기야, 이 책 좀 빌려줄래?
④ 어머나, 현정이가 또 지각이네.
⑤ 이크, 약속 시간에 너무 늦어 버렸네.

19 의미를 기준으로 품사를 나눌 때, 〈보기〉에 쓰인 품사를 모두 쓰시오.

보기

나는 오늘도 이 비를 맞으며 당신을 그리워하네.

20 〈보기〉의 밑줄 친 내용에 해당하는 예는?

보기

동사는 명령형과 청유형, 현재형으로 표현할 수 있지만 형용사는 불가능하다. 그런데도 우리는 형용사를 청유형이나 명령형으로 나타내는 경우가 있는데, 이는 어법에 어긋나는 표현이다.

① 이제 그만 일어나거라.
② 너는 언제나 행복해라.
③ 지민아, 우리 영화 보러 가자.
④ 찬희야, 죽이라도 먹어 보려무나.
⑤ 여러분, 이웃에 관심을 가지십시오.

04 어휘의 체계와 양상

정답과 해설 26 ▶▶

1 어휘의 체계

- 어휘란 공통된 성격을 지닌 단어들의 집합이다.
- 어휘는 기원에 따라 고유어, 한자어, 외래어로 나눌 수 있다.

(1) 고유어

개념	예부터 우리말에 있었거나 우리말에 기초하여 새로 만들어진 말
특징	• 우리 민족 특유의 정서와 문화가 반영된 표현이 풍부함. • 촉감, 색깔, 모양 등 감각을 생생하게 표현할 수 있는 어휘가 많음.
예	하루, 구름, 나무, 생각, 느낌, 푸르다, 푸르스름하다, 깡충깡충

(2) 한자어

개념	한자에 기초하여 만들어진 말
특징	• 추상적인 개념이나 전문 분야의 개념을 나타내는 어휘가 많음. • 고유어에 비해 좀 더 분화된 의미를 지녀서 고유어를 보완함.
예	교실(敎室), 자동차(自動車), 감정(感情), 음악(音樂), 독서(讀書)

(3) 외래어

개념	다른 나라에서 들어온 말 가운데 우리말로 인정되는 말
특징	• 외국 문화와 접촉하면서 들어와 우리말 어휘를 보충해 줌. • 무분별하게 사용하면 우리말의 정체성을 해칠 수 있음.
예	버스(bus), 컴퓨터(computer), 피자(pizza), 디자이너(designer)

2 어휘의 양상

(1) 표준어: 여러 방언 가운데 공통어로서의 자격을 부여받은 것

(한 언어가 지역적 원인 또는 사회적 원인에 따라 달라진 말)

(2) 지역 방언: 같은 언어 내에서 지역에 따라 달라진 말로, 지역 방언은 우리말의 어휘를 풍부하게 하고 그 지역의 정서와 특색을 느낄 수 있게 한다.

예 표준어 '옥수수' → 옥데기(강원, 경북), 옥수꾸(경기, 경상, 충청)

(3) 사회 방언

- 세대나 사회 집단 등 사회적 요인에 따라 다르게 쓰이는 말이다.

세대에 따른 어휘	청소년층, 장년층, 노년층 등 세대에 따라 사용하는 어휘에 차이가 있음. 예 청소년층 – 줄임말이나 유행어, 노년층 – 한자어나 예스런 표현
집단에 따른 어휘	• 전문어: 직업이나 전문 분야에서 특별한 의미로 사용하는 말로, 한자어나 외래어인 경우가 많음. 예 '염화 나트륨'(소금) – 화학 분야의 용어 • 은어: 특정 집단의 사람들이 자기들끼리의 비밀을 유지하려고 쓰는 말 예 '날치'(날짐승) – 사냥꾼들의 은어

- 사회 방언은 이를 사용하는 집단의 특성을 반영하며, 구성원들의 소속감을 강화하거나 집단 내에서 의사소통의 효율성을 높인다.
- 해당 어휘의 의미를 모르는 사람은 소외감을 느낄 수 있으므로 상황과 상대에 맞게 적절한 어휘를 사용해야 한다.

개념 확인 문제

1 어휘에 대한 설명을 읽고 ○ 또는 X에 표시하시오.

(1) 어휘란 공통된 성격을 지닌 단어들의 집합을 뜻한다. (○, X)

(2) 어휘는 사용 분야에 따라 고유어, 한자어, 외래어로 나눈다. (○, X)

(3) 한자어는 추상적인 개념을 나타내는 어휘가 많다. (○, X)

(4) 외래어는 다른 나라에서 들어온 말이므로, 국어로 인정되지 않는다. (○, X)

2 다음 중 한자어가 아닌 것은?

① 정보 ② 식탁 ③ 미래 ④ 세상 ⑤ 다섯

3 밑줄 친 단어 중 고유어를 모두 골라 쓰시오.

> 오늘따라 잠이 오지 않아서 텔레비전을 틀었다. 드라마를 잠깐 보다가 끄고 책을 읽었다. 어느 순간 눈이 감겼다.

4 다음 빈칸에 알맞은 말을 쓰시오.

(1) (   )는 한 언어 내에서 공통어로서의 자격을 부여받은 말이다.

(2) (   )은 한 언어 내에서 지역에 따라 달라진 말이다.

(3) 은어는 특정 집단의 사람들이 자기들끼리의 (   )을 유지하려는 목적으로 쓰는 말이다.

(4) (   )는 직업이나 전문 분야에서 특별한 의미로 사용하는 말이다.

5 〈보기〉에서 알 수 있는 사회 방언의 발생 요인을 한 단어로 쓰시오.

> 보기
> 중학생인 지현이는 줄임말을 자주 쓰는데, 할아버지가 줄임말을 거의 못 알아들으셔서 다시 설명해 드릴 때가 많다.

실전 문제

정답과 해설 26 ▶▶

01 어휘에 대한 설명으로 알맞지 않은 것은?

① 개별적인 낱낱의 단어를 가리킨다.
② 단어의 기원에 따라 어휘를 나눌 수 있다.
③ 단어를 체계적으로 파악하는 데 도움이 된다.
④ 한자에 기초하여 만들어진 말을 한자어라고 한다.
⑤ 외래어는 다른 나라에서 들어온 말로 국어로 인정된다.

02 〈보기〉에 해당하는 단어가 아닌 것은?

보기
예부터 우리말에 있었거나 우리말에 기초하여 새로 만들어진 말

① 나물 ② 지우개 ③ 노랗다
④ 체육복 ⑤ 퐁당퐁당

03 ㉠~㉦을 어휘의 유형에 따라 분류하여 각각 기호를 쓰시오.

소희: ㉠토요일에 같이 ㉡등산하러 갈래?
주원: 오후에 ㉢아르바이트해야 해서 안 될 것 같아.
소희: 그럼 ㉣낮에 ㉤점심이라도 같이 먹을래? 네가 좋아하는 ㉥스파게티 사 줄게.
주원: 그래. 내가 너희 ㉦아파트 근처로 갈게.

(1) 고유어: ______ (2) 한자어: ______
(3) 외래어: ______

04 〈보기〉에서 알 수 있는 고유어의 특성으로 알맞은 것은?

보기
• 붉다, 빨갛다, 새빨갛다, 불긋하다, 불그스름하다
• 폴짝, 팔짝팔짝, 살금살금, 줄줄, 주르륵, 주룩주룩

① 한자어에 비해 의미가 포괄적이다.
② 농사와 관련된 말이 매우 발달하였다.
③ 전문 분야의 개념을 나타내는 말이 많다.
④ 감각을 생생하게 표현할 수 있는 말이 많다.
⑤ 지역별 문화와 정서를 나타내는 말이 발달하였다.

05 〈보기〉의 밑줄 친 한자어들과 바꾸어 사용할 수 있는 말은?

보기
• 병을 치료(治療)하다 • 답안을 수정(修訂)하다
• 자전거를 수리(修理)하다 • 구두를 수선(修繕)하다

① 쓰다 ② 고치다 ③ 느끼다
④ 만들다 ⑤ 생각하다

06 표준어와 방언에 대한 설명으로 적절하지 않은 것은?

① 지역 방언은 지역에 따라 다르게 쓰이는 말이다.
② 사회 방언은 사회적 요인에 따라 달라진 말이다.
③ 방언은 의사소통을 방해하므로 차차 없애 나가야 한다.
④ 같은 방언을 쓰는 사람들은 서로 유대감을 느낄 수 있다.
⑤ 표준어는 의사소통의 불편을 덜기 위해 정한 공통어이다.

07 〈보기〉의 밑줄 친 어휘에 대한 설명으로 알맞은 것은?

보기
심마니 1: 이보게, 여기 띠적났네!
심마니 2: 내가 가서 주루묵 가져오겠네.
심마니 1: 도자도 좀 갖다주게!

* 띠적나다: 산삼이 무더기로 발견되다
* 주루묵: 배낭, 망태기
* 도자: 칼

① 사회의 부정적인 면을 비판하기 위해 만들어진 말이다.
② 불쾌감을 유발하는 말을 부드럽게 돌려서 표현한 말이다.
③ 말의 재미를 더하고 친밀감을 높이고자 사용하는 말이다.
④ 비교적 짧은 시기에 걸쳐 다수의 입에 오르내리는 말이다.
⑤ 집단의 비밀을 유지하기 위해 외부인이 알아듣지 못하도록 만든 말이다.

08 〈보기〉에서 설명하는 어휘의 예로 적절한 것은?

보기
직업이나 특정 전문 분야에서 특별한 의미로 사용하는 말로, 전문 개념을 명확하게 나타낸다. 그러나 해당 분야를 잘 모르는 사람은 의미를 이해하기 어려운 경우가 많다.

① '가다'와 '오다', '남자'와 '여자'는 의미가 서로 반대된다.
② '부추'를 뜻하는 다른 말로 '정구지', '솔', '세우리' 등이 있다.
③ 외모 지상주의를 반영한 '얼짱'이라는 말이 한동안 유행하였다.
④ 강원도에서는 '나무'를 '낭구'라고 하고, 제주도에서는 '낭'이라고 한다.
⑤ '쥘리엔', '콩카세'는 요리 분야에서 음식 재료를 자르는 방법을 뜻하는 말이다.

09 〈보기〉에서 의사소통이 잘 이루어지지 못한 이유를 쓰시오.

보기
아영: 할머니, 저 오늘 생선으로 양말 받았어요.
할머니: 오늘 생선을 먹었다고?

05 단어의 정확한 발음과 표기

❶ 표준 발음법의 개념과 필요성

(1) 개념: 표준어를 발음할 때의 표준을 정한 규범이다.

(2) 원칙: 표준어의 실제 발음을 따르되, 국어의 전통성과 합리성을 고려하여 정함을 원칙으로 한다.

(3) 필요성: 같은 단어라도 말하는 사람에 따라 다르게 소리 날 수 있으므로, 의사소통을 원활하게 하려면 다양한 발음 가운데 표준을 정하고 이를 따라야 한다.

❷ 표준 발음법의 내용

(1) 모음의 발음

제4항 'ㅏ ㅐ ㅓ ㅔ ㅗ ㅚ ㅜ ㅟ ㅡ ㅣ'는 단모음으로 발음한다.
[붙임] 'ㅚ, ㅟ'는 이중 모음으로 발음할 수 있다.

제5항 'ㅑ ㅒ ㅕ ㅖ ㅘ ㅙ ㅛ ㅝ ㅞ ㅠ ㅢ'는 이중 모음으로 발음한다.
다만 3. 자음을 첫소리로 가지고 있는 음절의 'ㅢ'는 [ㅣ]로 발음한다.

늴리리 무늬 띄어쓰기 씌어 틔어 희어 희떱다 희망

다만 4. 단어의 첫음절 이외의 '의'는 [ㅣ]로, 조사 '의'는 [ㅔ]로 발음함도 허용한다.

주의[주의/주이] 협의[혀븨/혀비] 우리의[우리의/우리에]

(2) 받침의 발음

제8항 받침소리로는 'ㄱ, ㄴ, ㄷ, ㄹ, ㅁ, ㅂ, ㅇ'의 7개 자음만 발음한다.

제9항 받침 'ㄲ, ㅋ', 'ㅅ, ㅆ, ㅈ, ㅊ, ㅌ', 'ㅍ'은 어말 또는 자음 앞에서 각각 대표음 [ㄱ, ㄷ, ㅂ]으로 발음한다.

닦다[닥따] 키읔[키윽] 키읔과[키윽꽈] 옷[옫] 웃다[욷:따]
있다[읻따] 젖[젇] 빚다[빋따] 꽃[꼳] 쫓다[쫃따]
솥[솓] 뱉다[밷:따] 앞[압] 덮다[덥따]

제10항 겹받침 'ㄳ', 'ㄵ', 'ㄼ, ㄽ, ㄾ', 'ㅄ'은 어말 또는 자음 앞에서 각각 [ㄱ, ㄴ, ㄹ, ㅂ]으로 발음한다.

넋[넉] 넋과[넉꽈] 앉다[안따] 여덟[여덜] 넓다[널따]
외곬[외골] 핥다[할따] 값[갑] 없다[업:따]

다만, '밟-'은 자음 앞에서 [밥]으로 발음하고, '넓-'은 다음과 같은 경우에 [넙]으로 발음한다.

(1) 밟다[밥:따] 밟지[밥:찌] 밟는[밥:는 → 밤:는] 밟고[밥:꼬]
(2) 넓-죽하다[넙쭈카다] 넓-둥글다[넙뚱글다]

제11항 겹받침 'ㄺ, ㄻ, ㄿ'은 어말 또는 자음 앞에서 각각 [ㄱ, ㅁ, ㅂ]으로 발음한다.

닭[닥] 맑다[막따] 늙지[늑찌] 삶[삼:] 젊다[점:따] 읊고[읍꼬]

다만, 용언의 어간 말음 'ㄺ'은 'ㄱ' 앞에서 [ㄹ]로 발음한다.

맑게[말께] 묽고[물꼬] 얽거나[얼꺼나]

개념 확인 문제

1 다음 빈칸에 알맞은 말을 쓰시오.
(1) 표준 발음법은 (　　　　　)를 발음할 때의 표준을 정한 규범이다.
(2) 표준어는 (　　　　　)을 따르되, 국어의 전통성과 합리성을 고려하여 정함을 원칙으로 한다.

2 모음 'ㅏ ㅐ ㅓ ㅔ ㅗ ㅚ ㅜ ㅟ ㅡ ㅣ'는 (단모음, 이중 모음)으로 발음한다.

3 '무늬'의 '늬'와 같이 자음을 첫소리로 가지고 있는 음절의 'ㅢ'는 [　　　]로 발음한다.

4 밑줄 친 부분의 모음을 [ㅔ]로 발음할 수 있는 것은?
① 유희 ② 협의
③ 늴큼 ④ 민주주의
⑤ 나의 사랑

5 받침소리로 발음하는 자음 7개를 모두 쓰시오.

6 받침 'ㅅ, ㅆ, ㅈ, ㅊ, ㅌ'은 어말 또는 자음 앞에서 [ㄷ]으로 발음한다. (○, X)

7 다음 단어의 발음이 표준 발음법에 맞으면 ○, 틀리면 X를 하시오.
(1) 키읔[키윽] (　　)
(2) 앉다[안따] (　　)
(3) 없다[업:따] (　　)
(4) 늙지[늘찌] (　　)
(5) 넓다[널따] (　　)
(6) 넓죽하게[널쭈카게] (　　)

제12항 받침 'ㅎ'의 발음은 다음과 같다.

1. 'ㅎ(ㄶ, ㅀ)' 뒤에 'ㄱ, ㄷ, ㅈ'이 결합되는 경우에는, 뒤 음절 첫소리와 합쳐서 [ㅋ, ㅌ, ㅊ]으로 발음한다.

놓고[노코]	좋던[조:턴]	쌓지[싸치]	많고[만:코]	않던[안턴]	닳지[달치]

2. 'ㅎ(ㄶ, ㅀ)' 뒤에 'ㅅ'이 결합되는 경우에는, 'ㅅ'을 [ㅆ]으로 발음한다.

닿소[다:쏘]	많소[만:쏘]	싫소[실쏘]

3. 'ㅎ' 뒤에 'ㄴ'이 결합되는 경우에는, [ㄴ]으로 발음한다.

놓는[논는]	쌓네[싼네]

[붙임] 'ㄶ, ㅀ' 뒤에 'ㄴ'이 결합되는 경우에는, 'ㅎ'을 발음하지 않는다.

4. 'ㅎ(ㄶ, ㅀ)' 뒤에 모음으로 시작된 어미나 접미사가 결합되는 경우에는, 'ㅎ'을 발음하지 않는다.

낳은[나은]	놓아[노아]	쌓이다[싸이다]	많아[마:나]
않은[아는]	닳아[다라]	싫어도[시러도]	

제13항 홑받침이나 쌍받침이 모음으로 시작된 조사나 어미, 접미사와 결합되는 경우에는, 제 음가대로 뒤 음절 첫소리로 옮겨 발음한다.

깎아[까까]	옷이[오시]	있어[이써]	꽂아[꼬자]
꽃을[꼬츨]	쫓아[쪼차]	밭에[바테]	앞으로[아프로]

제14항 겹받침이 모음으로 시작된 조사나 어미, 접미사와 결합되는 경우에는, 뒤엣것만을 뒤 음절 첫소리로 옮겨 발음한다.(이 경우, 'ㅅ'은 된소리로 발음함.)

넋이[넉씨]	앉아[안자]	닭을[달글]	젊어[절머]	곬이[골씨]
핥아[할타]	읊어[을퍼]	값을[갑쓸]	없어[업:써]	

제15항 받침 뒤에 모음 'ㅏ, ㅓ, ㅗ, ㅜ, ㅟ'들로 시작되는 실질 형태소가 연결되는 경우에는, 대표음으로 바꾸어서 뒤 음절 첫소리로 옮겨 발음한다.

밭 아래[바다래]	늪 앞[느밥]	젖어미[저더미]	맛없다[마덥따]
겉옷[거돋]	헛웃음[허두슴]	꽃 위[꼬뒤]	

다만, '맛있다, 멋있다'는 [마싣따], [머싣따]로도 발음할 수 있다.

[붙임] 겹받침의 경우에는, 그중 하나만을 옮겨 발음한다.

넋 없다[너겁따]	닭 앞에[다가페]	값어치[가버치]	값있는[가빈는]

❸ 한글 맞춤법

(1) 개념: 한글로써 우리말을 표기하는 규칙의 전반을 이른다.

(2) 원칙: 한글 맞춤법은 표준어를 소리대로 적되, 어법에 맞도록 함을 원칙으로 한다.

(3) 표기가 헷갈리는 단어의 예

- 안/않: '안'은 '아니'의 준말이고, '않'은 '아니하-'의 준말이다.
- 되/돼: '되어'로 풀 수 없는 말은 '되'로 적고, 풀 수 있는 말은 '돼'로 적는다.

개념 확인 문제

8 다음 단어의 표준 발음을 쓰시오.

(1) 맑다 [ ]
(2) 맑게 [ ]
(3) 놓고 [ ]
(4) 놓아 [ ]
(5) 쌓네 [ ]

9 단어의 표준 발음이 틀린 것은?

① 닳다[달타] ② 많이[마:니]
③ 쌓는[쌀는] ④ 않네[안네]
⑤ 끓지만[끌치만]

10 '밭에[바테]'와 같이 홑받침이나 쌍받침이 모음으로 시작된 조사나 어미, 접미사와 결합되는 경우에는, 제 음가대로 뒤 음절 첫소리로 옮겨 발음한다. (O, X)

11 다음 단어의 발음이 표준 발음법에 맞으면 O, 틀리면 X를 하시오.

(1) 낮이[나치] ( )
(2) 닭이[다기] ( )
(3) 늪 앞[느밥] ( )
(4) 헛웃음[허두슴] ( )
(5) 덮이다[더피다] ( )

12 ㉠~㉢의 표준 발음을 쓰시오.

보기
그에게 ㉠읊어 줄 시를 한 편 외웠다. 그를 위해 예쁜 ㉡꽃을 준비하고 음식도 차렸다. 그가 ㉢맛있게 먹었으면 좋겠다.

㉠: ________ ㉡: ________

㉢: ________

13 빈칸에 알맞은 말을 〈보기〉에서 골라 쓰시오.

보기
되, 돼, 안, 않

(1) 나 먼저 가도 ( )니?
(2) 도서관에 가지 ( )았다.
(3) 오늘은 공원에 ( ) 갔다.
(4) 선물 포장이 거의 다 ( ) 갑니다.

실전 문제

01 〈보기〉를 바탕으로 하여 표준 발음법의 필요성을 설명한 내용이 알맞은 것은?

보기
주은: 나는 빛이[비시] 좋아.
희수: 빗? 그럼 네 생일에 빗 선물해 줄까?

① 말소리는 시간의 흐름에 따라 달라질 수 있기 때문이다.
② 표준어와 지역 방언을 구분해서 사용해야 하기 때문이다.
③ 사람들의 다양한 발음 습관을 모두 존중해야 하기 때문이다.
④ 같은 단어를 사람마다 다르게 발음하면 의사소통에 문제가 생기기 때문이다.
⑤ 서로 의사를 분명하게 전달하려면 어법에 맞게 우리말을 표기해야 하기 때문이다.

02 〈보기〉의 표준 발음법 규정에 따를 때, 단어의 표준 발음이 바르게 제시되지 않은 것은?

보기
제8항 받침소리로는 'ㄱ, ㄴ, ㄷ, ㄹ, ㅁ, ㅂ, ㅇ'의 7개 자음만 발음한다.
제9항 받침 'ㄲ, ㅋ', 'ㅅ, ㅆ, ㅈ, ㅊ, ㅌ', 'ㅍ'은 어말 또는 자음 앞에서 각각 대표음 [ㄱ, ㄷ, ㅂ]으로 발음한다.

① 앞[압] ② 빗다[빋따] ③ 쫓다[쪼따]
④ 닦다[닥따] ⑤ 키읔과[키윽꽈]

03 〈보기〉의 표준 발음법 규정에 대한 예로 알맞은 것은?

보기
'ㅎ(ㄶ, ㅀ)' 뒤에 'ㄱ, ㄷ, ㅈ'이 결합되는 경우에는, 뒤 음절 첫소리와 합쳐서 [ㅋ, ㅌ, ㅊ]으로 발음한다.

① 낳은 ② 싫소 ③ 놓는
④ 닳지 ⑤ 쌓이다

04 ㉠~㉢의 표준 발음을 바르게 쓰시오.

- 아름다운 ㉠꽃
- 화단에 핀 ㉡꽃에 물을 주었다.
- 하얀색 ㉢꽃 위에 나비가 앉았다.

㉠: ________ ㉡: ________ ㉢: ________

05 〈보기〉를 참고할 때, 표준 발음이 아닌 것은?

보기
- 겹받침 'ㄳ', 'ㄵ', 'ㄼ, ㄽ, ㄾ', 'ㅄ'은 어말 또는 자음 앞에서 각각 [ㄱ, ㄴ, ㄹ, ㅂ]으로 발음한다.
- '밟-'은 자음 앞에서 [밥]으로 발음한다.

① 값[갑] ② 넓다[널따] ③ 넋과[넉꽈]
④ 앉다[안따] ⑤ 밟고[발:꼬]

06 〈보기〉의 표준 발음법을 참고하여 단어의 올바른 발음을 탐구한 내용으로 적절하지 않은 것은?

보기
제11항 겹받침 'ㄺ, ㄻ, ㄿ'은 어말 또는 자음 앞에서 각각 [ㄱ, ㅁ, ㅂ]으로 발음한다.
다만, 용언의 어간 말음 'ㄺ'은 'ㄱ' 앞에서 [ㄹ]로 발음한다.

① '맑다'는 [막따]로 발음해야 한다.
② '늙지'는 [늑찌]로 발음해야 한다.
③ '읊고'는 [읍꼬]로 발음해야 한다.
④ '젊다'는 [점:따]로 발음해야 한다.
⑤ '얽거나'는 [얼꺼나]로 발음해야 한다.

07 밑줄 친 부분의 발음이 올바르지 않은 것은?

① 내 몫은 어디 있습니까? → [모근]
② 값을 치르고 가게를 나왔다. → [갑쓸]
③ 제 곁을 떠나지 말아 주세요. → [겨틀]
④ 우리 참외랑 사과 깎아 먹자. → [까까]
⑤ 앞으로 어떻게 할지 생각을 해 보세. → [아프로]

08 〈보기〉의 단어들을 발음할 때 적용되는 표준 발음법 규정으로 알맞은 것은?

보기
놓아[노아] 않은[아는] 닳아[다라] 싫어도[시러도]

① 'ㅎ' 뒤에 'ㄴ'이 결합되는 경우에는, [ㄴ]으로 발음한다.
② 겹받침 'ㄺ, ㄻ, ㄿ'은 어말 또는 자음 앞에서 각각 [ㄱ, ㅁ, ㅂ]으로 발음한다.
③ 'ㅎ(ㄶ, ㅀ)' 뒤에 모음으로 시작된 어미나 접미사가 결합되는 경우에는, 'ㅎ'을 발음하지 않는다.
④ 받침 'ㄲ, ㅋ', 'ㅅ, ㅆ, ㅈ, ㅊ, ㅌ', 'ㅍ'은 어말 또는 자음 앞에서 각각 대표음 [ㄱ, ㄷ, ㅂ]으로 발음한다.
⑤ 'ㅎ(ㄶ, ㅀ)' 뒤에 'ㄱ, ㄷ, ㅈ'이 결합되는 경우에는, 뒤 음절 첫소리와 합쳐서 [ㅋ, ㅌ, ㅊ]으로 발음한다.

[09~11] 다음 표준 발음법 규정을 읽고 물음에 답하시오.

제5항 'ㅑ ㅒ ㅕ ㅖ ㅘ ㅙ ㅛ ㅝ ㅞ ㅠ ㅢ'는 이중 모음으로 발음한다.
다만 3. 자음을 첫소리로 가지고 있는 음절의 'ㅢ'는 [ㅣ]로 발음한다.
다만 4. 단어의 첫음절 이외의 '의'는 [ㅣ]로, 조사 '의'는 [ㅔ]로 발음함도 허용한다.

09 위 표준 발음법 규정을 참고할 때, 표준 발음이 아닌 것은?

① 무늬[무니] ② 희망[희망] ③ 의심[의:심]
④ 틔다[티:다] ⑤ 띄어쓰기[띠어쓰기]

10 위 표준 발음법 규정을 참고하여 단어의 올바른 발음을 탐구한 내용으로 적절하지 않은 것은?

① '의사'는 [의:사]로 발음해야 한다.
② '주의'는 [주이]라고 발음할 수 있다.
③ '의리'를 [이:리]라고 발음하면 틀린 것이다.
④ '우리의'를 [우리에]로 발음하면 틀린 것이다.
⑤ '협의'는 [혀븨]와 [혀비] 두 가지로 발음할 수 있다.

11 다음 문구의 발음으로 올바르지 않은 것은?

민주주의의 의의

① [민주주의의 의:의] ② [민주주이의 의:이]
③ [민주주의에 의:이] ④ [민주주이에 의:의]
⑤ [민주주이의 으:이]

12 ㉠~㉤의 발음이 올바르게 제시되지 않은 것은?

나는 ㉠흙을 좋아한다. 흙을 ㉡밟으면 기분이 좋다. 흙냄새를 맡으면 기분이 더 ㉢좋다. 하늘이 맑은 날에 ㉣밖으로 나가 마당을 거닐며 느끼는 안정감은 어떤 것과도 바꿀 수 없는 ㉤값진 것이다.

① ㉠ – [흘글] ② ㉡ – [발브면]
③ ㉢ – [조:타] ④ ㉣ – [바그로]
⑤ ㉤ – [갑찐]

13 〈보기〉를 바탕으로 단어의 발음을 탐구한 내용이 적절하지 않은 것은?

보기

제4항 'ㅏ ㅐ ㅓ ㅔ ㅗ ㅚ ㅜ ㅟ ㅡ ㅣ'는 단모음으로 발음한다. [붙임] 'ㅚ, ㅟ'는 이중 모음으로 발음할 수 있다.
제8항 받침소리로는 'ㄱ, ㄴ, ㄷ, ㄹ, ㅁ, ㅂ, ㅇ'의 7개 자음만 발음한다.
제12항 받침 'ㅎ'의 발음은 다음과 같다.
2. 'ㅎ(ㄶ, ㅀ)' 뒤에 'ㅅ'이 결합되는 경우에는, 'ㅅ'을 [ㅆ]으로 발음한다.
제13항 홑받침이나 쌍받침이 모음으로 시작된 조사나 어미, 접미사와 결합되는 경우에는, 제 음가대로 뒤 음절 첫소리로 옮겨 발음한다.

① '밖이'는 제13항에 따라 [바끼]로 발음한다.
② '닿소'는 제12항의 2에 따라 [다:쏘]로 발음한다.
③ '옷이'는 제8항과 제13항에 따라 [오디]로 발음한다.
④ 제8항에 따라 '빚'은 [빋]으로, '밭'은 [받]으로 발음한다.
⑤ 제4항의 '붙임'에 따라 '야외'는 [야:웨]로 발음할 수 있다.

14 ㉠~㉢의 표준 발음을 쓰시오.

지민: 시골 할머니 댁에 가서 ㉠닭을 봤어.
태은: ㉡닭?
지민: 응. ㉢닭 앞에 모이를 주니까 잘 먹더라.

㉠: ________ ㉡: ________ ㉢: ________

15 단어의 발음이 올바르지 않은 것은?

① 넓다[널따] ② 넓지[넙찌]
③ 넓으니[널브니] ④ 넓둥글다[넙뚱글다]
⑤ 넓죽하다[넙쭈카다]

16 밑줄 친 부분의 표기가 올바른 것은?

① 나는 정말 어의가 없었다.
② 오늘은 좀 늦게 일어나도 돼.
③ 감기가 다 낳아서 몸이 가뿐하다.
④ 옷에 묻은 얼룩이 잘 지워지지 안았다.
⑤ 그녀는 그 사실을 받아드리기 힘들었다.

06 문장의 짜임

1 문장의 기본 구조

① '누가(무엇이) + 어찌하다'의 구조 → 대상의 동작을 나타냄.
 예 보름달이 뜬다.

② '누가(무엇이) + 어떠하다'의 구조 → 대상의 상태, 성질을 나타냄.
 예 장미꽃이 예쁘다.

③ '누가(무엇이) + 무엇이다'의 구조 → 대상을 지정함. 예 승기는 학생이다.

2 문장의 성분

(1) 주성분: 문장을 이루는 데 주된 골격이 되는 문장 성분. 문장을 이루는 데 반드시 필요하며, 필수 성분이라고도 한다.

주어	문장에서 동작, 상태, 성질 등의 주체가 되는 문장 성분. 문장에서 '누가/무엇이'에 해당함. 예 개나리가 피었다.
서술어	주어의 동작, 상태, 성질 등을 풀이하는 문장 성분. 문장에서 '어찌하다, 어떠하다, 무엇이다'에 해당함. 예 고양이가 생선을 먹는다.
목적어	서술어의 동작 대상이 되는 문장 성분. 문장에서 '무엇을/누구를'에 해당함. 예 수지가 노래를 부른다.
보어	주어와 서술어만으로는 뜻이 완전하지 못한 문장에서, 뜻을 보충하는 문장 성분. '되다', '아니다' 앞에 조사 '이/가'가 붙어서 나타남. 예 물이 얼음이 되었다.

(2) 부속 성분: 주로 다른 문장 성분을 꾸며 주는 역할을 하는 문장 성분

관형어	체언 앞에서 체언을 꾸며 주는 문장 성분 예 고운 단풍이 가득했다.
부사어	주로 용언을 꾸며 주는 문장 성분. 때로는 관형어나 다른 부사어, 문장 전체를 꾸며 주기도 함. 예 단풍이 곱게 물들었다.

(3) 독립 성분: 문장의 어느 성분과도 직접적인 관계를 맺지 않고 독립적으로 쓰이는 문장 성분

독립어	부름, 감탄, 응답을 나타내는 문장 성분 예 어머나, 비가 많이 오네.

3 문장의 종류

(1) 홑문장: 주어와 서술어의 관계가 한 번만 나타나는 문장

- 생각을 간결하고 분명하게 전달할 수 있다.

예 안개꽃이(주어) 정말 아름답다.(서술어) ⇨ [주어+서술어]

(2) 겹문장: 주어와 서술어의 관계가 두 번 이상 나타나는 문장

- 홑문장이 결합하는 방식에 따라 '이어진문장'과 '안은문장'으로 나뉜다.
- 다양한 생각이나 복잡한 상황을 홑문장보다 잘 표현할 수 있다.

예 여름은(주어) 너무 덥고(서술어) 겨울은(주어) 너무 춥다.(서술어) ⇨ [주어+서술어] + [주어+서술어]

개념 확인 문제

1 〈보기〉의 구조로 이루어진 문장은?

보기
누가/무엇이 + 어떠하다

① 아기가 우유를 먹는다.
② 반짝이는 별이 아름답다.
③ 연지는 공원에서 달린다.
④ 우리는 버스를 기다린다.
⑤ 흥부는 놀부의 동생이다.

2 문장을 구성하는 데 꼭 필요한 성분이 아닌 것은?

① 주어 ② 목적어
③ 보어 ④ 서술어
⑤ 관형어

3 다음 설명에 해당하는 문장 성분을 쓰시오.

(1) 문장에서 '무엇을/누구를'에 해당한다. ( )
(2) 부름, 감탄, 응답을 나타내는 문장 성분이다. ( )
(3) 문장에서 '어찌하다, 어떠하다, 무엇이다'에 해당한다. ( )
(4) 뜻을 보충하는 문장 성분으로, '되다', '아니다' 앞에 조사 '이/가'가 붙어서 나타난다. ( )
(5) 주로 용언을 꾸며 주며, 때로는 관형어나 다른 부사어, 문장 전체를 꾸며 주기도 한다. ( )

4 ( )은 주어와 서술어의 관계가 한 번만 나타나는 문장이고, ( )은 주어와 서술어의 관계가 두 번 이상 나타나는 문장이다.

5 다음 중 홑문장이 아닌 것은?

① 구름이 정말 많다.
② 아이들이 집에서 뛴다.
③ 삼촌은 승용차를 사셨다.
④ 날이 맑으면 빨래가 잘 마른다.
⑤ 신지는 어제 저녁에 방을 청소했다.

❹ 이어진문장

둘 이상의 홑문장이 연결 어미로 이어진 문장

대등하게 이어진 문장	• 둘 이상의 홑문장이 나열, 대조, 선택 등의 대등한 의미 관계를 형성함. • 대등적 연결 어미 '-고, -(으)며, -(으)나, -지만, -거나, -든지' 등으로 연결됨. 예 하늘은 높고 바다는 넓다. (나열) 토끼는 빠르지만 거북이는 느리다. (대조)
종속적으로 이어진 문장	• 두 홑문장의 의미가 독립적이지 못하고 원인, 조건, 의도 등의 종속적인 의미 관계를 형성함. • 종속적 연결 어미 '-아서, -(으)면, -(으)려고, -는데, -(으)ㄹ지라도' 등으로 연결됨. 예 오랜만에 너를 만나서 나는 정말 기쁘다. (원인) 봄이 오면 꽃이 필 것이다. (조건) 소영이는 과일을 사려고 가게에 갔다. (의도)

대등하게 이어진 문장은 앞뒤 문장의 순서를 바꾸어도 문장의 의미가 자연스럽게 유지되지만, 종속적으로 이어진 문장은 그렇지 않아.

❺ 안은문장

(1) 안은문장과 안긴문장

안은문장	안긴 홑문장을 포함한 전체의 문장
안긴문장	다른 문장 속에 들어가 하나의 성분으로 쓰이는 문장

(2) 안은문장의 분류

① 명사절을 안은 문장: 안긴문장이 전체 문장 속에서 명사처럼 사용되어 주어, 목적어, 보어 등의 기능을 하는 문장. 명사형 어미 '-(으)ㅁ, -기'를 통해 실현된다.

예 재희가 꾸준히 선행을 했음이 알려졌다.
농부들은 농사가 잘되기를 바란다.

② 관형절을 안은 문장: 안긴문장이 전체 문장 속에서 관형어의 기능을 하는 문장. 관형사형 어미 '-(으)ㄴ, -는, -(으)ㄹ, -던'을 통해 실현된다.

예 내가 좋아하는 주희가 오고 있다. / 그에게 선물할 물건이 잘 도착했다.

③ 부사절을 안은 문장: 안긴문장이 전체 문장 속에서 부사어의 기능을 하는 문장. 부사형 어미 '-게, -도록' 등을 통해 실현된다.

예 종석이는 아무도 모르게 집에 갔다.

④ 서술절을 안은 문장: 안긴문장이 전체 문장 속에서 서술어의 기능을 하는 문장. '주어 + (주어 + 서술어)'의 형태로 실현된다.

예 비행기는 속력이 빠르다. / 우리 집 강아지는 꼬리가 짧다.

⑤ 인용절을 안은 문장: 다른 사람의 말이나 글을 인용한 절을 안은 문장. 조사 '라고'(직접 인용)나 '고'(간접 인용)를 통해 실현된다.

예 그는 "나는 절대 범인이 아닙니다."라고 주장했다.
동생은 자신이 세상에서 가장 귀엽다고 말했다.

개념 확인 문제

6 둘 이상의 홑문장이 연결 어미로 결합한 문장을 '안은문장'이라고 한다. (○, X)

7 '-고, -(으)며, -지만, -거나' 등의 연결 어미를 사용하여 나열이나 대조, 선택의 의미 관계를 형성하며 이어진 문장은 (종속적으로, 대등하게) 이어진 문장이다.

8 다음 문장이 대등하게 이어진 문장이면 '대', 종속적으로 이어진 문장이면 '종'을 쓰시오.

(1) 인생은 짧으나 예술은 길다. ( )
(2) 날씨가 추워서 외투를 입었다. ( )
(3) 손님이 오시면 반갑게 맞이해라. ( )
(4) 사람은 책을 만들고 책은 사람을 만든다. ( )

9 문장에 대한 설명을 읽고 ○ 또는 X에 표시하시오.

(1) 홑문장이 전체의 문장에서 하나의 성분으로 쓰인 것을 '안긴문장'이라고 한다. (○, X)
(2) 명사절은 명사형 어미 '-(으)ㅁ', '-기'를 통해 실현된다. (○, X)
(3) 인용절을 안은 문장은 '주어 + (주어 + 서술어)'의 형태로 실현된다. (○, X)

10 ㉠~㉤의 밑줄 친 부분이 해당하는 절의 종류를 쓰시오.

㉠ 시장은 가격이 저렴하다.
㉡ 채송화가 빛깔이 곱게 피었다.
㉢ 그는 내 생각이 옳다고 말했다.
㉣ 현우는 아침이 오기를 기다렸다.
㉤ 나는 민서가 집으로 간 사실을 몰랐다.

㉠: ________ ㉡: ________
㉢: ________ ㉣: ________
㉤: ________

실전 문제

01 문장 성분에 대한 설명으로 알맞지 않은 것은?

① 관형어와 부사어는 다른 문장 성분을 꾸민다.
② 서술어는 주어의 동작, 상태, 성질을 풀이한다.
③ 주어는 동작 또는 상태, 성질의 주체를 나타낸다.
④ 보어는 서술어 '되다', '아니다'의 의미를 보충한다.
⑤ 독립어는 문장 전체를 수식하거나 문장이나 단어를 이어 준다.

02 주성분만으로 이루어진 문장이 아닌 것은?

① 지훈이는 영리하다.
② 경미는 동물원에 간다.
③ 은수는 회장이 되었다.
④ 민지는 중학생이 아니다.
⑤ 고양이는 생선을 좋아한다.

03 밑줄 친 부분의 문장 성분을 잘못 파악한 것은?

① 희수만 현지를 기다렸다. – 주어
② 바람에 화분이 넘어졌다. – 주어
③ 물이 얼어서 얼음이 되었다. – 보어
④ 건강한 현수는 수영도 잘한다. – 목적어
⑤ 계곡에는 깨끗한 물이 흘렀다. – 목적어

04 밑줄 친 문장 성분이 나머지와 다른 하나는?

① 호준이는 매우 빠르다.
② 함박눈이 펑펑 내린다.
③ 코스모스는 참 가냘프다.
④ 어머니가 낡은 신을 버렸다.
⑤ 실패한 이유를 확실히 알았다.

05 〈보기〉의 문장들에 공통적으로 사용된 문장 성분은? (정답 2개)

보기
- 코끼리는 코가 길다.
- 그것은 무지개가 아니었다.
- 나는 선생님이 되고 싶다.
- 그녀는 진정한 친구가 아니다.

① 주어 ② 보어 ③ 관형어
④ 부사어 ⑤ 서술어

06 독립어가 쓰인 문장이 아닌 것은?

① 아, 필통을 놓고 왔네!
② 신이여, 우리를 도와주소서.
③ 역시 난 네가 성공할 줄 알았어.
④ 어머나, 아기가 두 발로 서서 걷네!
⑤ 호동아, 컴퓨터 게임 좀 그만하거라.

07 ㉠~㉤의 문장 성분을 바르게 파악한 것은?

㉠ 연아는 뭘 먹니?
㉡ 풍선이 둥실 떠오른다.
㉢ 저 친구는 빨리 달리는구나!
㉣ 착한 소희는 경찰이 되었다.
㉤ 엄마, 동생이 그릇을 깼어요.

① ㉠: 주어 + 목적어 + 서술어
② ㉡: 주어 + 관형어 + 서술어
③ ㉢: 부사어 + 주어 + 보어 + 서술어
④ ㉣: 관형어 + 주어 + 목적어 + 서술어
⑤ ㉤: 부사어 + 주어 + 목적어 + 서술어

08 다음 문장에서 주성분만을 찾아 문장을 만드시오.

어머, 노란 개나리가 꽃밭에 예쁘게 피었네.

____

09 다음 문장에 사용된 서술어의 개수로 알맞은 것은?

날씨가 무척 더워서 사탕이 전부 녹았다.

① 1개 ② 2개 ③ 3개 ④ 4개 ⑤ 5개

10 ㉠~㉤을 홑문장과 겹문장으로 구분하시오.

㉠ 이제야 손이 따뜻하다.
㉡ 겨울이 오면 눈이 내린다.
㉢ 종소리가 멀리멀리 울린다.
㉣ 부엌에서 자꾸만 냄새가 난다.
㉤ 수현이는 밥을 먹으며 텔레비전을 본다.

(1) 홑문장: __________ (2) 겹문장: __________

11 다음 중 이어진문장이 아닌 것은?

① 윤아는 손이 차가워졌다.
② 날이 맑으니 우리 같이 공원에 가자.
③ 수지는 키가 크고 효원이는 눈이 크다.
④ 내가 다른 사람에게 베풀면 나도 남에게 도움을 받는다.
⑤ 승우는 열심히 연습했지만 축구 실력이 좋아지지 않았다.

12 이어진문장의 종류가 다른 하나는?

① 눈이 많이 와서 버스가 연착되었다.
② 몽룡이는 웃었지만 춘향이는 울었다.
③ 남편은 친절하며 부인은 인정이 많다.
④ 낮말은 새가 듣고 밤말은 쥐가 듣는다.
⑤ 그쪽으로 어머니가 가시거나 아버지가 가실 거야.

13 다음 중 안은문장이 아닌 것은?

① 진영이는 키가 크다.
② 나는 하루 종일 마당에서 노래를 했다.
③ 그는 나무가 잘 자라도록 매일 물을 준다.
④ 동생은 운동이 매우 중요하다고 주장한다.
⑤ 혜원이는 시험이 얼마 남지 않았음을 알았다.

14 다음 문장의 종류로 알맞은 것은?

> 마음이 고운 도영이는 평소에 친구들을 잘 도와준다.

① 명사절을 안은 문장
② 관형절을 안은 문장
③ 부사절을 안은 문장
④ 서술절을 안은 문장
⑤ 인용절을 안은 문장

15 다음 겹문장을 홑문장으로 나누어 쓰시오.

> 나는 그를 사랑하고 있음을 깨달았다.

____

16 〈보기〉에서 안긴문장에 해당하는 부분은?

> 보기
> 우민이는 희진이가 직접 만든 초콜릿을 맛있게 먹었다.

① 우민이는 먹었다
② 우민이는 맛있게 먹었다
③ 우민이는 초콜릿을 먹었다
④ 희진이가 직접 만든
⑤ 희진이가 만든 초콜릿을

17 ㉠~㉤이 해당하는 문장의 종류를 바르게 파악한 것은?

> ㉠ 토끼는 귀가 참 길다.
> ㉡ 은지는 기차를 눈이 빠지게 기다렸다.
> ㉢ 동생이 쓴 편지가 가족에게 웃음을 주었다.
> ㉣ 채영이는 크리스마스가 빨리 오기를 기대한다.
> ㉤ 선생님은 학생들에게 "내일부터 방학이야."라고 하셨다.

① ㉠ – 인용절을 안은 문장
② ㉡ – 부사절을 안은 문장
③ ㉢ – 명사절을 안은 문장
④ ㉣ – 관형절을 안은 문장
⑤ ㉤ – 서술절을 안은 문장

18 다음 두 문장을 나열 관계의 대등하게 이어진 문장으로 결합하여 쓰시오.

> • 나는 빵을 먹는다.
> • 동생은 우유를 마신다.

____

19 다음 문장을 이해한 내용으로 적절하지 않은 것은?

> 길가의 코스모스가 매우 아름답다.

① 목적어와 보어는 사용되지 않았다.
② 네 개의 어절로 이루어진 문장이다.
③ 다른 말을 꾸며 주는 문장 성분이 있다.
④ '무엇이 어떠하다'에 해당하는 구조이다.
⑤ 주어와 서술어의 관계가 두 번 나타난다.

07 담화의 개념과 특성

정답과 해설 30 ▶▶

❶ 담화의 개념

구체적인 의사소통 상황에서 생각이 문장 단위로 실현된 것이 '발화'이고, 이러한 발화가 모여 이루어진 통일체가 '담화'이다.

❷ 담화의 구성 요소

화자와 청자	• 화자는 말하는 사람이고, 청자는 화자의 말을 듣는 사람임. • 화자와 청자의 나이, 성별, 친밀도 등이 담화 구성에 영향을 줌.
언어(발화)	전달하고자 하는 내용
맥락	말이나 글이 이루어지는 구체적인 상황이나 사회 · 문화적 특성

❸ 담화 행위의 방법

(1) **직접 발화:** 화자의 의도를 직접 표현한 것

(2) **간접 발화:** 화자의 의도를 간접적으로 표현한 것. 요청이나 명령의 말을 정중하게 전하고자 할 때 사용하며, 의문형이나 청유형으로 표현한다.

❹ 담화의 유형

정보 제공 담화	어떤 대상에 대한 지식 · 정보를 전달하는 담화 예 강의, 보고서, 뉴스
호소 담화	상대방의 마음을 움직이거나 설득하는 담화 예 연설, 광고
약속 담화	일정한 행위에 대해 약속하거나 다짐하는 담화 예 맹세, 선서
사교 담화	인간관계 형성, 사회적 상호 작용을 위한 담화 예 인사말, 잡담
선언 담화	어떤 방침이나 의견, 주장을 정식으로 표명하는 담화 예 개회 선언

❺ 맥락에 따른 의사소통

(1) 상황 맥락과 사회 · 문화적 맥락

상황 맥락	말이나 글이 이루어지는 구체적인 상황. 화자, 청자, 시간, 장소, 목적 등이 포함됨.
사회 · 문화적 맥락	담화에 간접적으로 작용하는 맥락. 지역, 세대, 성별, 문화 등을 포함함.

(2) 맥락이 의사소통에 미치는 영향

- 같은 말과 글이라도 맥락에 따라 다양하게 해석될 수 있다.
- 맥락을 고려하면 상대방의 의도를 바르게 파악할 수 있다.
- 맥락을 고려하여 말해야 상대방의 기분을 상하지 않게 하고 원만한 인간관계를 유지할 수 있다.

예

맥락	언어	화자의 의도
소설책을 읽고 있는 친구에게	"재밌어?"	책의 내용이 재미있는지 궁금하여 물어봄.
자신의 실수를 보고 웃는 친구에게		자신의 실수를 웃음거리로 삼아 언짢음.

개념 확인 문제

1 (　　　　)는 구체적인 의사소통 상황에서 생각이 문장 단위로 실현된 것으로, 이들이 모여 의미를 이루는 통일체를 (　　　　)라고 한다.

2 담화의 구성 요소가 아닌 것은?

① 생각 ② 화자 ③ 발화 ④ 청자 ⑤ 맥락

3 다음의 예가 해당하는 담화의 유형을 <보기>에서 골라 기호를 쓰시오.

보기
㉠ 선언 담화 ㉡ 약속 담화
㉢ 사교 담화 ㉣ 호소 담화
㉤ 정보 제공 담화

(1) 광고: (2) 뉴스:
(3) 인사말: (4) 선서:
(5) 개회 선언:

4 다음 빈칸에 들어갈 말로 알맞은 것은?

(　　　　)은/는 담화에 간접적으로 작용하며, 지역, 세대, 성별, 문화와 관련되어 의사소통에 보편적으로 작용한다.

① 공간
② 의사소통
③ 상황 맥락
④ 화자의 처지
⑤ 사회 · 문화적 맥락

5 대화할 때 맥락을 고려해야 하는 이유로 적절하지 않은 것은?

① 대화를 원활하게 이어 갈 수 있기 때문에
② 전문적인 지식을 쉽게 쌓을 수 있기 때문에
③ 맥락에 따라 말의 의미가 달라질 수 있기 때문에
④ 상대방의 기분을 상하지 않게 할 수 있기 때문에
⑤ 상대방의 의도를 잘못 해석하는 경우를 줄일 수 있기 때문에

01 담화에 대한 설명으로 적절하지 않은 것은?

① 담화의 구성 요소는 화자, 청자, 발화, 맥락 등이다.
② 화자의 의도에 따라 같은 말도 의미가 달라질 수 있다.
③ 담화가 이루어지는 맥락을 떠나서는 의미를 바르게 이해할 수 없다.
④ 화자의 의도를 직접적으로 표현하는 직접 발화와 간접적으로 표현하는 간접 발화가 있다.
⑤ 맥락에는 언어 자체와 관련된 '상황 맥락'과 의사소통이 이루어지는 구체적인 상황인 '사회 · 문화적 맥락'이 있다.

02 상황 맥락의 구성 요소로 알맞지 않은 것은?

① 듣는 이의 배경지식
② 대화가 이루어지는 장소
③ 말하는 이의 심리적 상태
④ 말하는 이와 듣는 이의 관계
⑤ 청소년층과 노년층의 언어적 특성

03 다음 담화의 목적으로 알맞은 것은?

> 안녕하십니까? 저는 전교 학생회장 후보로 출마한 송지원입니다. 제가 학생회장이 된다면 현재 불만이 많이 제기되고 있는 급식 문제를 최선을 다해서 해결하겠습니다.

① 친구들과 친분을 쌓는 것
② 급식 정보를 제공하는 것
③ 학생회장이 된 것을 선언하는 것
④ 학생회장으로 뽑아 달라고 호소하는 것
⑤ 급식에 대한 자신의 불만을 표현하는 것

04 다음 상황에서 ㉠과 ㉡의 의미로 적절하지 않은 것은?

> (가) (식당에서 주인이 손님에게) ㉠"오늘은 어떻습니까?"
> (나) (병원에서 의사가 환자에게) ㉡"오늘은 어떻습니까?"

① ㉠: 음식 맛이 괜찮으십니까?
② ㉠: 음식이 마음에 드십니까?
③ ㉡: 아픈 정도는 어떻습니까?
④ ㉡: 분위기가 마음에 드십니까?
⑤ ㉡: 어제보다 차도가 좀 있으신가요?

05 〈보기〉에 제시된 민서의 말을 의도가 직접적으로 드러나도록 고쳐 쓰시오.

> 보기
> (감기에 걸린 민서가 활짝 열린 창문 옆에 선 재희에게)
> 민서: 재희야, 춥지 않니?

____

06 상황 맥락을 고려하여 원활하게 이루어진 대화가 아닌 것은?

① 무송: 생일 축하해. 이건 내 선물이야.
사연: 와, 정말 멋진 선물이야. 고마워.
② 지수: 오늘 영화 보러 가지 않을래?
해미: 미안해. 내일 시험이 있어서 못 갈 것 같아.
③ 정화: 오늘 너희 집에 가서 같이 숙제해도 될까?
아영: 그러자. 서로 도움이 될 수 있을 거야.
④ 가원: 어제 새로 산 옷을 입어 봤어. 어때?
시경: 너랑 잘 어울려. 예쁘다.
⑤ 선생님: 이 녀석, 또 지각이구나. 지금이 몇 시야?
재훈: 네, 선생님. 9시 10분입니다.

07 다음 상황에서 의사소통이 잘 이루어지지 않은 이유와 관계 깊은 사회 · 문화적 맥락의 요소는?

> 진우: 오늘 자격증 시험을 봤는데 미역국 먹었어. 속상해.
> 메리: 미역국이 맛이 없어서 속상한가 보구나. 나는 한국에 와서 미역국을 처음 먹어 봤는데 보기보다 맛있더라.
> 진우: …….

① 시간 ② 세대 ③ 문화
④ 성별 ⑤ 직업

08 다음 문구를 제시된 장소에 따라 해석한 내용으로 적절하지 않은 것은?

> 양심을 지켜 주세요.

① 버스 정류장에서: 질서를 잘 지켜 주세요.
② 시험장에서: 부정행위를 하지 말아 주세요.
③ 도서관에서: 책을 몰래 가져가지 말아 주세요.
④ 공원에서: 쓰레기를 함부로 버리지 말아 주세요.
⑤ 옷 가게에서: 원하는 옷의 치수를 정확히 알려 주세요.

08 한글의 창제 원리

정답과 해설 30 ▶▶

① 훈민정음의 창제

- 훈민정음은 '백성을 가르치는 바른 소리'라는 뜻으로 총 28자이다.
- 세종 대왕이 1443년(세종 25)에 창제하고, 1446년(세종 28)에 반포하였다.
- 훈민정음은 자주 · 애민 · 창조 · 실용 정신을 바탕으로 창제되었다.

자주 정신	우리나라 말이 중국과 달라 한자로는 우리말을 표기할 수 없다고 생각하여 우리만의 문자를 만듦.
애민 정신	말하고자 하는 바가 있어도 표현하지 못하는 백성을 가여워함.
창조 정신	새롭고 독창적인 문자를 만듦.
실용 정신	쉽게 익혀서 편히 사용하게 만듦.

② 훈민정음의 창제 원리

(1) 자음의 제자 원리

- 상형의 원리: 발음 기관의 모양을 본떠 'ㄱ, ㄴ, ㅁ, ㅅ, ㅇ'을 만들었다.
- 가획의 원리: 기본자에 획을 더해 소리가 세지는 것을 반영하였다.
- 이체: 'ㆁ(옛이응), ㅿ(반치음), ㄹ'을 따로 '이체자'라고 하였다. (각각 기본자 'ㅇ, ㅅ, ㄴ'과 닮은 꼴이나, 더해진 획이 소리가 세짐을 의미하지 않기 때문에)

소리	상형	기본자	가획자	이체자
어금닛소리	혀뿌리가 목구멍을 막는 모양	ㄱ	ㅋ	ㆁ
혓소리	혀가 윗잇몸에 붙는 모양	ㄴ	ㄷ, ㅌ	ㄹ
입술소리	입 모양	ㅁ	ㅂ, ㅍ	
잇소리	이 모양	ㅅ	ㅈ, ㅊ	ㅿ
목구멍소리	목구멍 모양	ㅇ	ㆆ, ㅎ	

(2) 모음의 제자 원리

- 상형의 원리: '하늘, 땅, 사람'의 모양을 본떠 'ㆍ, ㅡ, ㅣ'를 만들었다.
- 합성의 원리: 기본자인 'ㅡ, ㅣ'에 'ㆍ'를 한 번만 결합하여 초출자를 만들고, 초출자에 'ㆍ'를 다시 결합하여 재출자를 만들었다.

상형		기본자	초출자	재출자
천(天)	하늘의 둥근 모양	ㆍ	ㅗ, ㅏ ㅜ, ㅓ	ㅛ, ㅑ ㅠ, ㅕ
지(地)	땅의 평평한 모양	ㅡ		
인(人)	사람이 서 있는 모양	ㅣ		

(3) 글자의 운용 방법

초성	병서	• 각자 병서: 같은 자음 두 글자를 가로로 나란히 붙여 쓰는 것 예 ㄲ, ㄸ, ㅃ, ㅆ, ㅉ, ㆅ • 합용 병서: 서로 다른 자음을 가로로 나란히 붙여 쓰는 것 예 ㅺ, ㅼ, ㅳ, ㅶ, ㅴ
	연서	'ㅇ'을 입술소리 아래 잇대어 씀. 예 ㅱ, ㅸ, ㅹ, ㆄ
중성	합용	모음자를 같이 쓰거나 합하여 씀. 예 ㅘ, ㅝ, ㅢ, ㅐ, ㅒ, ㅔ, ㅖ

개념 확인 문제

1 다음 빈칸에 알맞은 말을 쓰시오.

(1) 훈민정음은 (　　　　　　) 이 창제한 우리 글자이다.
(2) 창제된 훈민정음의 글자 수는 총 (　　　　) 자이다.
(3) 훈민정음은 말하고자 하는 바를 글로 표현하지 못하는 백성들을 불쌍히 여긴 (　　　　　) 정신을 바탕으로 창제되었다.

2 발음 기관의 모양을 본떠 만든 글자가 아닌 것은?

① ㄴ　② ㅅ　③ ㄹ
④ ㄱ　⑤ ㅇ

3 다음 설명을 읽고 ○ 또는 X에 표시하시오.

(1) 'ㅁ, ㅂ, ㅍ'은 목구멍소리이다. (○, X)
(2) 'ㅇ, ㆆ, ㅎ'은 혀가 윗잇몸에 붙는 모양을 본떠 만든 글자이다. (○, X)
(3) 'ㅋ'은 'ㄱ'보다 소리가 세지므로 'ㄱ'에 획을 더해 만들었다. (○, X)
(4) 자음과 모음의 기본자는 모두 상형의 원리로 만들어졌다. (○, X)

4 모음 'ㆍ'는 (　　　　　　)의 모양을 본뜬 것이고, 'ㅡ'는 땅의 모양을, 'ㅣ'는 (　　　　　　)의 모양을 본떴다.

5 다음 설명에 해당하는 모음이 아닌 것은?

> 기본자인 'ㅡ, ㅣ'에 'ㆍ'를 한 번만 결합하여 만들었다.

① ㅗ　② ㅏ　③ ㅜ
④ ㅓ　⑤ ㅠ

6 글자를 만드는 방식이 다른 하나는?

① ㄲ　② ㅉ　③ ㅳ
④ ㅸ　⑤ ㆅ

실전 문제

01 훈민정음에 대한 설명으로 알맞지 않은 것은?

① '백성을 가르치는 바른 소리'라는 뜻이다.
② 세종 대왕이 한자를 바탕으로 하여 만들었다.
③ 모음의 기본자는 상형의 원리에 따라 만들어졌다.
④ 자음의 기본자는 인간의 발음 기관을 본떠 만들었다.
⑤ 합성의 원리에 따라 모음의 기본자로 초출자, 재출자를 만들었다.

[02~03] 다음은 《훈민정음》 언해본의 서문을 현대어로 풀이한 것이다. 다음 글을 읽고 물음에 답하시오.

우리나라 말이 중국과 달라서 한자와 서로 통하지 않는다. 이런 까닭으로 어리석은 백성이 말하고 싶은 바가 있어도 끝내 제 뜻을 펴지 못하는 경우가 많다. 내가 이것을 가엾게 여겨 새로 ㉠스물여덟 글자를 만들었으니, ㉡모든 사람이 쉽게 익혀서 날마다 편하게 쓰기를 바랄 따름이다.

02 ㉠에 해당하는 글자가 아닌 것은?

① ㄴ ② ㄸ ③ ㅌ ④ · ⑤ ㅑ

03 ㉡에서 알 수 있는 훈민정음의 창제 정신으로 알맞은 것은?

① 실용 정신 ② 과학 정신
③ 창조 정신 ④ 자주 정신
⑤ 애민 정신

04 ㉠~㉤에 들어갈 말이 알맞게 제시된 것은?

소리	상형	기본자
(㉠)	혀뿌리가 목구멍을 막는 모양	ㄱ
혓소리	혀가 (㉡)에 붙는 모양	ㄴ
입술소리	입 모양	(㉢)
잇소리	이 모양	(㉣)
(㉤)	목구멍 모양	ㅇ

① ㉠ – 목구멍소리 ② ㉡ – 아랫니
③ ㉢ – ㅁ ④ ㉣ – ㅿ
⑤ ㉤ – 어금닛소리

05 가획의 원리로 만들어진 글자가 아닌 것은?

① ㅋ ② ㅂ ③ ㆆ ④ ㅃ ⑤ ㅈ

06 훈민정음의 자음 중 목구멍소리끼리 묶인 것은?

① ㄱ, ㅋ, ㆁ ② ㅈ, ㅉ, ㅊ ③ ㅋ, ㅌ, ㅍ
④ ㆁ, ㄹ, ㅿ ⑤ ㅇ, ㆆ, ㅎ

07 훈민정음의 모음에 대한 설명으로 적절하지 않은 것은?

① 모음의 기본자는 '·, ㅡ, ㅣ'이다.
② 초출자는 '·'를 한 번만 결합하여 만들었다.
③ 재출자는 초출자와 초출자를 결합하여 만들었다.
④ 모음의 기본자는 하늘, 땅, 사람의 모양을 본떴다.
⑤ 모음자를 합하여 'ㅘ, ㅝ, ㅢ, ㅒ' 등의 글자를 만들어 썼다.

08 다음 빈칸에 들어갈 모음 글자를 순서대로 제시한 것은?

· + (　　) → ㅛ　　　· + (　　) → ㅕ

① ㅗ, ㅓ ② ㅣ, ㅓ ③ ㅜ, ㅏ
④ ㅛ, ㅕ ⑤ ㅡ, ㅣ

09 다음 중 글자를 만든 원리가 나른 하나는?

① ㅅ ② ㄷ ③ ㅇ ④ ㅡ ⑤ ㅣ

10 다음 〈조건〉에 맞는 단어를 1음절로 쓰시오.

조건
- 초성: 자음의 기본자 중 어금닛소리
- 중성: 사람이 서 있는 모양을 본떠 만든 기본자
- 종성: 입 모양을 본떠 만든 기본자

11 〈보기〉에서 설명하는 자음과 모음이 포함된 단어로 알맞은 것은?

보기
- 혀가 윗잇몸에 붙는 모양을 본떠 만든 자음 기본자에 획을 더하여 만든 가획자
- 땅의 평평한 모양을 본떠 만든 모음 기본자에 '·'를 결합하여 만든 초출자

① 다리 ② 모험 ③ 태풍
④ 공원 ⑤ 잔치

memo

새 학년 준비 교재

내신 대비를 위한 **국어 기초 완성**

구성 ① **문학**
문학 필수 개념 정리와 중요 작품 학습

구성 ② **비문학**
독해의 원리 연습과 엄선된 지문 학습

구성 ③ **문법**
중학 문법 총정리와 실전 문제 적용

국어 **실력 향상**의 지름길

꿈틀 중학 국어 Ⅱ

2학년 공통

정답과 해설

국어 실력 향상의 지름길

정답과 해설

빠른 정답

I 문학

❖ 시 ❖

개념 확인 문제 p. 8~11

1 (1) X (2) ○ (3) ○ 2 운율, 심상, 주제 3 심상 4 시적 화자 5 ② 6 ①, ⑤ 7 (1) ○ (2) ○ (3) X 8 내재율 9 ①, ④ 10 (1) 미각적 심상 (2) 촉각적 심상 (3) 시각적 심상 (4) 후각적 심상 (5) 공감각적 심상 (6) 청각적 심상 11 (1) ○ (2) X 12 은유법, 의인법 13 (1) ○ (2) X 14 (1) 영탄법 (2) 설의법 (3) 도치법 (4) 역설법 15 ④ 16 (1) ○ (2) X (3) X

01 나룻배와 행인 p. 13

01 ① 02 ③ 03 ③ 04 ⑤ 05 수미 상관

02 진달래꽃 p. 15

01 ④ 02 ④ 03 죽어도 아니 눈물 흘리우리다. 04 ② 05 ①

03 봄 길 p. 17

01 ④ 02 ② 03 ① 04 ④ 05 ⑤

04 고향 p. 19

01 ⑤ 02 ⑤ 03 ⑤ 04 ② 05 ③, ⑤

05 독은 아름답다 p. 21

01 ⑤ 02 ② 03 후각적 심상 04 ④

06 청포도 p. 23

01 ⑤ 02 '나'가 기다리던 '손님'은 이육사가 일제에 맞서 이루고자 했던 '조국 광복'을 의미한다. 03 하이얀 04 ③ 05 ⑤

07 민지의 꽃 p. 25

01 ③ 02 ③ 03 ④ 04 그건 잡초야 05 ④

08 성북동 비둘기 p. 27

01 ② 02 ⑤ 03 ② 04 ② 05 사랑, 평화

09 훈민가, 두꺼비 파리를 물고 p. 29

01 ③, ⑤ 02 (가) 올 길에 (나) 모쳐라 03 ⑤ 04 ⑤ 05 ③

❖ 소설 ❖

개념 확인 문제 p. 30~33

1 (1) ○ (2) X (3) X (4) ○ 2 ② 3 문체 4 인물 5 발단, 절정 6 ② 7 ○ 8 (1) 입체적 (2) 전형적 (3) 주동 (4) 중심, 주변 9 ㉠ 직접 제시 ㉡ 직접 제시 ㉢ 간접 제시 10 (1) 갈등 (2) 내적 갈등 11 ④ 12 인물과 인물의 외적 갈등 13 ① 14 (1) ○ (2) ○ (3) X 15 전지적 작가 시점 16 (1) 평면적 (2) 막연하다 (3) 행복하게 17 비현실적

01 사랑손님과 어머니 p. 35~41

01 ② 02 ① 03 ②, ④ 04 삶은 달걀 05 ④ 06 ④ 07 ③ 08 ③ 09 옥희 어머니를 찾기 위해서 10 ③ 11 ③, ⑤ 12 ① 13 ①, ⑤ 14 ④ 15 ⑤ 16 ⑤ 17 풍금 뚜껑을 닫고, 마른 꽃송이를 버리고, 달걀을 사지 않는다 18 ⑤ 19 ①

02 내가 그린 히말라야시다 그림 p. 43~49

01 ③ 02 ③ 03 ② 04 ⑤ 05 ④ 06 ⑤ 07 삶(인생) 자체 08 ①, ⑤ 09 ① 10 ②, ⑤ 11 ⑤ 12 ② 13 ⑤ 14 ⑤ 15 ③ 16 ③

03 흰 종이수염 p. 51~55

01 ⑤ 02 ⑤ 03 ⑤ 04 ⑤ 05 ③ 06 ⑤ 07 ③, ④ 08 ④ 09 현실의 어려움을 극복할 수 있다 10 ③ 11 ③ 12 ① 13 ① 14 ③

04 원미동 사람들 p. 57~61

01 ① 02 ④ 03 ③ 04 ⑤ 05 ⓐ 김포 슈퍼와 형제 슈퍼 ⓑ 동네 사람들(동네 여자들) 06 ④ 07 ⑤ 08 ③ 09 ② 10 ③ 11 ⑤ 12 ② 13 ② 14 ①

05 할머니를 따라간 메주 p. 63~65

01 ③ 02 ② 03 ③ 04 메주 05 ④ 06 ⑤ 07 ⑤ 08 ③ 09 ④ 10 ③

06 춘향전 p. 67~69

01 ③ 02 ④ 03 ③ 04 ② 05 ④ 06 ⑤ 07 ③ 08 이몽룡 09 ③

07 심청전 p. 71~73

01 ③ 02 ② 03 ③ 04 ② 05 ⑤ 06 ③ 07 ④ 08 ④

❖ 수필 ❖

개념 확인 문제 p. 74~75

1 ④ 2 (1) 형식 (2) 개성 (3) 신변잡기 3 경수필 4 ○ 5 ② 6 ④ 7 (1) 일기 (2) 수기 (3) 칼럼 (4) 기행문

01 실수 p. 77~79

01 ④ 02 ② 03 ③ 04 ① 05 ⑤ 06 ③, ⑤ 07 속세에서의 삶(추억)을 떠올리게 한 08 ③

02 맛있는 책, 일생의 보약 p. 81

01 ⑤ 02 ② 03 ③ 04 ①

03 두 아들에게 보내는 편지 p. 83

01 ④ 02 ⑤ 03 ⑤ 04 ④ 05 ②

❖ 극 ❖

개념 확인 문제 p. 84~85

1 ③ 2 (1) 대단원 (2) 발단 (3) 전개 (4) 절정 (5) 하강 3 ㉠, ㉢, ㉥ 4 대화 5 영화, 장면 6 ㉠ 장면 번호 ㉡ 지시문 ㉢ 대사 7 ③ 8 (1) X (2) X (3) ○ (4) ○

01 들판에서 p. 87~89

01 ③ 02 ⑤ 03 ② 04 벽 05 ④ 06 ⑤ 07 ①, ③ 08 ② 09 ② 10 ①

02 출세기 p. 91~93

01 ② 02 ③ 03 ④ 04 ① 05 돈을 벌기 위해서라면 양심은 필요 없다고 생각한다. 06 ⑤ 07 ② 08 ④ 09 ⑤

03 달리는 차은 p. 95~97

01 ⑤ 02 ⑤ 03 ④ 04 육상 선수가 되는 것 05 ⑤ 06 ② 07 ⑤ 08 새 운동화 09 ③ 10 ④

Ⅱ 비문학

❖ 독해의 원리와 방법 ❖

p. 101 ~ 113

01 글의 종류 이해하기 1 ③ 2 ② 3 연설문 4 ② 5 (1) ○ (2) X (3) X (4) ○

02 예측하며 읽기 1 ③ 2 ④ 3 (1) 슬로푸드 운동으로 해결할 수 있는 사회 문제들 (2) ④

03 요약하며 읽기 1 ① 2 일반화하기 3 ④

04 설명 방법을 파악하며 읽기 1 ④ 2 ㉠ 정의 ㉡ 예시 3 ② 4 ①

05 논증 방법을 파악하며 읽기 1 ①, ⑤ 2 ② 3 ③

06 표현 방법과 의도를 평가하며 읽기 1 ① 2 ⑤ 3 ⑤ 4 손이 커서

07 관점이나 형식의 차이를 파악하며 읽기 1 ⑤ 2 ⑤

❖ 정보를 전달하는 글 ❖

01 옹기종기 우리 옹기 p. 115 ~ 117

01 ③ 02 ④ 03 ④ 04 ⓐ 검은 회색 ⓑ 잿물을 바르지 않음. ⓒ 1000~1200도 05 ⑤ 06 ② 07 ③ 08 ③, ⑤ 09 ④

02 건물에 숨겨진 비밀 p. 119

01 ⑤ 02 ④ 03 ② 04 ③ 05 ①

❖ 설득하는 글 ❖

01 꿀벌 없는 지구 p. 121

01 ⑤ 02 ④ 03 ③ 04 ④

02 내가 원하는 우리나라 p. 123

01 ③ 02 ② 03 ④ 04 사상의 자유를 확보하는 정치 양식의 건립, 국민 교육의 완비 05 ④

03 최만리의 반대 상소와 조정의 입장 p. 125

01 ① 02 ⑤ 03 ⑤ 04 ③ 05 ① 06 한글은 누구나 쉽게 배워 쓸 수 있다.

Ⅲ 문법

01 언어의 본질

개념 확인 문제 p. 128

1 (1) X (2) X (3) ○ (4) ○ 2 승호 – 자의성, 민규 – 사회성 3 ① 4 ⑤

실전 문제 p. 129

01 ⑤ 02 ③ 03 ㉠ 역사성 ㉡ 창조성 04 ④ 05 ② 06 ③

02 음운의 체계

개념 확인 문제 p. 130 ~ 131

1 소리 2 (1) ○ (2) X (3) X (4) ○ 3 ④ 4 ① 5 ② 6 (1) ㄴ, ㄹ, ㅁ, ㅇ (2) ㄱ, ㄸ, ㅌ, ㅍ 7 ③ 8 ⑤ 9 ④ 10 이중 모음, 단모음 11 ② 12 ④ 13 저모음 14 ⑤

실전 문제 p. 132 ~ 133

01 ③ 02 ㄱ, ㅁ, ㅅ, ㄷ 03 ⑤ 04 ② 05 ④ 06 ③ 07 ④ 08 ③ 09 ② 10 ③ 11 ⑤ 12 ① 13 ② 14 ⑤ 15 ① 16 ② 17 ④, ⑤ 18 ④ 19 ③ 20 ③, ⑤ 21 ① 22 ④

03 품사의 종류와 특성

개념 확인 문제 p. 134 ~ 135

1 의미, 기능, 형태 2 ③ 3 동사, 형용사 4 (1) X (2) ○ (3) X (4) X 5 그, 집, 손, 사과, 하나 6 ③ 7 (1) ○ (2) X (3) ○ 8 (1) 동 (2) 동 (3) 형 (4) 형 9 ② 10 (1) 이, 새 (2) 아주, 더 (3) 은, 는, 보다, 을 11 ④

실전 문제 p. 136 ~ 137

01 ③ 02 ③ 03 ⑤ 04 ② 05 ㉠ 관형사 ㉡ 수사 ㉢ 조사 06 ⑤ 07 ⑤ 08 ④ 09 ④ 10 네, 여보, 이런 11 ③ 12 ② 13 ⑤ 14 ③ 15 ⑤ 16 ①, ④ 17 ⑤ 18 ③ 19 대명사, 조사, 명사, 관형사, 동사 20 ②

04 어휘의 체계와 양상

개념 확인 문제 p. 138

1 (1) ○ (2) X (3) ○ (4) X 2 ⑤ 3 오늘, 잠, 눈 4 (1) 표준어 (2) 지역 방언 (3) 비밀 (4) 전문어 5 세대

실전 문제 p. 139

01 ① 02 ④ 03 (1) ㉣ (2) ㉠, ㉡, ㉤ (3) ㉢, ㉥, ㉦ 04 ④ 05 ② 06 ③ 07 ⑤ 08 ⑤ 09 아영이가 세대에 따른 어휘 차이를 고려하지 않고 할머니가 모르는 어휘를 사용하여 말했기 때문이다.

05 단어의 정확한 발음과 표기

개념 확인 문제 p. 140 ~ 141

1 (1) 표준어 (2) 실제 발음 2 단모음 3 ㅣ 4 ⑤ 5 ㄱ, ㄴ, ㄷ, ㄹ, ㅁ, ㅂ, ㅇ 6 ○ 7 (1) ○ (2) ○ (3) ○ (4) X (5) ○ (6) X 8 (1) 막따 (2) 말께 (3) 노코 (4) 노아 (5) 싼네 9 ③ 10 ○ 11 (1) X (2) X (3) X (4) ○ (5) ○ 12 ㉠ [을퍼] ㉡ [꼬출] ㉢ [마딛께/마신께] 13 (1) 되 (2) 않 (3) 안 (4) 돼

실전 문제 p. 142 ~ 143

01 ④ 02 ③ 03 ④ 04 ㉠ [꼳] ㉡ [꼬체] ㉢ [꼬뒤] 05 ⑤ 06 ② 07 ① 08 ③ 09 ② 10 ④ 11 ⑤ 12 ④ 13 ③ 14 ㉠ [달글] ㉡ [닥] ㉢ [다가페] 15 ② 16 ②

06 문장의 짜임

개념 확인 문제 p. 144 ~ 145

1 ② 2 ⑤ 3 (1) 목적어 (2) 독립어 (3) 서술어 (4) 보어 (5) 부사어 4 홑문장, 겹문장 5 ④ 6 X 7 대등하게 8 (1) 대 (2) 종 (3) 종 (4) 대 9 (1) ○ (2) ○ (3) X 10 ㉠ 서술절 ㉡ 부사절 ㉢ 인용절 ㉣ 명사절 ㉤ 관형절

실전 문제 p. 146 ~ 147

01 ⑤ 02 ② 03 ⑤ 04 ④ 05 ①, ⑤ 06 ③ 07 ① 08 개나리가 피었네. 09 ② 10 (1) ㉠, ㉢, ㉣ (2) ㉡, ㉤ 11 ① 12 ① 13 ② 14 ② 15 나는 깨달았다. 나는 그를 사랑하고 있다. 16 ④ 17 ② 18 나는 빵을 먹고 동생은 우유를 마신다. 19 ⑤

07 담화의 개념과 특성

개념 확인 문제 p. 148

1 발화, 담화 2 ① 3 (1) ㉣ (2) ㉤ (3) ㉢ (4) ㉡ (5) ㉠ 4 ⑤ 5 ②

실전 문제 p. 149

01 ⑤ 02 ⑤ 03 ④ 04 ④ 05 재희야, 추우니까 창문 좀 닫아 줘. 06 ⑤ 07 ③ 08 ⑤

08 한글의 창제 원리

개념 확인 문제 p. 150

1 (1) 세종 대왕 (2) 28 (3) 애민 2 ③ 3 (1) X (2) X (3) ○ (4) ○ 4 하늘, 사람 5 ⑤ 6 ④

실전 문제 p. 151

01 ② 02 ② 03 ① 04 ③ 05 ④ 06 ⑤ 07 ③ 08 ① 09 ② 10 김 11 ③

정답과 해설

I 문학

❖ 시 ❖

개념 확인 문제 p. 8~11

1 (1) X (2) ○ (3) ○ 2 운율, 심상, 주제 3 심상 4 시적 화자 5 ② 6 ①, ⑤ 7 (1) ○ (2) ○ (3) X 8 내재율 9 ①, ④ 10 (1) 미각적 심상 (2) 촉각적 심상 (3) 시각적 심상 (4) 후각적 심상 (5) 공감각적 심상 (6) 청각적 심상 11 (1) ○ (2) X 12 은유법, 의인법 13 (1) ○ (2) X 14 (1) 영탄법 (2) 설의법 (3) 도치법 (4) 역설법 15 ④ 16 (1) ○ (2) X (3) X

1 (1) 시는 운율이 있는 언어로 압축하여 표현하는 운문 문학이다.

5 '할머니'라는 표현과 살구나무가 아픈 것 같다고 말하는 데서 시적 화자가 어린아이임을 추측할 수 있으나, 화자가 시에 직접적으로 드러나지는 않았다.

✖오답 풀이 ③ '아픈가 봐요', '바라봐요'에서 높임 표현이 나타난다. ④ 화자는 살구나무에서 꽃이 떨어지는 것을 안타까워하고 있다. ⑤ 화자는 살구나무가 많이 아픈 모양이라고 추측하고 있다.

6 시어는 사전적 의미 외에 시인이 새롭게 만들어 낸 의미를 담고 있다.

7 (3) 시어는 시인의 정서나 생각을 감각적으로 형상화하여 독자의 머릿속에 어떤 모습이나 느낌 등을 떠오르게 한다.

9 시어 '별', '하나', '많은' 등이 반복되고, '~ 중에서 ~를 ~본다'라는 문장 구조가 반복됨으로써 운율이 형성되고 있다.

10 (5) '울음소리'(청각적 심상)를 '푸르른'(시각적 심상) 것으로 표현하였으므로 청각을 시각화한 공감각적 심상이 활용되었다.

11 (2) 직유법은 '~처럼, ~같이, ~듯이, ~인 듯, ~인 양' 등의 연결어를 사용하여 원관념을 보조 관념에 직접 연결하는 표현 방법이다.

12 연결어 없이 '밤하늘'(원관념)을 '운동장'(보조 관념)에 빗대어 표현하였으므로 은유법이 사용되었다. 또 별들이 사람처럼 부산하게 움직이고 함성을 지른다고 표현하였으므로 의인법이 사용되었다.

13 (2) 상징은 원관념이 명확하게 드러나지 않고 보조 관념만 제시되므로 원관념을 여러 가지로 해석할 수 있다.

14 (1) 감탄사 '아'를 사용하여 화자의 감정을 나타냈다. (2) '-으랴'로 끝맺는 의문 형식을 사용해 흔들리지 않고 가는 사랑은 없다는 의미를 강조하였다. (3) 문장 맨 뒤에 오는 것이 자연스러운 '믿을 수 없다'를 문장 맨 앞에 배치하여 변화를 주었다. (4) 떠난 '님'을 자신은 보내지 아니하였다고 함으로써 이치에 맞지 않게 표현하였으나 이를 통해 '님'과의 재회에 대한 강한 믿음을 드러냈다.

15 '~이/가 오면 ~을 걸어가다'라는 비슷한 문장 구조를 반복하여 나란히 배열하였다.

16 (2) 시조는 현재에도 창작되고 있다. 갑오개혁 이전까지의 시조를 고시조라고 하고, 개화기부터 현재까지 창작되는 시조를 현대 시조라고 한다. (3) 시조는 초장이 아니라 종장의 첫 음보가 3음절로 고정되어 있다.

01 나룻배와 행인

p. 13

01 ① 02 ③ 03 ③ 04 ⑤ 05 수미 상관

01 이 시에서 화자는 구체적인 사물인 '나룻배'에 비유되어 있다.

✖오답 풀이 ② 일정한 음보가 반복되어 운율을 형성하는 음보율은 나타나지 않는다. ③ 이 시의 화자는 명령하는 말투가 아니라 부드럽고 공손한 말투로 말하고 있다. ④ 이 시는 4연 11행으로 이루어져 있다. ⑤ 종교적 어휘는 사용되지 않았다.

02 '나'가 '당신'을 위해 그 어떤 희생도 감수할 수 있는 헌신적인 인물로 그려지기는 하였으나, '당신'이 어려운 상황에 처해 있는지는 알 수 없으므로 ③은 적절하지 않다.

03 이 시에서 '급한 여울', '바람', '눈비'는 '당신'을 기다리면서 겪게 되는 '나'의 고난과 시련을 의미한다.

✖오답 풀이 ②, ④ '흙발'은 '당신'의 무심함을 단적으로 드러내는 시어이다.

04 ㉠에는 원관념을 연결어 없이 보조 관념에 빗대는 은유법이 사용되었다. ⑤에서도 '내 마음'(원관념)을 연결어 없이 '촛불'(보조 관념)에 빗댄 은유법이 사용되었다.

✖오답 풀이 ① 과장법, ② 직유법, ③ 반복법, ④ 설의법이 사용되었다.

05 처음과 끝 부분이 반복되어 대칭을 이루는 구조를 수미 상관이라고 한다. 이러한 구성 방식은 시적 의미를 강조하고 여운을 느끼게 하며, 운율을 형성하고 형태상의 안정감을 준다.

02 진달래꽃

p.15

01 ④ 02 ④ 03 죽어도 아니 눈물 흘리우리다. 04 ② 05 ①

01 화자는 떠나는 임 앞에서 눈물을 흘리지 않겠다고 다짐하고 있다. 이는 이별의 슬픔을 참고 견디려는 마음의 표현이다. 따라서 화자가 눈물을 흘리면서 떠나는 임을 붙잡는 장면을 떠올리는 것은 적절하지 않다.

✕오답 풀이 ①과 ⑤는 2연 3행에서, ②는 2연 1행과 2행에서, ③은 3연에서 떠올릴 수 있는 장면이다.

02 이 시의 화자는 임이 떠나는 상황을 가정하여 이별에 대한 슬픔을 노래하고 있다.

03 4연의 3행은 겉으로는 화자가 눈물을 보이지 않겠다는 의미를 드러내지만, 속으로는 임이 떠나면 너무 슬퍼서 하염없이 눈물을 흘릴 것이라는 의미가 내포되어 있다. 즉 이 구절은 겉으로 드러난 내용과 실제 전달하려는 내용이 반대되는 반어적 표현이 사용된 시행이다. 또한 '아니'의 어순을 바꾸어 의미를 강조하고 있다.

04 '-우리다', '-옵소서'와 같은 높임 표현은 이 시에서 순종적인 여성의 정서를 효과적으로 드러내는 역할을 하나, 운율을 형성하는 것과는 직접적인 관련이 없다.

05 '진달래꽃'은 화자의 분신으로, 떠나는 임을 축복할 정도로 헌신적이고 희생적인 화자의 사랑과 정성, 이별의 슬픔과 한을 상징한다.

03 봄 길

p.17

01 ④ 02 ② 03 ① 04 ④ 05 ⑤

01 이 시에는 과거를 회상한 내용이 드러나지 않는다. 또한 시적 화자는 후회나 반성, 그리움이 아니라 절망 속에서도 희망이 있다는 긍정적 믿음을 드러내고 있다.

✕오답 풀이 ② '절망적인 상황'이라는 추상적 관념을 강물, 새, 꽃잎 등을 활용해 구체적으로 형상화하고, 희망과 긍정에 대한 믿음을 '봄 길'로 형상화하였다. ③ '~ 곳에서도 ~이 있다' 등의 문장 구조가 반복된다.

02 이 시는 절망적인 상황에서도 좌절하지 않고 희망을 가지고 나아가는 삶의 태도를 강조하고 있다. ②는 어떠한 곤경에서도 희망은 있는 것이니 낙심하지 말라는 말이다.

✕오답 풀이 ① 협동이 중요하다. ③ 윗사람이 모범을 보여야 아랫사람도 올바르게 된다. ④ 자기가 남에게 말이나 행동을 좋게 해야 남도 자기에게 좋게 한다. ⑤ 아무리 훌륭하고 좋은 것이라도 쓸모 있게 만들어 놓아야 값어치가 있다.

03 [A]에 사용된 표현 방법은 역설법이다. '길이 끝나는 곳'에 '길이 있다'는 것은 논리적으로 모순된 표현으로, 절망적인 상황에서도 희망을 갖고자 하는 화자의 의지를 담고 있다. ①에는 의문문 형식으로 의미를 강조하는 설의법이 사용되었다.

✕오답 풀이 ② '한사코 서러워 대숲은 좋더라', ③ '결별이 이룩하는 축복', ④ '찬란한 슬픔의 봄', ⑤ '괴로웠던 사나이, 행복한 예수 그리스도'에서 역설법이 사용되었다.

04 '길이 되는 사람'은 절망적인 상황에서 좌절하거나 포기하지 않고 긍정적인 마음으로 계속 나아가는 사람이다.

05 ⓔ는 절망적인 상황을 극복하고 계속 나아가기 위해 스스로 희생하는 상황을 보여 준다.

✕오답 풀이 ⓐ~ⓓ는 모두 힘들고 절망적인 상황을 나타내는 시구이다.

04 고향

p.19

01 ⑤ 02 ⑤ 03 ⑤ 04 ② 05 ③, ⑤

01 이 시에는 의원의 외양이나 행동을 드러내는 시어가 주로 사용되었다. 대조적인 의미를 나타내는 시어는 사용되지 않았다.

✕오답 풀이 ① 시적 화자 '나'가 시에 드러나 있다. ② '나'와 의원의 대화로 시상을 전개하고 있다. ③ 화자는 부드럽고 다정다감한 어조로 고향에 대한 그리움을 드러내고 있다. ④ 의원의 모습을 '여래 같은 상', '먼 옛적 어느 나라 신선 같은데' 등의 직유법을 사용하여 묘사하고 있다.

02 의원은 '나'와 고향이 같은 '아무개 씨'를 알 뿐, 평안도 정주에서 '나'와 알고 지냈던 것은 아니다.

03 화자는 의원의 따스하고 부드러운 '손길'에서 고향과 고향에 계신 아버지를 느끼며 위로를 받고 있다.

04 [A]에는 타향에서 혼자 지내던 시적 화자가 병을 앓게 된 상황이 드러나 있다. 고향을 떠나 혼자서 몸이 아픈 상황이므로 이 부분에서 드러나는 화자의 정서는 고독감, 소외감, 외로움 등이다.

05 ㉢, ㉤은 화자인 '나'가 말한 것이고 ㉠, ㉡, ㉣은 의원이 말한 내용이다.

05 독은 아름답다

p. 21

01 ⑤ **02** ② **03** 후각적 심상 **04** ④

01 이 시에는 논리적 모순이 있는 시구를 제시해 시적 의미를 강조하는 역설적 표현이 사용되었다. 화자는 역설적 표현을 통해 부정적인 속성을 지닌 대상의 가치를 새롭게 전달하고 있다. 반어적 표현은 사용되지 않았다.

✖오답 풀이 ① 은행나무, 밤송이, 복어 등의 자연물을 소재로 삼았다. ② '~이/가 어떠하다'라는 문장 구조가 반복된다. ④ 2연에서 촉각적 심상을 사용해 밤송이의 속성을 드러내고 있다.

02 〈보기〉는 시적 대상에 대한 일반적인 인식이 인간 중심적 생각의 결과임을 설명하고 있다. 즉 인간의 잣대를 들이대지 않을 때 자연은 자연 그대로의 아름다움을 지닌 대상으로서 자신을 드러낸다는 것이다. 이러한 관점에 따라 이 시의 주제를 파악하면 '편견을 가지지 말고 있는 그대로 대상을 보자.'이다.

03 1연의 '구린내', '구린내가 향기롭다'에서 후각적 심상이 사용되었다.

04 술을 끊지 못하던 친구가 자식을 낳은 뒤에 술을 끊은 독한 마음은 자식을 위한 부모의 사랑이기에 아름답다고 표현한 것이다.

06 청포도

p. 23

01 ⑤ **02** '나'가 기다리던 '손님'은 이육사가 일제에 맞서 이루고자 했던 '조국 광복'을 의미한다. **03** 하이얀 **04** ③ **05** ⑤

01 조국의 독립을 위해 애쓰느라 고달프기는 하지만 희망을 상징하는 청포, 즉 푸른색 도포를 입고 찾아온다고 한 손님의 모습에서 희망적인 분위기를 느낄 수 있다.

02 일제 강점기라는 시대적 현실과 이육사의 저항 정신을 연관 지어 생각해 볼 때, 이 시의 '손님'은 조국의 광복을 의미한다고 해석할 수 있다.

03 '하이얀'의 올바른 표기는 '하얀'이다. 시인은 시적 허용을 통해 깨끗함과 정성스러움을 강조하고 있다.

04 정성스럽게 손님 맞을 준비를 하는 화자의 모습에서 의지적이고 미래 지향적인 모습을 엿볼 수 있다. 특히 시대적 상황을 고려하면 이는 조국 광복을 맞이하려는 의지가 반영된 행동으로 이해할 수 있다.

05 ㉠~㉣은 푸른색을 나타내는 시어로 희망, 생명력을 의미하고, ㉤은 흰색을 나타내는 시어로 순수, 깨끗함을 의미한다.

07 민지의 꽃

p. 25

01 ③ **02** ③ **03** ④ **04** 그건 잡초야 **05** ④

01 이 시에는 화자가 민지를 만난 경험과 민지를 통해 깨달은 점이 담겨 있다. 화자가 자신의 어린 시절을 회상하는 내용은 드러나지 않는다.

✖오답 풀이 ② '강원도 평창군 미탄면 청옥산 기슭'이라는 구체적인 공간이 제시되어 있다. ④ 10~11행에서 화자와 민지의 대화가 그대로 제시되어 생동감을 준다. ⑤ 화자는 민지의 순수한 말과 행동을 보고 때 묻은 자신의 생각과 태도를 반성하고 있다.

02 화자는 질경이, 나싱개, 토끼풀, 억새와 같은 풀들을 꽃이라고 하는 민지의 말을 듣고 '그건 잡초야'라고 말하려던 입을 다물었으므로, ③은 이 시를 읽고 떠올릴 수 있는 장면이 아니다.

03 화자는 자신이 잡초라고 생각했던 풀들을 가리켜 꽃이라고 한 민지의 말을 듣고, 그동안 고정 관념에 사로잡혀 대상을 바라보았던 자신의 태도를 반성하고 있다.

05 ㉠은 시적 화자에게 깨달음을 주는 민지의 순수한 말이다. 이 시에는 화자가 바라본 민지의 순수한 모습이 드러날 뿐, 화자를 위로하는 민지의 모습은 나타나지 않는다.

08 성북동 비둘기

p. 27

01 ② **02** ⑤ **03** ② **04** ② **05** 사랑, 평화

01 이 시는 비둘기라는 상징적 소재를 통해 현대 문명의 문제점을 간접적(우의적)으로 비판하고 있다.

02 이 시는 현대 사회의 자연 파괴와 인간성 상실을 비판하고 있으므로 이를 강조하기 위해서는 마지막 장면에 삶의 터전을 빼앗긴 채 갈 곳을 잃어버린 비둘기의 모습을 담는 것이 적절하다.

03 ㉠은 인간의 삶의 터전이고, ㉡은 비둘기의 삶의 터전이다. 1연의 1~2행에 따르면 인간의 삶의 터전이 생기면서 비둘기의 삶의 터전이 사라졌다고 하였으므로 ②의 설명이 적절하다.

04 '돌 깨는 산울림', '채석장 포성'은 도시화와 산업화에 따른 자연 파괴, 즉 현대 문명의 폭력성을 청각적 심상을 활용해 감각적으로 형상화한 것이다.

✖오답 풀이 ⓒ 파괴된 자연의 모습, 인간성이 파괴된 현대 사회의 모습을 의미한다. ⓔ '온기'에 촉각적 심상이 쓰였다.

05 이 시는 현대 문명사회의 폭력성으로 인해 자연뿐만 아니라 사랑, 평화와 같은 인간성까지 파괴되어 가는 현실을 비판하고 있다.

09 훈민가, 두꺼비 파리를 물고

p. 29

01 ③, ⑤ **02** (가) 올 길에 (나) 모쳐라 **03** ⑤ **04** ⑤ **05** ③

01 (가)와 같은 평시조는 조선 전기에 주로 양반 계층이 창작하였으며, 대체로 유교적 관념을 주제로 다루었다. 반면에 (나)와 같은 사설시조는 조선 후기에 평민들이 주로 창작하였으며, 그들의 솔직한 생활 감정이나 현실 비판 등을 주제로 다루었다.

✖오답 풀이 ①, ④ 시조는 3장 구조를 기본으로 하고 종장 첫 음보는 세 글자로 고정되는 등의 형식적 제약이 있는 정형시이다.

02 시조에서 종장의 첫 음보는 3음절로 글자 수가 고정되어 있다.

03 (가)는 백성들에게 근면하고 상부상조하는 삶을 실천하도록 권장하는 내용을 담고 있다. 자연에서 유유자적하게 사는 삶을 소망하는 내용은 드러나지 않는다.

04 (나)의 종장에서 두꺼비는 자신의 비굴한 행동을 합리화하며 자화자찬하는 말을 하고 있다. 이는 허세를 부리는 두꺼비의 모습을 드러내고 우스꽝스러움을 느끼게 한다. 이를 통해 작가는 약자에게는 강하고 강자에게는 약한 당시 양반 계층의 허세를 효과적으로 풍자하고 있다.

05 이 시에서 '두꺼비'는 약자에게 강하고 강자에게 약한 관리를, '파리'는 힘없고 나약한 백성을 상징한다. 파리를 물고 있는 두꺼비의 모습은 백성을 수탈하는 탐관오리의 행태를 나타낸다.

❖ 소설 ❖

개념 확인 문제

p. 30 ~ 33

1 (1) ○ (2) X (3) X (4) ○ 2 ② 3 문체 4 인물 5 발단, 절정 6 ② 7 ○ 8 (1) 입체적 (2) 전형적 (3) 주동 (4) 중심, 주변 9 ㉠ 직접 제시 ㉡ 직접 제시 ㉢ 간접 제시 10 (1) 갈등 (2) 내적 갈등 11 ④ 12 인물과 인물의 외적 갈등 13 ① 14 (1) ○ (2) ○ (3) X 15 전지적 작가 시점 16 (1) 평면적 (2) 막연하다 (3) 행복하게 17 비현실적

1 (2) 설명문에 대한 설명이다. 소설은 꾸며 낸 이야기를 통해 삶의 진실을 추구하고 독자에게 감동을 주는 것이 목적이다. (3) 소설은 작가가 상상하여 꾸며 낸 이야기를 담고 있는 허구의 문학이다.

4 소설 구성의 3요소는 인물, 사건, 배경이다. 〈보기〉에서는 작품 속 인물인 '수남이'에 대해 중점적으로 서술하고 있다.

6 사건을 발생한 시간 순서대로 제시하지 않고 작가의 의도에 따라 뒤바꾸어 서술하는 것은 입체적 구성(역순행적 구성)이다.

9 ㉠은 슬퍼하는 길동의 심리를 '슬퍼해 마지않았다'라고 직접 설명하였고, ㉡ 역시 분노의 심리를 '치가 떨린다'라고 직접 제시하였다. ㉢은 눈시울이 약간 부었다는 묘사를 통해 슬퍼하는 남이의 심리를 간접적으로 제시하였다.

11 갈등은 한 인물의 내면이나 인물과 다른 대상 사이에서 일어나는 대립 상태이다. 다른 인물뿐만 아니라 사회, 운명, 자연과도 갈등이 일어날 수 있다.

12 〈보기〉에서는 닭을 때려죽인 일로 '나'와 점순이가 다툼을 벌이며 갈등하고 있다.

13 '개울가'는 공간적 배경이고 나머지는 모두 시간적 배경이다.

14 (3) 서술자가 사건의 경과와 인물의 내면까지 알려 주는 것은 전지적 작가 시점이다.

15 〈보기〉의 서술자는 작품 밖에 위치해 있으며, '크게 놀랐다', '문기는 실로 앞이 캄캄했다'와 같이 인물의 내면 심리까지 전달해 주고 있다.

16 (1) 고전 소설은 일반적으로 시간의 흐름에 따라 사건을 전개하고 인물의 일생을 다루는 평면적 · 일대기적 구성 방식으로 서술된다. (3) 고전 소설은 일반적으로 권선징악의 주제를 다루며 주인공이 행복해지는 결말을 맺는 경우가 많다.

17 〈보기〉에는 길동이 도술을 부리는 내용이 제시되어 있는데, 이는 현실에서 보기 어려운 기이하고 신비로운 요소이다. 고전 소설의 이러한 특징을 '전기성(傳奇性)'이라고 한다.

01 사랑손님과 어머니

p. 35~41

01 ② 02 ① 03 ②, ④ 04 삶은 달걀 05 ④ 06 ④ 07 ③ 08 ③ 09 옥희 어머니를 찾기 위해서 10 ③ 11 ③, ⑤ 12 ① 13 ①, ⑤ 14 ④ 15 ⑤ 16 ⑤ 17 풍금 뚜껑을 닫고, 마른 꽃송이를 버리고, 달걀을 사지 않는다 18 ⑤ 19 ①

01 이 소설의 주인공은 어머니와 아저씨(사랑손님)이고 '나'(옥희)는 관찰자이다. 즉 이 글은 어린아이인 서술자가 관찰한 내용을 전달하는 1인칭 관찰자 시점으로 쓰인 소설이다.

02 옥희가 아저씨에게 친근감을 느낀 것은 사실이나, 그것이 아저씨가 옥희네 집에서 하숙을 하게 된 이유는 아니다. 옥희는 아저씨가 하숙을 시작한 후 친절하게 대해 주었기 때문에 친근감을 느낀 것이다.

03 옥희는 아저씨에 대한 어머니의 관심을 눈치채지 못한 채 달걀을 많이 먹게 된 것만을 좋아하는 순진한 성격이다. 또한 '한번 맘을 먹은 다음엔 꼭 그대로 하고야 마는' 고집 있는 성격이다.

05 이 글의 서술자인 옥희는 어린아이로, 여섯 살 아이의 시각에서 인물들의 행동을 관찰하고 해석하여 전달하고 있다. 따라서 독자는 이를 그대로 받아들일 것이 아니라 어머니와 아저씨의 말과 행동을 살피고 옥희가 파악하지 못하는 인물의 심리를 생각하며 읽어야 한다.

06 예배당에 남자석과 여자석이 따로 있는 것에서, 이 글이 남녀를 구분하는 봉건적인 윤리관이 강하게 남아 있던 사회를 배경으로 하고 있음을 알 수 있다.

07 이 글은 1인칭 관찰자 시점으로 서술되고 있어서 서술자가 주인공의 심리를 분명히 전달하지 못한다. 그런데 〈보기〉는 주인공인 아저씨가 서술자가 되어 직접 자신의 이야기를 전달하는 1인칭 주인공 시점이어서 독자에게 신뢰감을 준다.

✖오답 풀이 ① 〈보기〉에서 '나'는 주인공이자 서술자로서 이야기를 전달하고 있다. ② 3인칭 작가 관찰자 시점에 대한 설명이다. ④ 3인칭 전지적 작가 시점에 대한 설명이다. ⑤ 〈보기〉는 1인칭 주인공 시점이라는 한 가지 시점으로 서술되었다.

08 옥희는 어머니와 아저씨가 서로에게 호감이 있다는 것을 모르고 있다. 그렇기 때문에 서로를 의식한 어머니와 아저씨가 부끄럽고 당황스러워서 얼굴이 빨개지는 것임을 알아채지 못하고, ㉠, ㉡, ㉣, ㉤과 같이 단순히 성이 난 것으로 해석하고 있다. 그러나 ㉢은 고개를 숙이는 아저씨의 행동을 그대로 전달하고 있으므로 어린 서술자의 한계가 드러난 내용이라고 볼 수 없다.

09 아저씨는 옥희 어머니를 보기 위해 예배당에 따라왔으므로, 그녀를 찾기 위해 기도 시간에 눈을 뜨고 두리번거린 것이다.

10 이 글은 당시의 사회적 관습과 사랑 사이에서 갈등하는 인물의 모습을 그려 내고 있을 뿐, 인내하고 순종하는 전통적 여성상을 예찬하지는 않았다.

11 옥희의 어머니는 옥희를 통해 아저씨에게 이별의 뜻을 전달하려 한다. 어머니는 자신의 대리인으로서 이별의 뜻을 전달해 줄 옥희를 깔끔하게 단장시킴으로써 아저씨에게 정성과 예의를 다하고자 한 것이다.

12 얼굴이 몹시 파래지고 입술을 깨물면서 말 한마디 하지 않는 아저씨의 모습은 긴장감에서 비롯된 것이다. 아저씨는 옥희가 전달하는 손수건에 자신의 편지에 대한 답장이 있음을 알고 어떤 내용일지 궁금하고 조마조마하여 긴장한 것이다.

13 구슬픈 곡조를 풍금으로 타는 어머니의 행동에는 사랑을 포기해야 하는 상황에 대한 안타까움과 그러한 자신의 마음을 달래고자 하는 심정이 반영되어 있다.

14 옥희의 어머니는 여성의 재혼을 부정적으로 보는 봉건적인 사회 분위기와 옥희의 미래에 대한 염려 때문에 아저씨와의 사랑을 포기한다.

15 이 글은 여성의 재혼을 부정적으로 보았던 보수적인 사회 상황을 배경으로 사랑손님과 어머니의 애틋한 사랑과 이별을 그려 내고 있다.

✖오답 풀이 ② 이 소설은 어린 서술자를 내세워 남녀의 사랑을 아름답고 순수하게 그려 내고 있으며, 주인공에 대한 부정적인 판단이나 평가는 나타나지 않는다. 따라서 작가가 주인공의 태도를 비판하고 있다고 보기 어렵다.

16 이 글의 '나'(옥희)는 봉건적 윤리관에 대해 아직 잘 모르는 어린아이이고, 봉건적 윤리관이 옥희의 장래에 미치는 영향은 글에 드러나지 않는다. 따라서 봉건적 윤리관이 어린아이의 장래에 미치는 영향을 사실적으로 보여 주기 위해 서술자를 어린아이로 설정했다고 보는 것은 적절하지 않다.

✖오답 풀이 ② '나'의 어머니와 아저씨의 통속적인 사랑 이야기를 어린아이의 순수한 시선으로 담아냄으로써 두 사람의 사랑을 아름답게 승화시키고 있다.

18 옥희는 아이답게 기차가 떠나는 것을 보고 마냥 좋아하고 있을 뿐, 아저씨를 떠나보내는 어머니의 슬픔을 이해하지 못하고 있다.

19 어머니는 아저씨를 떠나보낸 슬픔과 아쉬움 때문에 목소리에 힘이 없어진 것이다.

02 내가 그린 히말라야시다 그림 p. 43~49

01 ③ 02 ③ 03 ② 04 ⑤ 05 ④ 06 ⑤ 07 삶(인생) 자체 08 ①, ⑤ 09 ① 10 ②, ⑤ 11 ⑤ 12 ② 13 ⑤ 14 ⑤ 15 ③ 16 ③

01 이 글의 갈래는 소설이다. 소설은 작가가 상상하여 꾸며 낸 허구적인 이야기로 인물, 사건, 배경 등의 요소가 갖추어져야 한다.

✖오답 풀이 ① 희곡, ② 수필, ④ 논설문, ⑤ 시의 특징을 설명한 것이다.

02 '나'는 자신이 아버지로부터 그림에 대한 재능을 물려받았다고 생각하여 '다른 평범한 아이들처럼 죽어라 연습할 필요는 없다.'고 생각하였다. 그래서 미술반 아이들과 함께 선생님을 따라 산과 들을 다닐 때에도 열에 여덟아홉은 스케치북을 펴지도 않을 정도로 연습을 하지 않았다.

03 (라)에서 '나'의 아버지가 가족을 굶기지 않기 위해 정신없이 일을 했다고 하였으므로 가장으로서 책임감이 강하다고 할 수 있다.

04 ㉠ 뒤에 이어지는 '내 아버지는 ~ 연습할 필요는 없잖아.'에서 '나'가 ㉠과 같이 생각하는 이유가 드러난다. '나'는 자신이 아버지로부터 그림에 대한 천부적인 재능을 물려받았으므로 다른 평범한 아이들과는 다르다고 생각하였고, 그렇기 때문에 미술이 별것 아니라고 자만한 것이다.

05 이 글의 두 서술자(0의 '나'와 1의 '나')는 각각 자신의 관점에서 과거의 일을 회상하여 서술하고 있다.

✖오답 풀이 ① 이 글의 시대적 배경은 현대이다. ③ 이 글은 두 서술자가 번갈아 가며 자신의 이야기를 하는 방식으로 전개되고 있다. 외부 이야기 안에 내부 이야기가 들어 있는 구성(액자식 구성)은 아니다.

06 (마)에서 '나'는 비슷한 위치에서 그림을 그리는 낯익은 여자애를 '처음부터 다른 길에서 출발해서 가다가 우연히 두어 시간 동안 같은 장소에서 비슷한 그림을 그리게 되겠지만 앞으로 영원히 만날 일이 없을 것 같은 사람'이라고 생각하였다.

07 (사)에서 '나'는 자신이 한 번도 상을 받아 본 적이 없다고 한 뒤 자신의 삶에 대해 '나는 상을 못 받았지만 내가 타고난 행운, 삶 자체가 상이다 싶어.'라고 평가하고 있다.

08 (아)에서 '나'는 자신이 받을 상이 남에게 간 것을 바로잡지 않은 이유에 대해 '내 실수와 잘못된 과정을 바로잡는 게 너절하고 귀찮은 일이라는 생각'을 가졌기 때문이라고 말하고 있다. 또 수상자 선정 과정에서 발생한 오류를 바로잡게 되면 상을 받았던 아이가 '씻지 못할 좌절감'을 갖게 될 것 같았다고 말하고 있다.

09 이 글은 '~했어', '~ 거야' 등 일상 대화에서 사용하는 구어체로 이야기를 전달하여 독자가 친근감을 느끼게 한다.

✖오답 풀이 ② 이 글의 서술자인 0의 '나'와 1의 '나'는 작품의 주인공으로, 자신의 이야기를 전달한다.

10 '나'는 자신의 크레파스에는 진작 떨어지고 없었던 회색이 그림에 칠해져 있는 것을 발견한다. 또 그림 뒷면에 쓰인 숫자가 자신의 글씨가 아님을 알고 장원 상을 받은 그림이 자신의 그림이 아니라는 것을 확신한다.

✖오답 풀이 ① (카)에서 '풍경은 내가 그린 것과 비슷했지만'이라고 하였다. ③, ④ '나'는 장원으로 전시된 그림 뒷면에 자신이 사생 대회 때 부여받은 번호인 124가 쓰여 있는 것을 확인한다.

11 (파)에서 '나'는 벽에 걸린 그림에 대해 '장원을 받을 수밖에 없는 그림, 같은 장소에 있었던 나로서는 발견할 수 없었던 부분, 벽과 히말라야시다 사이의 빈 공간의 처리는 완벽했어.'라고 평가하고 있다.

12 ㉠에는 장원을 한 그림이 자신의 그림이 아니라는 것을 알게 된 '나'의 당황스러운 심리가 드러난다. '그런데'를 반복하여 '나'가 받은 충격을 효과적으로 드러내고 있다.

13 이 글에서는 0과 1의 두 서술자가 번갈아 가며 사건을 서술하고 있다. 이러한 서술 방법은 같은 사건에 대한 서로 다른 인물의 생각과 느낌을 보여 주기 때문에 사건을 다양한 각도에서 파악할 수 있게 한다.

✖오답 풀이 ④ 이 글은 1인칭 주인공 시점으로 서술되어 '나'의 심리가 세밀하게 드러난다.

14 〈보기〉는 1인칭 주인공 시점으로 서술된 (하)의 내용을 전지적 작가 시점으로 바꾸어 서술한 것이다. 전지적 작가 시점은 작품 밖에 있는 서술자가 전지전능한 신과 같은 위치에서 사건의 전개 과정과 인물의 심리까지 모두 서술한다.

✖오답 풀이 ① 1인칭 관찰자 시점, ②, ③ 작가 관찰자 시점, ④ 1인칭 주인공 시점에 대한 설명이다.

15 ㉢은 다른 이의 실수로 수상자가 바뀌게 되어 상을 받은 사건 이후로 '나'가 자신의 재능에 대한 자만심을 버리게 되었음을 의미한다.

16 ⓐ에서는 0의 '나'(백선규)가 점점 멀어지다 사라지고 1의 '나' 또한 자신의 갈 길을 가게 되는 것으로 결말을 맺고 있다. 이는 인물들의 이후 삶에 대해 상상의 여지를 주고 여운을 남기는 결말이다.

03 흰 종이수염

p.51~55

01 ⑤ 02 ⑤ 03 ⑤ 04 ⑤ 05 ③ 06 ⑤ 07 ③, ④ 08 ④ 09 현실의 어려움을 극복할 수 있다 10 ③ 11 ③ 12 ① 13 ① 14 ③

01 아버지는 동길이를 교실에서 쫓아낸 선생님에게 사과받기 위해서가 아니라, 동길이가 사친회비를 내지 못한 사정을 설명하기 위해 학교에 찾아간 것이다.

✖오답 풀이 ① 동길이를 위해 학교에 다녀온 것과 사친회비를 꼭 마련해 주겠다는 말에서 아들에 대한 사랑을 느낄 수 있다. ② (라)의 '손이 하나 없으니까 목수질은 못 하지만'에서 징용 전에 아버지가 목수로 일했음을 짐작할 수 있다. ③ 자신을 꾸짖는 아버지에게 "아부지 노무자 나갔다고 캤심더."라고 대꾸하며 뾰로통해진 것에서 알 수 있다. ④ 아버지가 징용을 다녀온 것과 '팔뚝을 하나 나라에 바쳤다고'라는 말에서 알 수 있다.

02 이 글은 6 · 25 전쟁 직후의 가난하고 비참한 삶의 모습과 그 극복 의지를 그리고 있는 소설이다. 우리나라가 경제 발전을 이룩하였다는 내용은 다루지 않았다.

✖오답 풀이 ②, ③ 동길이네 가족의 힘겨운 삶은 전쟁에서 비롯된 것이다. 징용에 갔다가 한쪽 팔을 잃은 아버지와 그의 어린 아들인 동길이의 모습을 통해 작가는 민족의 비극적 역사에 의해 상처받은 사람들의 고달픈 삶을 그려 내고 있다. ④ 아버지는 자식에게 경제적인 어려움을 겪게 한 것에 대한 자책감과 미안함을 느끼며 동길이를 혼내고 있다.

03 이 글의 시대적 배경은 6 · 25 전쟁 직후로, '방학'은 이러한 시대적 배경을 드러내지 않는다.

✖오답 풀이 ①, ③ '징용'과 '노무자'는 6 · 25 전쟁으로 아버지가 국가에 의해 노동자로 동원되었음을 드러내는 말이다. ② '책보'는 책가방이 아니라 보자기에 책을 싸서 학교에 다녔던 당시의 상황을 드러낸다. ④ '사친회비'는 사친회를 운영하기 위해 내는 돈이다. '사친회'는 학교를 중심으로 하여 학부모와 교사로 이루어진 모임으로, 6 · 25 전쟁 이후에 이전의 후원회를 고쳐 만든 것이다.

04 동길이는 사친회비를 꼭 장만해 줄 테니 열심히 학교에 다니라는 아버지의 말을 듣고 자신을 사랑하는 아버지의 마음에 감격해서 울먹울먹해진 것이다.

05 아버지는 학교에서 찾아온 동길이의 책보와 함께 '흰 종이'를 집에 가져왔으며, 자신이 오늘 취직했다고 말한다. 즉 '흰 종이'는 아버지가 얻은 새로운 직업과 관련하여 새로운 사건이 전개될 것임을 암시하는 소재이다.

06 이 글은 작품 밖의 서술자가 신과 같은 위치에서 인물의 내면 심리까지 전달해 주는 전지적 작가 시점으로 서술되었다. 서술자는 특히 동길이에게 초점을 맞추어 동길이의 심리는 자세하게 전달하고 아버지와 어머니의 모습은 동길이의 입장 가까이에서 전달함으로써 내용을 흥미롭게 제시하고 있다.

✖오답 풀이 ② 수필에 대한 설명이다. ③은 1인칭 관찰자 시점, ④는 작가 관찰자 시점에 대한 설명이다.

07 사투리를 사용하면 작품의 사실성과 현장감을 높이고 독자의 흥미를 유발하며 토속적인 분위기를 자아내는 효과를 얻을 수 있다. 이 글 역시 인물들이 사용하는 사투리를 통해 경상도 시골 마을이라는 공간적 배경을 생생하게 느끼게 한다.

08 아버지는 전쟁 때문에 한쪽 팔뚝을 잃어 이전에 했던 목수 일을 하지 못하고 극장에 취직한다. 그런데 〈보기〉로 보아 아버지가 하게 된 일은 종이수염을 붙이고 사람들의 시선을 끌어 영화를 광고하는 우스꽝스러운 일임을 알 수 있다. 즉 (사)에서 아버지는 다른 사람들 앞에서 광대 노릇을 하며 먹고살아야 하는 자신의 현실에 서글픈 감정을 느껴 흐느낀 것이다.

10 '팔뚝을 한 개 나라에 바친 그 덕택이란 말이여.'라는 말을 고려할 때, ㉠은 한쪽 팔이 없는 자신의 신세를 한탄하며 웃는 자조적인 웃음이다.

11 이 소설은 어린 소년을 주인공으로 하여 6 · 25 전쟁이 가져온 상처와 비참한 삶의 모습을 그려 내고 있다. 현대인들의 물질 만능주의와는 관련이 없다.

✖오답 풀이 ① (차)~(타)에는 광고판을 매단 아버지를 놀리는 아이들과 동길이 사이의 외적 갈등이 두드러지게 나타나 있다. ⑤ 사친회비를 내지 못해 교실에서 쫓겨날 정도로 가난한 동길이네의 상황, 한쪽 팔뚝을 잃고 생계를 위해 광대 노릇을 하는 동길이 아버지의 모습은 6 · 25 전쟁이라는 민족의 비극이 개개인의 삶에 미친 영향을 보여 준다.

12 이 글은 갈등이 해결되지 않고 고조된 상태에서 마무리되고 있다. 이야기가 중간에 멈춘 것처럼 열린 결말로 끝맺음으로써 독자가 뒤에 이어질 이야기를 상상해 보도록 유도하고 있다.

13 동길이는 광고판을 매달고 있는 희한한 사람이 자기 아버지임을 알고 '가슴이 철렁 내려앉고' '뒤통수를 야물게 한 대 얻어맞은 것'처럼 놀랐으며, 슬픔에 '눈물이 핑 돌았다'. 그러다 아버지를 놀리는 아이들 때문에 '온몸의 피가 얼굴로 치솟는 듯'했고 '가슴속에 불이 확 붙는 것' 같은 분노를 느낀다.

14 '흰 종이수염'은 이 글의 중심 소재로, 6 · 25 전쟁이라는 민족의 비극에서 비롯된 비참한 삶과 그것을 극복하려는 아버지의 의지 등을 보여 준다. 운명 앞에 좌절하는 인간의 나약함과는 관련이 없다.

04 원미동 사람들

p. 57~61

01 ① **02** ④ **03** ③ **04** ⑤ **05** ⓐ 김포 슈퍼와 형제 슈퍼 ⓑ 동네 사람들(동네 여자들) **06** ④ **07** ⑤ **08** ③ **09** ② **10** ③ **11** ⑤ **12** ② **13** ② **14** ①

01 (다)에는 싼값에 물건을 사기 위해 김포 슈퍼와 형제 슈퍼 사이에서 대놓고 이기적으로 구는 고흥댁의 모습이 제시되어 있다. 그러나 '번번이 한 수 뒤처지는 것'을 억울해하는 모습에서 고흥댁이 영리하고 민첩하게 움직이지 못하는 성격임을 알 수 있다.

02 경호네의 김포 쌀 상회가 취급 품목을 확대하면서 김포 슈퍼가 된 후, 김포 슈퍼와 형제 슈퍼는 같은 품목을 팔며 서로 경쟁하고 갈등하게 되었는데, 여기에 더해 어떤 일이 추가로 일어나 갈등이 심화될 것임을 ㉠에서 짐작할 수 있다.

03 (나)에 따르면 김 반장은 김포 슈퍼의 가격을 기준 삼아 그보다 가격을 더 내리고 저울 눈금을 후하게 달아 양을 많이 주는 방법으로 김포 슈퍼에 대응하였다.

04 '어부지리'는 두 사람이 이해관계로 서로 싸우는 사이에 엉뚱한 사람이 애쓰지 않고 가로챈 이익을 이르는 말이다. ㉢은 두 슈퍼의 가격 경쟁으로 제3자인 동네 사람들이 이익을 챙기게 된 상황을 보여 주므로 '어부지리'라는 한자성어로 나타내기에 적절하다.

✖오답 풀이 ① 동병상련: 같은 병을 앓는 사람끼리 서로 가엾게 여긴다는 뜻으로, 어려운 처지에 있는 사람끼리 서로 가엾게 여김을 이르는 말. ② 상부상조: 서로서로 도움. ③ 설상가상: 눈 위에 서리가 덮인다는 뜻으로, 난처한 일이나 불행한 일이 잇따라 일어남을 이르는 말. ④ 아전인수: 자기 논에 물 대기라는 뜻으로, 자기에게만 이롭게 되도록 생각하거나 행동함을 이르는 말.

06 (라)에는 싱싱 청과물이 개업을 한 상황이 제시되어 있다. 김포 슈퍼와 형제 슈퍼는 치열한 가격 경쟁 때문에 많이 지쳐 있는 상태이고, 경호네와 김 반장 모두 싱싱 청과물의 개업에 불편한 기색을 드러내고 있다. "인제는 싱싱 청과물까지 끼어들어 훼방을 놓으니…….”라는 말에서 싱싱 청과물에 대한 경호네 내외의 생각이 드러난다.

✖오답 풀이 ① 싱싱 청과물 주인 사내는 개업 전에 동네 형편을 파악하지 못하고 두 슈퍼의 가운데 지점에서 같은 품목으로 장사를 시작하였으므로, 눈치가 빠른 사람이라고 보기 어렵다. ③ '김포 슈퍼와 형제 슈퍼의 딱 가운데 지점에서, ~ 무사할 리가 없었다.'에서 싱싱 청과물의 앞날이 순탄치 않을 것임을 짐작할 수 있다. ⑤ 김 반장의 할머니의 말에서 김 반장이 어머니, 할머니, 동생들 등 많은 식구를 부양해 왔음을 알 수 있다.

07 '휴전 협정'은 김포 슈퍼와 형제 슈퍼가 더 이상 가격 인하 경쟁을 하지 않기로 한 것이다. 이는 두 집의 물건값이 같아졌고 저울 눈금도 서로 확실히 하고 있다는 내용에서 확인할 수 있다. '동맹 관계'는 공동의 목적을 달성하기 위해 힘을 합치는 것이므로 새로운 경쟁 상대인 싱싱 청과물을 무너뜨리기 위해 맺은 것임을 알 수 있다.

08 고흥댁의 말에는 두 슈퍼가 더 이상 가격 경쟁을 하지 않기로 하여 이익을 취하지 못하게 된 것에 대한 아쉬움이 드러난다.

09 '일체(一切)'는 모든 것, 온갖 것이라는 의미를 나타내는 단어이고, '일절(一切)'은 아주, 전혀, 절대로의 뜻으로 부정하는 말과 결합하는 단어이다. ②는 '외상 일절 사절'이 올바른 표현이다.

10 ③은 먹고살기 힘들었던 1980년대 도시 변두리 서민들의 생활상이라는 '시대 현실'과 관련지어 이 글을 감상한 내용이다.

✖오답 풀이 ①은 서술자의 시점, ②는 인물 및 사건과 관련된 내용으로, 작품의 내적 요소를 중심으로 감상한 내용이다. ④는 독자의 깨달음, ⑤는 작가의 경험과 관련된 내용으로, 작품의 외적 요소를 중심으로 감상한 내용이다.

11 세 가게가 같은 업종에 종사하면서 갈등하는 근본적인 이유는 먹고살기 힘든 현실 때문이다.

12 (바)와 (사)에는 싱싱 청과물을 몰아내기 위해 동맹을 맺은 경호 아버지·김 반장과, 싱싱 청과물 사내 간의 다툼이 제시되어 있다. 이는 인물들 간의 이해관계에서 비롯된 외적 갈등이다.

13 김 반장은 싱싱 청과물의 장사를 방해하고 싱싱 청과물 사내에게 알게 모르게 주먹 솜씨를 발휘하며 냉혹하게 대한다. 이러한 김 반장의 모습에서 인정이 없고 모진 성격이 드러난다.

14 싱싱 청과물 주인은 장사를 방해한 김 반장에게 화가 나 그를 찾아간 것이므로, 김 반장을 비판하거나 장사를 방해하는 행동을 그만두도록 요구하는 말을 할 것이다. ①은 상대방을 칭찬하고 감탄하는 말이므로 싱싱 청과물 주인이 김 반장에게 했을 말로 적절하지 않다.

05 할머니를 따라간 메주

p. 63~65

01 ③ 02 ② 03 ③ 04 메주 05 ④ 06 ⑤ 07 ⑤ 08 ③ 09 ④ 10 ③

01 이 글에서 엄마는 할머니와 같이 살기 싫어서가 아니라 생활 방식과 가치관이 다르기 때문에 할머니와 갈등하고 있다. 엄마는 집의 미관을 중시하기 때문에 상의도 없이 집에 못을 박은 할머니에게 화가 난 것이고, 아파트에 살면서 메주를 쑤는 전통적인 방식을 고수하려는 태도가 적합하지 않다고 생각하기 때문에 할머니와 대립한 것이다.

02 이 글에는 할머니와 엄마의 외적 갈등이 두드러지게 나타나는데, ② 또한 '나'와 점순이 즉 인물과 인물의 외적 갈등이 제시되어 있다.

✖오답 풀이 ①과 ③에서는 인물의 내적 갈등, ④와 ⑤에서는 인물과 사회의 외적 갈등이 드러난다.

03 할머니는 손이 많이 가거나 시간이 오래 걸리더라도 전통적인 방식으로 직접 장을 담그려 한다. 반면에, 저렴하고 손쉽게 김치를 구입하는 자취생의 생활 태도는 할머니의 생활 태도와는 거리가 있다.

05 이 글은 어린 '나'가 서술자인 1인칭 관찰자 시점의 소설이다. ㉠은 서술자인 '나'가 관찰한 할머니의 모습을 묘사한 것이다.

✖오답 풀이 ① '나'의 관점에서 할머니의 겉모습과 행동을 관찰한 내용이지 할머니의 행동을 평가한 것은 아니다. ②, ③, ⑤ 서술자는 엄마나 할머니, 작품 밖의 작가가 아니라 '나'이다.

06 이 글에는 실용적이고 편리한 것만을 추구하는 요즘 세태에 대한 비판적 시각이 드러난다. 이는 메주를 쑤는 일로 엄마와 갈등하면서도 '세상이 아무리 달라졌다 해도 달라지지 않는 것도 있는 법'이라고 여기는 할머니의 생각에서 드러난다. 또 실용적이고 편리한 생활 공간인 서울(아파트)을 '흙마당 하나 밟을 데 없이' '갑갑증'이 나는 곳으로 생각하여 고향으로 떠나고자 하는 할머니의 말에서도 잘 드러난다.

07 그동안 자신이 잘못했다고 사과하는 엄마에게 할머니는 '너한테 서운한 게 있어 내려가려는 게 절대 아녀.'라고 말한다. 이로 보아 할머니는 엄마에게 개운치 않은 감정을 품고 있거나 갈등을 회피하려 하지 않았다. 할머니는 자신의 삶의 방식이 서울의 생활 방식과 맞지 않는다면서 자신의 가치관을 가족들에게 이해시키고 있다.

08 이 글은 가치관의 차이에서 비롯한 세대 갈등을 보여 줌으로써, 세대 간의 가치관의 차이를 이해해야 한다는 교훈을 준다.

09 이 글의 내용으로 볼 때 친족 공동체 생활을 할 수 있는 공간은 서울이 아니라 시골(고향)이다. '바로 옆집에 작은엄니 안 계시냐. 또 건너 건넛집은 당숙네고. 동네가 다 일가붙인데 혼자는 무슨 혼자래여?'라는 할머니의 말에서 알 수 있다.

✖오답 풀이 ①, ② 할머니에게 서울은 흙마당 하나 밟을 데 없이 갇혀 살아야 하는 삭막하고 답답한 공간이다. ⑤ 서울은 메주를 직접 만들기보다는 사 먹는 것을 선호하는, 빠르고 편리한 생활을 추구하는 공간이다.

10 아파트는 할머니의 가치관이나 생활 방식과 맞지 않는 공간이기 때문에 할머니가 행복하지 않은 것이다.

06 춘향전

p. 67~69

01 ③ 02 ④ 03 ③ 04 ② 05 ④ 06 ⑤ 07 ③ 08 이몽룡 09 ③

01 이 글의 갈래는 고전 소설이다. 고전 소설의 등장인물은 주로 특정 계층이나 집단의 성격을 대표하는 전형적 인물이고, 작품이 끝날 때까지 성격의 변화가 뚜렷하게 나타나지 않는 평면적 인물이다.

02 (다)는 어사또가 출두하여 관리들이 당황한 모습이 나타난 장면이다. 여기서는 서술자가 인물들의 심리를 세밀하게 묘사하기보다는 주로 행동과 대화를 통해 인물들의 처지와 심리를 드러내고 있다.

✖오답 풀이 ① 어사출두 후 우왕좌왕하는 수령들의 모습이 웃음을 유발하고 있다. ② '본관 사또 똥을 싸고, 멍석 구멍에 생쥐 눈 뜨듯 하면서'와 같이 악한 인물을 우스꽝스럽게 나타내어 독자에게 통쾌함을 느끼게 하였다. ③ 어사출두로 상황이 반전되었다. ⑤ '따악'(의성어), '후다닥'(의태어)과 같은 음성 상징어를 사용하여 생동감 있게 표현하였다.

03 ㉠은 운봉이 어사출두에 대비하기 위해 육방을 단속하는 상황을 대구와 열거를 사용해 길게 표현한 부분이다. '육방과 관속을 불러 각자 맡은 일을 점검하도록 지시하였다.'라고 요약적으로 전달할 수 있는 내용을 확장적 문체를 사용하여 장면을 극대화하고 있다.

04 ㉡은 어사출두에 당황한 변 사또가 정신없이 허둥대며 한 말로, '문'과 '바람', '물'과 '목'을 뒤바꿔 말하여 웃음을 유발하는 표현이다. 이와 가장 유사한 것은 '말'과 '이'를 바꿔 말한 ②이다.

05 이 글은 조선 후기 전라도 남원을 배경으로 신분을 초월한 남녀 간의 사랑을 다룬 판소리계 소설이다. 비현실적이고 기이한 요소는 고전 소설에서 많이 나타나는 특징이지만 이 소설에서는 드러나지 않는다.

✖오답 풀이 ①, ②, ③, ⑤는 판소리계 소설로서 이 글에 나타나는 특징이다.

06 이 글의 표면적 주제는 남녀 간의 사랑과 유교적 정절 의식이다. 또한 그 이면에는 탐관오리의 횡포를 고발하고 신분을 초월한 사랑을 이루는 것에서 알 수 있듯이 인간 평등사상이 반영되어 있다.

07 (마)는 이몽룡이 춘향의 절개를 시험하기 위해 일부러 다그치며 춘향의 마음을 떠보는 부분으로, 춘향의 정절을 강조하려는 작가의 의도가 담겨 있는 장면이다. 따라서 이 부분을 이몽룡과 변 사또가 다를 바 없는 인물임을 암시하기 위해 설정했다고 보는 것은 적절하지 않다.

09 '층층이 높은 절벽 높은 바위'와 '푸른 솔 푸른 대'는 춘향의 지조와 절개를 의미하고, '바람'과 '눈'은 춘향이 겪는 시련을 의미한다.

07 심청전

p. 71~73

01 ③ 02 ② 03 ③ 04 ② 05 ⑤ 06 ③ 07 ④ 08 ④

01 조선 시대의 유교적 이념 체제에서 효는 중요한 덕목 중의 하나였다. 이 글은 아버지를 위해 목숨까지 희생하는 심청의 지극한 효성을 통해 당시 사회에서 중요하게 여긴 효의 덕목을 강조하고 있다.

02 심 봉사의 꿈은 심청의 죽음을 암시하는 것으로, 꿈에서 심청이 타고 가는 '수레'는 심청을 저승으로 데려가는 매개체로 볼 수 있다. 심청이 위기를 모면할 방법과는 관련이 없다.

✖오답 풀이 ④ 심 봉사는 자신이 꾼 꿈을 좋은 일이 생길 꿈이라고 해석하고, 심청은 자신이 죽을 꿈이라고 여긴다. 심청이 심 봉사에게 "그 꿈 참 좋습니다."라고 한 것은 아버지를 위해 슬픈 기색을 드러내지 않고 둘러댄 말로, 심청의 속마음이 아니다.

03 (나)에서 심청은 자신이 뱃사람들에게 팔려 가는 것을 모르고 있는 심 봉사 앞에서 슬픈 심정을 드러내지 않고 있다. 따라서 "진지를 많이 잡수셔요."라고 말하는 심청이 슬픔에 젖은 목소리로 말하는 것은 적절하지 않다.

04 ⓐ는 심청이 인당수 제물이 되어 죽게 될 상황을 앞두고 마지막으로 아버지의 진지상을 차려 올리자 심 봉사가 반찬이 좋다며 기뻐하는 부분이다. 이는 죽음을 앞둔 심청의 상황과 대조되어 작품의 비극성을 강조하는 효과를 가져온다.

05 이 글은 고전 소설이자 판소리계 소설로, 주인공의 성격 변화가 나타나지 않는다. 심청은 당대의 효녀를 대표하는 전형적 인물로, 작품 전체에서 변함없이 지극한 효성을 보여 주는 평면적 인물이다.

✖오답 풀이 ①, ③ 이 글은 '설화 → 판소리 → 판소리계 소설'의 과정으로 발전하였다. ④ '심청이∨돌아와서∨아버지께∨하직하니'와 같이 주로 네 글자가 반복되면서 운율이 느껴진다.

06 심청은 인당수의 제물이 되어 죽게 된 상황을 순순히 받아들이고 있다. 뱃사람들이 인도하는 대로 순순히 배에 오르므로 ③은 이 글에 나타나는 장면이 아니다.

07 심청이 인당수 제물로 몸을 판 것은 아버지의 눈을 뜨게 할 공양미 삼백 석을 마련하기 위해서이다. 이는 아버지를 위한 진정한 효심에서 비롯된 것으로, 자신의 고달픈 삶을 비관해서 한 행동이 아니다.

08 ㉠에는 심청의 운명론적 사고가 드러난다. 자신이 인당수의 제물이 되어 죽게 된 것이 모두 하느님이 정한 자신의 운명이라고 여기며 받아들이고 있다.

❖ 수필 ❖

개념 확인 문제 p. 74 ~ 75

1 ④ 2 (1) 형식 (2) 개성 (3) 신변잡기 3 경수필 4 ○ 5 ②
6 ④ 7 (1) 일기 (2) 수기 (3) 칼럼 (4) 기행문

1 수필은 글쓴이가 일상생활의 경험에서 얻은 생각과 느낌을 형식이나 내용의 제한 없이 자유롭고 솔직하게 표현한 글이다.

✖오답 풀이 ① 설명문, ② 보고문, ③ 소설이나 극, ⑤ 건의문에 대한 설명이다.

3 〈보기〉는 일상에서 쉽게 접할 수 있는 대상인 자장면을 소재로 하여 글쓴이의 생각을 가볍게 서술한 글이므로 경수필에 해당한다.

5 수필과 소설 모두 인생의 참된 가치를 추구하는 문학 갈래라는 공통점이 있다.

6 편지는 정해진 대상에게 쓰는 실용적인 글로, 목적에 따라 위문편지, 감사 편지, 초대 편지, 축하 편지 등 그 종류가 다양하게 나뉜다. 사회적인 쟁점에 대한 분석, 평가, 전망을 제시하는 것은 편지의 일반적인 특징이 아니다.

01 실수

p. 77 ~ 79

01 ④ **02** ② **03** ③ **04** ① **05** ⑤ **06** ③, ⑤ **07** 속세에서의 삶(추억)을 떠올리게 한 **08** ③

01 이 글의 갈래는 수필(경수필)이다. 수필에는 글쓴이의 경험과 깨달음, 인생관과 가치관이 개성적으로 드러나 있으므로, 글을 읽으며 글쓴이의 경험 · 생각 · 가치관 등을 파악하고 이를 자신의 것과 비교하며 읽어야 한다.

✖오답 풀이 ① 설명문을 읽는 방법으로 적절하다. ② 리듬감은 시와 같은 운문 문학에서 나타나는 특징이다. 수필은 산문 문학이다. ③ 소설을 읽는 방법으로 적절하다. ⑤ 논설문을 읽는 방법으로 적절하다.

02 (가)에서 글쓴이는 곽휘원이 아내에게 잘못 보낸 편지를 아내가 긍정적으로 해석했던 일화를 제시하면서 '실수는 때로 삶을 신선한 충격과 행복한 오해로 이끌곤 한다.'고 말한다. 즉 글쓴이는 실수가 삶에서 때로는 긍정적인 역할을 한다고 보고 있음을 알 수 있다.

✖오답 풀이 ⑤ 글쓴이는 실수가 누군가를 기쁘게 하는 '행복한 오해'를 만들어 낸다고 보았다.

03 곽휘원의 아내는 남편이 보낸 백지 편지를 받고 이를 자신에 대한 그리움이 말로 다할 수 없음을 고백하는 의미로 읽어 내었다.

04 ㉡에는 글쓴이가 머리카락이 없어서 빗을 사용하지 않는 스님에게 빗을 빌려 달라고 한 자신의 엉뚱한 행동을 나타내는 표현이 제시되어야 한다. ①은 '모든 일에는 질서와 차례가 있는 법인데 일의 순서도 모르고 성급하게 덤빔을 비유적으로 이르는 말'을 뜻하는 속담이므로 ㉡에 들어가기에 적절하다.

✖오답 풀이 ② 일이 이미 잘못된 뒤에는 손을 써도 소용이 없음. ③ 애써 하던 일이 실패로 돌아가거나 남보다 뒤떨어져 어찌할 도리가 없이 됨. ④ 미운 사람일수록 잘해 주고 감정을 쌓지 않아야 함. ⑤ 옳지 못한 일을 저질러 놓고 엉뚱한 수작으로 속여 넘기려 하는 일.

05 (마)에서 '나'는 '실수로 인해 웃음을 터뜨리다 보면 어색한 분위기가 가시고 초면에 쉽게 마음을 트게 되기도 했다.'라며 실수의 긍정적 효과를 말하고 있다. 하지만 이런 효과 때문에 자신이 상습적으로 실수를 반복하는 것은 아니라고 언급하고 있으며, ⑤와 같은 생각을 글에서 밝히지 않았다.

✖오답 풀이 ① (사)에서 '어쩌면 사람을 키우는 것은 능력이 아니라 실수의 힘일지도 모른다.'고 하였다. ② (사)에서 '실수는 삶과 정신의 여백에 해당한다.'고 하였다. ③ (마)에서 '악의가 섞이지 않은 실수는 봐줄 만한 구석이 있다.'고 하였다. ④ (마)에서 자신이 저지르는 실수가 '의외의 수확이나 즐거움을 가져다줄 때가 많았다.'고 하였다.

06 (사)에서 '나'는 실수가 각박한 세상에서 숨을 돌리며 살 수 있게 하는 여백이라는 생각을 드러낸다. 그리고 사소한 실수조차 짜증과 비난의 대상이 되기가 십상이라고 언급하며 그러한 현실에 대해 비판적인 태도를 보이고 있다. 또한 남의 실수를 웃으면서 눈감아 주거나 그 실수가 나오는 내면의 풍경을 헤아려 주는 사람을 만나기조차 어려워져 가는 현실에 대해 안타까워하고 있다.

07 '나'는 자신의 실수 한마디가 스님이 잊고 있었던 속세에서의 삶(추억)을 떠올리게 하였으므로 '보시'를 한 셈이라고 표현하며 실수를 저지른 자신을 위로하고 있다.

08 글쓴이가 '우두커니' 속에 사는 '어처구니'를 많이 만들어 내면서 살아야 한다고 하는 것은, 어디로 가는 줄도 모르고 뛰어가는 자신을 멈춰 세우고, 정신과 마음을 내려놓은 채, 자신을 돌아볼 수 있는 여유 있는 시간을 가지며 살아야 함을 의미한다.

02 맛있는 책, 일생의 보약

p. 81

01 ⑤ 02 ② 03 ③ 04 ①

01 이 글에서 글쓴이는 중학 시절에 도서반 활동으로 고전을 읽은 경험과 그 경험에서 깨달은 점을 진솔하게 드러내고 있다. '나'의 심리적 갈등이나 그 해결 과정은 제시되지 않았다.

✖오답 풀이 ① (라)의 '내가 지금 소설을 쓰고 있는 것'에서 글쓴이가 현재 소설가임을 알 수 있다. ② 책 읽기를 '보약'에 빗대어 표현하였다. ③ '나'가 중학교 때 특별 활동으로 도서반에서 책을 읽은 경험이 제시되어 있다.

02 (가)에서 글쓴이는 일찍이 무협지를 접하고 많이 읽어 왔기에 한문 문장을 번역한 예스러운 문체에 별로 거부감이 없었다고 하였다. 즉 무협지의 문체와 고전인 박지원의 소설이 문체가 유사하여, 무협지를 두루 읽어 온 글쓴이가 박지원의 소설을 읽는 데 큰 무리가 없었다는 것이다.

03 ③은 이 글에서 알 수 있는 독서의 가치와 중요성으로 볼 수 없다.

✖오답 풀이 ① '나'가 박지원의 소설을 읽으며 주인공이 다음에 어떻게 되었을지 궁금해하고 자신이 주인공이 되었더라면 이렇게 했을지 생각하는 것에서 드러난다. ② 책을 읽음으로써 인간의 지극한 정신문화를 접하고 그 일원이 되는 행복한 경험을 하게 된다는 내용에서 추측할 수 있다. ④ '나'가 '지금 소설을 쓰고 있는 것은 바로 그 책 때문이라고 생각'하는 것에서 드러난다. ⑤ '나'가 박지원의 소설을 읽으며 '몇백 년 전 글을 쓴 사람의 숨결이 글을 다리로 하여 건너와 느껴지는 경험'을 한 것에서 드러난다.

04 이 글에서는 인간의 정신적인 측면에서 책 읽기의 가치를 말하고 있다. '부귀영화'는 재산이 많고 지위가 높으며 귀하게 되어서 세상에 드러나 온갖 영광을 누린다는 뜻으로, 이 글에서 말하는 책 읽기의 가치와는 관련이 없다.

03 두 아들에게 보내는 편지

p. 83

01 ④ 02 ⑤ 03 ⑤ 04 ④ 05 ②

01 (다)에서 글쓴이는 자기의 입과 입술은 속일 수 있다고 하면서, 맛없는 음식도 입과 입술을 속여 맛있다고 생각하며 먹으면 주림을 면할 수 있게 된다고 하였다.

✖오답 풀이 ① 글쓴이는 '근'(부지런함)과 '검'(검소함)을 유산으로 물려주고자 한다. ② (나)에서 늙은이, 젊은이, 병든이, 부인들이 각자의 역할에 맞게 일하고 놀고먹는 사람이 없게 해야 한다고 말하고 있다. ③ (다)에서 의복이란 '몸을 가리기만 하면 되는 것'이며, 의복을 만들 때 '곱고 아름답게만 만들어 빨리 해지게 해서는 안 된다.'고 하였다. ⑤ 맛없는 것을 맛있다고 생각하며 먹으면 '당장의 어려운 생활 처지를 극복하는 방편'이 된다고 하였다.

02 이 글에서 글쓴이가 강조하는 것은 정신적인 삶의 태도로, '높은 벼슬에 오르는 것'과 같은 외형적인 가치를 추구하도록 당부한 내용은 찾아볼 수 없다.

03 이 글에서 글쓴이는 권위자의 말을 인용하지 않았다.

✖오답 풀이 ① (나)에 부지런함의 구체적인 예가 제시되어 있다. ② (나), (다)에서 질문을 던져 주의를 환기한 후 그에 대한 답을 제시하고 있다. ③ (라)에는 글쓴이가 자기 입을 속여 적은 음식을 배부르게 먹었던 체험, 즉 상추로 밥을 싸서 먹은 체험이 나타나 있다. ④ '일생 동안 써도 다 닳지 않을 것이다.', '~해서는 안 된다.', '~이 된다.'와 같이 단정적 어투로 자신의 생각을 말하고 있다.

04 ④의 송이가 아르바이트를 하는 목적은 예쁜 옷을 사기 위해서이므로 이는 글쓴이가 말한 '검(儉)'에 어울리지 않는다.

05 ㉡은 실용성을 중시하는 검소한 생활 태도를 의미하는 소재로, 글쓴이가 긍정적으로 생각하는 대상이다. 나머지는 사치와 허영을 의미하는 소재로 글쓴이가 부정적으로 생각하는 대상이다.

❖ 극 ❖

개념 확인 문제 p. 84 ~ 85

1 ③ 2 (1) 대단원 (2) 발단 (3) 전개 (4) 절정 (5) 하강 3 ㉠, ㉢, ㉥ 4 대화 5 영화, 장면 6 ㉠ 장면 번호 ㉡ 지시문 ㉢ 대사 7 ③ 8 (1) X (2) X (3) ○ (4) ○

1 극은 사건이 지금 눈앞에서 일어나고 있는 듯이 현재형으로 나타낸다. 즉 '읽었다'와 같은 과거형이 아니라 '읽는다'로 표현한다.

3 희곡의 구성 요소는 해설, 대사, 지시문이다.

✖오답 풀이 ㉡ 문체는 소설의 3요소 중 하나이다. ㉣ 장면은 시나리오의 기본 단위이다. ㉤ 서술자는 소설에서 이야기를 전달하는 사람으로, 극에는 존재하지 않는다.

4 〈보기〉에서는 등장인물인 남자와 여자가 서로 말을 주고받고 있다. 희곡의 대사에는 대화, 독백, 방백이 있는데, 이 중 등장인물끼리 주고받는 말은 대화이다.

6 ㉠은 사건의 극 중 순서와 배경을 나타내는 표시이고(장면 번호), ㉡은 인물의 행동, 표정 등을 지시하는 글이며(지시문), ㉢은 등장인물이 하는 말이다(대사).

7 'C.U.'(클로즈업)는 특정 부분을 크게 확대하여 보여 주는 것을 가리키는 용어이다.

✖오답 풀이 ⓐ는 'E.' ⓑ는 'F.I.' ⓓ는 'O.L.' ⓔ는 'NAR.'(내레이션)이다.

8 (1) 소설과 달리 희곡과 시나리오에는 서술자가 없다. (2) 희곡은 무대라는 한정된 공간에서 상연하므로 인물 수에 제약이 있지만, 시나리오와 소설에는 이러한 제약이 없다.

01 들판에서

p. 87 ~ 89

01 ③ 02 ⑤ 03 ② 04 벽 05 ④ 06 ⑤ 07 ①, ③ 08 ② 09 ② 10 ①

01 이 글의 갈래는 희곡이다. 희곡은 작가가 상상하여 꾸며 낸 이야기를 담은 허구의 문학이다. 즉 이 글에 등장하는 인물들과 사건은 모두 작가가 창조해 낸 것이다.

02 이 글의 계절적 배경은 봄이고, 공간적 배경은 들판이다. 배경의 변화가 뚜렷하게 나타나지 않으므로 ⑤와 같은 계획은 적절하지 않다.

03 측량 기사가 들판에 온 표면적인 목적은 측량 실습을 하는 것이다. 그러나 '측량을 한 다음엔 땅을 빼앗았죠.'라는 조수의 대사와 '공장 부지로 개발해서 팔거나 주택지로 나눠 팔면 큰돈을 벌겠어요!'라는 측량 기사의 대사에서 알 수 있듯이, 측량 기사의 궁극적인 목적은 형제의 땅을 빼앗아 이익을 얻는 것이다.

✖오답 풀이 ① 측량 기사가 형제를 이간질하여 갈등을 부추기는 것은 궁극적으로 형제의 땅을 빼앗기 위해서이다.

04 형제 사이에 '밧줄'보다 튼튼한 '벽'이 설치됨으로써 형제가 단절되고 갈등이 더 깊어지게 된다. 이러한 '벽'은 남과 북을 나누어 단절시킨 '휴전선'을 상징하는 소재로 볼 수 있다.

05 (나)에서 형과 아우는 서로에게 감정이 상해 있는 상태이다. 형은 아우에 대한 반감과 자존심 때문에 측량 기사가 설치한 말뚝과 밧줄을 그냥 두라고 하였는데, 아우는 여기에서 나아가 그보다 튼튼한 '벽'을 설치하려 한다. 이러한 아우를 보는 형의 심리는 흥미로움을 느끼기보다는 당황하고 화가 날 것이므로 ④와 같은 지시문은 적절하지 않다. ㉣에 들어갈 지시문은 '아우를 향하여 꾸짖는다.'이다.

06 '전망대'는 높이 올라가 남을 감시할 수 있는 수단으로, 형제간의 의심과 불신을 상징하는 소재이다. 이를 우리의 분단 현실과 연관 지으면 남북한 사이의 의심과 불신을 의미한다고 볼 수 있다.

07 형제의 땅을 빼앗기 위해 계획적으로 접근하여 갈등을 부추기고, 아우에게 형을 향해 아낌없이 총을 쏘라고 말하는 것으로 보아, 측량 기사가 교활하고 잔인한 성격임을 알 수 있다.

08 (라)에서 형과 아우는 서로를 의심하고 경계하며 갈등하고 있다. 이는 갈등의 종류 중 인물과 인물의 외적 갈등에 해당한다.

09 ㉡은 아우를 위한 배려가 아니라 아우의 땅을 빼앗기 위한 측량 기사의 술책이라고 보아야 한다.

10 ⓐ는 형이 총을 쏠 때 총소리가 나게 하라는 지시이므로, 효과음(음향 효과)을 뜻하는 시나리오 용어인 'E.'가 ⓐ에 사용하기에 알맞다.

✖오답 풀이 ② 한 화면에 다른 화면을 겹치면서 장면을 전환하는 것 ③ 화면이 점점 밝아지는 것 ④ 화면과 화면 사이에 다른 화면을 끼워 넣는 것 ⑤ 화면 밖에서 들리는 설명 형식의 대사

02 출세기

p. 91 ~ 93

01 ② 02 ③ 03 ④ 04 ① 05 돈을 벌기 위해서라면 양심은 필요 없다고 생각한다. 06 ⑤ 07 ② 08 ④ 09 ⑤

01 이 글의 갈래는 희곡이다. 희곡은 대사와 지시문으로 사건을 전달하며 서술자는 존재하지 않는다.

02 미스터 양이 김창호가 돈을 많이 버는 것을 부러워하고 있다는 내용은 이 글에 언급되지 않았다.

03 김창호는 유명세를 이용하여 돈을 쉽게 벌게 되자 그러한 상황에 만족해하고 있으므로 ④의 지시가 적절하다.

04 미스터 양은 기사를 흥미롭게 만들기 위해 김창호에게 거짓말을 하라고 시키고 있다. 이러한 미스터 양의 행동은 내용의 진실성보다 흥미 여부를 중시하는 대중 언론의 성질을 드러낸다.

05 미스터 양은 양심 얘기를 하는 김창호에게 '그런 거 끄집어낼 필요가 없어요!'라고 말하면서 양심을 들먹이는 것은 신경질이 난다고 화를 내고 있다. 이러한 미스터 양의 말과 행동에서 돈을 벌기 위해서라면 양심은 필요하지 않다고 생각하는 가치관을 알 수 있다.

06 이 글은 〈보기〉의 사건을 소재로 삼아 김창호라는 허구적 인물의 출세와 몰락을 그려 낸 작품이다. 김창호는 광산 매몰 사고의 유일한 생존자로 대중 언론의 관심을 받지만, '상품 가치'가 떨어지고 나서는 외면을 당한다. 이 글은 이처럼 대중 언론의 주목과 외면에 따른 김창호의 삶의 상승과 하강을 통해, 언론의 상업성과 상품 가치를 기준으로 인간을 판단하는 풍토를 비판 · 풍자하고 있다.

07 ②는 옳고 그름이나 신의를 돌보지 않고 자기의 이익만 꾀함을 비유적으로 이르는 속담이다. 미스터 양은 김창호가 상품 가치가 있어서 자신에게 이익을 줄 때는 그의 매니저로 일하다가 상품 가치가 없다고 판단되자 그를 버리므로, 미스터 양의 행위를 나타내기에는 ②의 속담이 적절하다.

✖오답 풀이 ① 잘못을 저지른 쪽에서 오히려 남에게 성냄을 비꼬는 말. ③ 아무리 눌려 지내는 미천한 사람이나, 순하고 좋은 사람이라도 너무 업신여기면 가만있지 아니한다는 말. ④ 자기 분수에 맞게 처신하여야 함을 비유적으로 이르는 말. ⑤ 욕을 당한 자리에서는 아무 말도 못 하고 뒤에 가서 불평함. 또는 노여움을 애매한 다른 데로 옮김.

08 ㉠은 새로운 광산 매몰 사고가 일어났음을 알리는 사이렌 소리에, 김창호가 무너진 갱 안에 자기가 있었어야 한다며 절규하는 것이다. 김창호의 '상품 가치'는 무너진 갱 속에서 16일을 버티고 살아 나옴으로써 얻은 것이었기에, 그는 다시 한번 매몰 사고에서 살아 나오면 자신의 상품 가치가 높아질 수 있다고 생각하여 절규한 것이다.

09 희곡의 지시문은 동작 지시문과 무대 지시문으로 나뉜다. ⓔ는 효과음을 지시하는 것이므로 무대 지시문이고, 나머지는 인물의 표정이나 행동 등을 지시하는 동작 지시문이다.

03 달리는 차은

p. 95 ~ 97

01 ⑤ 02 ⑤ 03 ④ 04 육상 선수가 되는 것 05 ⑤ 06 ② 07 ⑤ 08 새 운동화 09 ③ 10 ④

01 이 글은 다문화가 중요한 사회적 현상으로 부각되고 다문화 가정이 늘기 시작한 현대(1990년대 이후)를 배경으로 하여 쓰인 작품이다.

✖오답 풀이 ③ 열네 살 차은의 꿈과 좌절, 갈등과 극복 과정 등을 다루고 있다. ④ 필리핀 출신의 새엄마와 함께 사는 차은의 가정을 중심으로 다양한 갈등을 다루고 있다.

02 차은이 동생을 창피하게 여긴다고 판단할 만한 말이나 행동을 (가)~(나)에서 찾을 수 없다. 차은은 같은 반 친구 앞에서 필리핀 출신임을 드러내는 새엄마를 창피하게 여기고 있다.

03 차은을 쳐다보지도 않고 '왜?', '근데?' 등의 말로 되묻거나 아예 대답조차 하지 않는 모습에서 아버지가 무뚝뚝한 성격을 지녔음을 알 수 있다.

04 (가)에는 차은이 활동하던 학교 육상부가 해산하게 된 상황이 드러난다. 차은이 '저, 선수로 잘할 거 같다고 같이 가재요.'라고 말하는 것에서 육상 선수가 되고 싶은 차은의 꿈을 짐작할 수 있다.

05 'V.O.(Voice-Over)'는 인물이 화면에 얼굴을 보이지 않고 목소리만 등장하여 대사, 해설, 생각 등을 전달하는 것을 가리킨다.

✖오답 풀이 ① F.O.(Fade-Out) ② C.U.(Close-Up) ③ 몽타주(Montage) ④ 플래시백(Flashback)

06 차은은 보통의 한국 엄마와 다른 필리핀 출신 새엄마를 불만스러워하고 있는데, 이것이 차은과 엄마 사이에 갈등을 일으키는 근본적인 원인이다.

07 차은의 엄마는 자신에게 거리를 두고 계속 불만을 표현하는 차은과 친해지려는 의도로 차은의 새 운동화를 사 온 것이다.

08 차은의 엄마는 차은과 친해지기 위해 새 운동화를 사 오지만, 차은은 달리기할 때 신는 것이 아니라고 핀잔을 주며 쳐다보지도 않는다. 차은의 반응에 엄마도 결국 마음이 상하여 두 사람은 갈등을 빚게 된다.

09 (라)에서 아버지는 전학을 가게 해 달라는 차은의 말을 듣고 짧게 안 된다고 하거나 대답조차 하지 않는 모습을 보이고 있다. 즉 아버지는 차은의 전학을 강하게 반대하고 있을 뿐, 차은에게 미안해하는 기색을 드러내지는 않는다.

10 ㉣은 차은이 육상을 계속하기 위해 서울로 전학을 가겠다고 주장하는 말이다. 이미 아버지의 반대에 부딪친 상황에서 자신의 결심을 거듭 분명하게 드러내는 부분이므로 제시된 요구에 따라 연기하기에 적절한 부분이다.

✖오답 풀이 ㉢ '그래! 버려!'는 엄마에 대한 불만과 반항심이 드러나는 대사이나, 굳은 결심이나 의지를 드러내야 하는 대사는 아니다.

Ⅱ 비문학

❖ 독해의 원리와 방법 ❖

p. 101 ~ 113

01 글의 종류 이해하기 1 ③ 2 ② 3 연설문 4 ② 5 (1) ○ (2) X (3) X (4) ○

02 예측하며 읽기 1 ③ 2 ④ 3 (1) 슬로푸드 운동으로 해결할 수 있는 사회 문제들 (2) ④

03 요약하며 읽기 1 ① 2 일반화하기 3 ④

04 설명 방법을 파악하며 읽기 1 ④ 2 ㉠ 정의 ㉡ 예시 3 ② 4 ①

05 논증 방법을 파악하며 읽기 1 ①, ⑤ 2 ② 3 ③

06 표현 방법과 의도를 평가하며 읽기 1 ① 2 ⑤ 3 ⑤ 4 손이 커서

07 관점이나 형식의 차이를 파악하며 읽기 1 ⑤ 2 ⑤

01 글의 종류 이해하기

1 설명문은 어떤 대상에 대한 정보를 전달하기 위해 쓰는 글이므로, 글쓴이의 개인적 의견을 드러내는 것을 피하고 있는 그대로의 사실을 전달한다. ③은 수필과 같은 글의 특성이다.

2 논설문의 구성 단계 중 서론에서는 문제를 제기하고 글을 쓰게 된 동기나 목적을 밝히며 독자의 흥미와 관심을 유발한다.

✖오답 풀이 ①은 본론, ③과 ④는 결론, ⑤는 서론에 해당하는 설명이다.

4 상업성은 상업으로 이윤을 얻는 것을 중요시하는 특성으로, 어떤 문제를 해결하기 위해 작성하는 건의문의 내용 요건에는 해당하지 않는다.

5 (2) 보고문의 내용은 정확성과 객관성을 갖추어야 하며, 사실이 아닌 내용을 꾸며 써서는 안 된다. (3) 건의문을 쓸 때는 문제 상황과 함께 이를 해결할 수 있는 구체적인 방안도 제시해야 한다.

02 예측하며 읽기

1 글의 내용 자체와 관련된 것뿐만 아니라 글 속에 감추어진 글쓴이의 의도나 주장, 글이 독자나 사회에 미칠 영향도 예측해 보아야 한다.

2 독자의 배경지식은 독자가 이미 갖추고 있는 지식으로, 예측하며 읽을 요소가 아니라 예측하며 읽기 위해 활용할 요소이다.

3 (1) 이 글의 마지막 부분에서 슬로푸드 운동이 '현재 우리 사회가 안고 있는 많은 문제들을 해결하는 방법이 될 수 있다.'고 언급하며 어떤 점에서 그러할지 질문하고 있으므로, 그에 대한 답이 다음 부분에 이어질 것임

을 예측할 수 있다.

⑵ 첫 문단의 ''슬로푸드'란 ~ 천천히 시간을 들여서 만들고 먹는 음식을 뜻한다.'라는 설명에서 우리의 전통 음식이 완벽한 슬로푸드라고 말하는 이유를 예측할 수 있다.

03 요약하며 읽기

1 요약하기는 글의 내용을 그대로 옮기는 것이 아니라, 글의 중심 내용을 자신의 말로 간략하게 정리하는 것이다.

2 〈보기〉에서는 하위 개념인 '브로콜리, 토마토, 당근, 양상추, 파프리카'를 상위 개념인 '야채'로 묶어 요약하는 일반화하기의 방법이 사용되었다.

3 이 글의 글쓴이는 처음 부분에서 생태계를 파괴하는 외래종이 범람하고 있는 문제를 지적한 뒤, 마지막 문단에서 외래종에 대한 대책을 서둘러야 한다고 주장하고 있다.

04 설명 방법을 파악하며 읽기

1 인구의 증가와 산업화라는 원인 때문에 환경 오염이라는 결과가 나타났다는 점을 밝히고 있으므로 인과의 설명 방법이 사용되었다.

✖오답 풀이 ① 예시 ② 대조 ③ 구분 ⑤ 정의

2 ㉠에서는 자생 식물의 뜻을 명확하게 밝히고 있다. ㉡에서는 시각을 이용하여 의사를 전달하는 동물의 구체적인 예를 제시하고 있다.

3 오페라와 뮤지컬의 공통점과 차이점을 밝혀 설명하고 있으므로 비교와 대조의 설명 방법이 사용되었다.

4 ①은 '야구, 농구, 탁구, 축구, 배구'가 공을 사용하는 운동 경기라는 공통적인 특성에 근거하여 '구기 종목'이라는 상위 항목으로 묶어 설명하였으므로 분류의 방법이 사용되었다. 나머지는 하나의 대상을 그 구성 요소로 나누어 설명하는 분석의 방법이 사용되었다.

05 논증 방법을 파악하며 읽기

1 연역 논증은 일반적인 원리나 진리를 전제로 하여 특수한 사실을 결론으로 이끌어 내는 방법이다. 결론의 내용이 전제에 포함되므로 전제에 해당하는 일반적 원리가 참이면 결론도 언제나 참이다. 또한 새로운 원리나 사실을 발견하기 어렵기 때문에 주로 개별 사실을 검증하는 데 쓰인다.

✖오답 풀이 ②~④는 귀납 논증에 대한 설명이다.

2 〈보기〉는 독일과 쿠바의 사례라는 개별적이고 구체적인 사실들로부터 일반적인 주장을 이끌어 내고 있다. 이는 귀납의 논증 방법 가운데 일반화에 해당한다.

✖오답 풀이 ①, ④ 연역 ⑤ 유추

3 ③은 지구와 화성의 유사성을 바탕으로 결론을 이끌어 내고 있으므로 유추의 방법이 사용되었다.

✖오답 풀이 ① 연역 ②, ⑤ 귀납(일반화)

06 표현 방법과 의도를 평가하며 읽기

1 글의 내용을 전달하기에 적절한 자료를 사용했는지가 중요한 것이지, 자료의 수가 많고 종류가 다양한지가 중요한 것은 아니다. 경우에 따라서는 자료가 지나치게 많아서 오히려 내용의 이해를 방해할 수 있다.

2 이 글은 많은 생물이 멸종 위기에 처해 있다는 내용을 다루고 있다. 따라서 약용 식물들의 효능을 정리한 도표는 글의 내용과 글쓴이의 의도를 드러내기에 적합한 자료가 아니다.

3 관용 표현 중 특히 관용어는 둘 이상의 단어가 결합하여 원래 뜻과 다른 특별한 의미로 굳어져 사용되기 때문에 사전적 의미만으로는 표현의 정확한 의미를 파악하기 어렵다.

4 '손이 크다'는 '씀씀이가 후하고 크다.'는 뜻을 지닌 관용어이다.

✖오답 풀이 '상다리가 부러지다'는 상에 음식을 매우 많이 차려 놓은 상태를 나타내는 관용어이다.

07 관점이나 형식의 차이를 파악하며 읽기

1 글을 읽기 전에 선입견을 갖거나 성급하게 판단하지 말고, 균형 잡힌 시각에서 글의 관점을 비교하고 평가하며 읽어야 한다.

2 ㉯의 글쓴이는 '느림'의 특성 자체를 즐겨야 한다는 뜻을 드러내고 있으며, 이를 위해 먼저 남보다 빨리 나아가야 한다고 주장하지는 않았다.

❖ 정보를 전달하는 글 ❖

01 옹기종기 우리 옹기

p. 115 ~ 117

01 ③ **02** ④ **03** ④ **04** ⓐ 검은 회색 ⓑ 잿물을 바르지 않음. ⓒ 1000~1200도 **05** ⑤ **06** ② **07** ③ **08** ③, ⑤ **09** ④

01 이 글은 어떤 대상이나 사실을 독자가 이해하기 쉽게 풀어서 쓴 설명문으로 정보를 전달하기 위해 쓰인 글이다. 따라서 이러한 글을 읽을 때에는 중요한 내용을 요약하면서 핵심 정보를 파악해야 한다.

✖오답 풀이 ①, ②, ④는 문학 작품을, ⑤는 설득하는 글을 읽는 방법이다.

02 소금을 뿌려서 구우면 그릇이 단단해지고 광택이 난다는 내용은 이 글에 제시되지 않았다. 표면에 광택이 나고 단단한 것이 특징인 그릇은 잿물을 발라 고온에서 구운 오지그릇으로 소금을 사용하지 않는다. (나)에 따르면 소금을 뿌려서 굽는 옹기는 푸레독인데 소금이 녹아 흙에 스며들면 이것이 잿물의 역할을 대신해 물이 새지 않도록 한다고 하였다.

03 ㉡, ㉣은 구체적인 시대가 드러나 있는 자료이므로 옹기의 역사를 설명하는 (가)에서 활용하기에 적절한 자료이다. ㉠, ㉢은 푸레독, 질그릇 등 옹기의 종류를 설명하는 (나)에서 활용하기에 적절한 자료이다.

05 이 글에서 오늘날 옹기를 만드는 과정이 간편해졌다는 내용은 확인할 수 없으므로 ⑤와 같은 반응은 적절하지 않다.

06 '깨끼질'은 점토 속에 남아 있는 이물질을 제거하는 과정이므로 '점토 만들기' 단계에 속한다.

✖오답 풀이 '타렴질', '수레질', '근개질', '전잡기'는 모두 '옹기 모양 만들기' 과정에 해당한다.

07 신문은 시각 자료만 이용할 수 있는 인쇄 매체이므로, 캐릭터가 옹기를 직접 만들어 가는 만화 영상은 신문을 통해 제시할 수 없다.

08 (라)에는 옹기 제작 과정을 시각화한 그림이 제시되어 있다. ③은 도표나 그래프, ⑤는 동영상 자료의 특징이다.

09 ㉠에는 대상의 뜻을 명확하게 밝혀 설명하는 정의의 설명 방법이 사용되었다. ④ 역시 한지의 뜻을 명백하게 밝히고 있으므로 정의의 설명 방법이 쓰였다.

✖오답 풀이 ① 비교 ② 인과 ③ 예시 ⑤ 대조

02 건물에 숨겨진 비밀

p. 119

01 ⑤ **02** ④ **03** ② **04** ③ **05** ①

01 이 글에서는 건물을 설계할 때 주의할 사항에 대해서는 설명하지 않았다. 글쓴이는 설계자가 아니라 소비자의 입장에서 백화점과 같은 상업적인 건물에 숨겨진 의도를 알아야 한다는 주의 사항을 언급하고 있다.

02 이 글은 상업적인 건물의 설계와 운영이 소비자의 구매를 유도하는 방향으로 이루어진다는 정보를 제공하기 위해 쓰인 설명문이다.

03 이 글에 따르면 백화점에 유리와 거울, 대리석 기둥과 벽이 많은 이유는 고객의 시선을 한 번이라도 더 제품에 쏠리게 만들기 위해서이지 특별히 고가의 제품을 팔기 위해서가 아니다.

04 (나)의 '거울 앞에 선 사람은 그냥 스쳐 지나갈 수도 있는 주위 진열대에 무의식적으로 좀 더 관심을 갖게 되며'에서 거울 근처에 물건을 진열해 놓는 것이 소비자들의 구매를 유도할 수 있는 방법임을 확인할 수 있다.

✖오답 풀이 ①은 (나), ②와 ④는 (라), ⑤는 (다)의 내용에 비추어 볼 때 적절한 반응이 아니다.

05 (다)에서는 매장 내 물건을 진열하는 것이 소비자들의 습관과 관련이 있다고 말하면서, 이에 대한 구체적인 예로 영국과 오스트레일리아처럼 좌측통행을 하는 나라의 경우를 들고 있다.

❖ 설득하는 글 ❖

01 꿀벌 없는 지구

p. 121

01 ⑤ 02 ④ 03 ③ 04 ④

01 (다)에 2006년 미국에서 꿀벌 집단 실종 현상이 시작된 후 캐나다와 브라질 등 다른 나라에서도 동일한 현상이 발생했다는 내용이 제시되어 있다.

✖오답 풀이 ① (마)에서 '꿀벌은 생태계를 지켜 주는 인류의 동반자'라고 하였다. ② (나)에서 인류가 '농경 사회로 접어들면서 ~ 이른바 '양봉'을 시작했다.'고 하였다. ③ (다)에서 꿀벌 집단 실종 현상으로 '꿀벌의 꽃가루받이에 의존하는 아몬드, 사과, 블루베리 농가들도 생산량에 큰 영향을 받았다.'고 하였다. ④ (다)에서 '벌통의 잦은 원거리 이동 ~ 여러 바이러스 질병의 감염과 같은 원인들이 섞여' 꿀벌 집단 실종 현상이 나타난 것으로 판단했다는 내용이 제시되어 있다.

02 이 글은 논설문으로, 글쓴이는 꿀벌을 보호하기 위해 개인의 관심과 함께 국가 차원의 노력이 필요하다고 주장하고 있다. 그러나 생존의 위협을 받는 꿀벌을 지키기 위한 구체적인 실천 방안을 제시하지는 않았다.

03 (다)에서는 꿀벌 집단 실종 현상과 관련한 실제 사례와 이에 대한 연구 결과를 제시하고 있을 뿐, 글쓴이의 주관적 평가는 드러나지 않는다.

04 Ⓐ에는 개별적 사실에서 보편적 원리를 이끌어 내는 귀납 논증(일반화)이 사용되었으며, Ⓑ에는 보편적 원리에서 개별적 사실을 이끌어 내는 연역 논증이 사용되었다.

02 내가 원하는 우리나라

p. 123

01 ③ 02 ② 03 ④ 04 사상의 자유를 확보하는 정치 양식의 건립, 국민 교육의 완비 05 ④

01 (가)에서 글쓴이는 우리나라가 '가장 부강한 나라가 되기를 원하는 것은 아니다.'라고 하였으며, 우리의 생활을 풍족히 할 만한 재산과 남의 침략을 막을 만한 힘이 있으면 족하다고 하였다.

02 ②는 글 속에서 직접 답을 찾을 수 있는 질문이 아니라 독자가 배경지식이나 다른 자료 등을 바탕으로 답을 찾아야 하는 질문이다.

✖오답 풀이 ① (나)에서 인류가 현재 불행한 근본 이유는 인의, 자비, 사랑이 부족하기 때문이라고 보았다. ③ (마)의 '동포 간의 증오와 투쟁은 망조다.'와 같은 표현에서 우리 민족이 광복 후에 서로 화합하지 못하고 있는 상황이 드러난다. ④ (라)의 '이 일'은 문화 국가를 건설하는 것을 가리킨다. 글쓴이는 이 일을 하기 위해 사상의 자유를 확보하는 정치 양식의 건립과 국민 교육의 완비가 필요하다고 보았다. ⑤ (가)와 (나)에서 글쓴이는 인류에게 필요한 정신을 배양하는 것은 문화이며, 우리나라가 아름다운 나라가 되기 위해서는 우리 자신과 남을 행복하게 하는 문화의 힘이 필요하다고 보았다.

03 (다)의 '또 우리 민족의 ~ 그러하다고 믿는다.'로 보아 글쓴이는 우리나라가 문화 국가를 건설하는 데 필요한 조건을 갖추었다고 보고 있으므로, ④의 질문은 적절하지 않다.

05 ⓑ, ⓓ는 우리가 추구해야 할 이타적인 자유에 해당하고 ⓐ, ⓒ는 우리가 경계해야 할 이기적인 자유에 해당한다.

03 최만리의 반대 상소와 조정의 입장

p. 125

01 ① 02 ⑤ 03 ⑤ 04 ③ 05 ① 06 한글은 누구나 쉽게 배워 쓸 수 있다.

01 (가)는 건의문(상소문)으로, 독자를 설득하여 문제 상황을 개선하고 해결하기 위해 쓰는 글이다. ①은 설명문의 특징이다.

02 (가)는 훈민정음의 창제 및 반포를 반대하는 의견을 담은 글이고, (나)는 이를 반박하며 훈민정음의 창제 및 반포가 정당하다는 의견을 담은 글이다.

03 (가)의 글쓴이는 훈민정음을 창제한 것에 대해 중국에서 시비를 걸어올까 두렵다고 했으나, (나)에서 이에 대해 언급한 내용은 없다. 따라서 중국 측의 시비와 관련해 방비해 두었다는 ⑤는 (나)의 글쓴이가 할 말로 적절하지 않다.

04 (나)를 통해 최만리가 한자를 아는 사람이 적어지면 사회 기강이 무너진다고 주장했음을 알 수 있다. 그러나 이는 최만리가 앞으로 일어날 문제를 예측하여 내세운 주장일 뿐, 당시 사회의 기강과 질서가 무너져 매우 혼란했음을 드러내는 것은 아니다. 또한 (나)의 글쓴이인 조정에서는 이러한 주장이 타당하지 않다고 반박하고 있다.

05 ㉠에는 강대국인 중국의 제도를 본받고자 하는 사대주의 사상이 드러나 있다. 글쓴이는 중국을 기준으로 삼아, 중국의 한자와 관련 없는 새 글자는 학문에도 정치에도 아무 유익함이 없을 것이라고 주장하고 있다.

Ⅲ 문법

01 언어의 본질

개념 확인 문제 p. 128

1 (1) X (2) X (3) ○ (4) ○ 2 승호 – 자의성, 민규 – 사회성
3 ① 4 ⑤

1 (1) 어떤 의미를 나타내는 말소리는 우연히 결정된 것이다(언어의 자의성). (2) 시간의 흐름에 따라 언어가 변화하는 특성을 언어의 역사성이라고 한다. (3) 언어의 창조성에 대한 설명이다.

2 승호는 어떤 의미와 말소리의 관계가 필연적이지 않다는 것을 말하고 있으며, 민규는 같은 언어를 사용하는 사람끼리는 언어의 내용과 형식에 관한 사회적 약속을 지켜야 한다는 것을 말하고 있다.

3 '즈믄'은 숫자 '천(千)'을 뜻하는 말로 현재는 사라진 말이다. ②~⑤는 새로운 대상이나 개념을 나타내기 위해 새로 생긴 말이다.

4 인간이 이미 알고 있는 언어 지식을 활용해 새로운 단어나 문장을 무한히 만들어 낼 수 있는 것을 언어의 창조성이라 한다.

실전 문제 p. 129

01 ⑤ 02 ③ 03 ㉠ 역사성 ㉡ 창조성 04 ④ 05 ②
06 ③

01 언어의 본질에는 자의성, 사회성, 역사성, 창조성 등이 있다. 내용과 형식의 관계를 개인적으로 정해서 쓰는 것은 언어의 사회성에서 벗어나는 내용이므로, 언어의 본질이 아니다.

✖오답 풀이 ①은 언어의 자의성, ②는 언어의 역사성, ③은 언어의 창조성, ④는 언어의 사회성에 관한 설명이다.

02 언어의 사회성이란, 언어가 그것을 사용하는 사람들 사이의 사회적 약속이므로 개인이 마음대로 바꾸어 사용할 수 없다는 것이다. 〈보기〉의 '그'는 이러한 언어의 사회성을 고려하지 않고 마음대로 단어의 의미를 바꾸어 사용하고 있다.

03 ㉠ 시간의 흐름에 따라 단어의 소리와 의미가 변한 경우, 즉 언어의 변화를 보여 주는 예를 제시하고 있으므로 언어의 역사성과 관련된다. ㉡ 동물과 달리 인간은 자신이 알고 있는 언어 지식을 바탕으로 하여 이전에 사용해 본 적 없는 다양한 문장을 만들어 사용할 수 있음을 말하고 있으므로 언어의 창조성과 관련된다.

04 〈보기〉는 언어의 내용과 형식이 필연적으로 결합되는 것이 아니라 임의적으로 결합된다는 언어의 자의성을 보여 주는 예이다.

✖오답 풀이 ②는 언어의 사회성, ③과 ⑤는 언어의 역사성과 관련한 설명이다.

05 ②는 '오징어'라고 부르기로 한 대상을 개인이 마음대로 '오리'로 바꾸어 말하여 의사소통이 어려워진 경우를 보여 주고 있다. 이는 언어의 사회성을 무시하여 의사소통이 원활하게 이루어지지 못한 경우에 해당한다.

✖오답 풀이 ①, ④는 언어의 역사성, ③은 언어의 자의성, ⑤는 언어의 창조성을 보여 주는 예이다.

06 〈보기〉는 시간이 흐르면서 단어가 소멸한 경우를 설명한 내용이므로 언어의 역사성을 보여 준다. ③ 역시 시간의 흐름에 따라 '온'이라는 단어가 소멸된 예를 다루고 있으므로 언어의 역사성과 관련된다.

✖오답 풀이 ① 언어의 사회성과 관련된다. ②, ④ 언어에 그 언어를 사용하는 사회의 생활문화가 반영된다는 점을 드러낸다. ⑤ 언어의 내용과 형식의 관계는 필연적이지 않다는 언어의 자의성과 관련된다.

02 음운의 체계

개념 확인 문제 p. 130~131

1 소리 2 (1) ○ (2) X (3) X (4) ○ 3 ④ 4 ① 5 ② 6 (1) ㄴ, ㄹ, ㅁ, ㅇ (2) ㄱ, ㄸ, ㅌ, ㅍ 7 ③ 8 ⑤ 9 ④ 10 이중 모음, 단모음 11 ② 12 ④ 13 저모음 14 ⑤

2 (2) 자음은 소리를 낼 때 공기의 흐름이 발음 기관의 장애를 받는 소리이다. (3) 모음은 자음 없이도 홀로 소리 날 수 있다. (4) 자음은 소리 내는 위치에 따라 입술소리, 잇몸소리, 센입천장소리, 여린입천장소리, 목청소리로 나뉘고, 소리 내는 방법에 따라 파열음, 마찰음, 파찰음, 비음, 유음 등으로 나뉜다.

3 혓바닥과 센입천장 사이에서 나는 소리는 'ㅈ, ㅉ, ㅊ'이다.

✖오답 풀이 ①은 여린입천장소리, ②는 잇몸소리, ③은 입술소리, ⑤는 목청소리이다.

4 'ㄱ'은 여린입천장소리이고 나머지는 모두 잇몸소리이다.

5 'ㅁ, ㅂ, ㅃ, ㅍ'은 두 입술 사이에서 소리 나는 입술소리이다.

6 19개의 자음 중 'ㄴ, ㄹ, ㅁ, ㅇ'은 울림소리이고 나머지는 안울림소리이다. 이 중 'ㅁ, ㄴ, ㅇ'은 비음이고 'ㄹ'은 유음이다.

7 발음 기관 사이로 공기가 마찰하여 나오는 소리인 마찰음에는 'ㅅ, ㅆ, ㅎ'이 있다.

✖오답 풀이 ①, ④, ⑤는 파열음이고, ②는 비음이다.

8 폐에서 나오는 공기를 막아 압축했다가 터뜨리면서 내는 소리는 파열음이다. 'ㅎ'은 마찰음이고 나머지는 모두 파열음이다.

9 거센소리에는 'ㅊ, ㅋ, ㅌ, ㅍ'이 있다.

✖오답 풀이 ①, ⑤는 비음이고, ②는 예사소리, ③은 된소리이다.

11 'ㅑ'는 먼저 'ㅣ'와 비슷한 소리를 낸 후 'ㅏ' 소리를 내며 발음함으로써 혀의 위치가 처음과 나중이 달라지는 이중 모음이다.

12 'ㅣ'는 혀의 앞쪽에서 발음되는 전설 모음이고, 나머지는 혀의 뒤쪽에서 발음되는 후설 모음이다.

13 'ㅐ, ㅏ'는 혀의 위치를 낮추어 발음하는 저모음이다.

14 'ㅡ'는 입술을 평평하게 하고 발음하는 평순 모음이다.

✖오답 풀이 ①, ②, ③, ④는 입술을 둥글게 오므린 상태에서 발음하는 원순 모음이다.

실전 문제

p. 132 ~ 133

01 ③ 02 ㄱ, ㅁ, ㅅ, ㄷ 03 ⑤ 04 ② 05 ④ 06 ③
07 ④ 08 ③ 09 ② 10 ③ 11 ⑤ 12 ① 13 ②
14 ⑤ 15 ① 16 ② 17 ④, ⑤ 18 ④ 19 ③ 20 ③, ⑤ 21 ① 22 ④

01 자음은 소리 내는 위치와 방법에 따라 분류한다. 모음 중 단모음은 소리 낼 때 혀의 앞뒤 위치, 혀의 높낮이, 입술 모양에 따라 분류한다.

02 음운은 말의 뜻을 구별하여 주는 소리의 가장 작은 단위이다. 〈보기〉의 단어들은 다른 음운은 모두 같으나 가장 첫 부분에 있는 자음이 각각 달라 서로 다른 의미를 지니게 되었다.

03 'ㄱ, ㄲ, ㅋ, ㅇ'은 여린입천장과 혀 뒷부분 사이에서 소리 나는 여린입천장소리이다.

✖오답 풀이 ① 'ㅎ'은 목청 사이에서 나는 소리이다. ② 'ㅂ, ㅃ, ㅍ, ㅁ'은 두 입술 사이에서 나는 소리이다. ③ 'ㅈ, ㅉ, ㅊ'은 센입천장과 혓바닥 사이에서 나는 소리이다. ④ 'ㄷ, ㄸ, ㅌ, ㄴ, ㄹ'은 윗잇몸과 혀끝 사이에서 나는 소리이다.

04 목청을 울리며 내는 소리는 울림소리로, 자음 중 비음과 유음이 해당한다. 'ㄴ, ㅁ, ㅇ'은 비음이고 'ㄹ'은 유음이다. ②의 'ㄷ'은 잇몸소리이자 파열음으로 안울림소리에 해당한다.

05 ④의 'ㅉ'은 센입천장소리이고 나머지는 모두 여린입천장소리이다. 센입천장소리는 혓바닥과 센입천장 사이에서 나는 소리이고, 여린입천장소리는 혀의 뒷부분과 여린입천장 사이에서 나는 소리이다.

06 두 입술 사이에서 나는 소리는 입술소리로 'ㅂ, ㅃ, ㅍ, ㅁ'이 있다. 또한 코로 공기를 내보내면서 나는 소리는 비음으로 'ㅁ, ㄴ, ㅇ'이 있다. 따라서 〈보기〉의 내용을 만족시키는 자음은 입술소리이면서 비음인 'ㅁ'이다.

✖오답 풀이 ① 여린입천장소리, 파열음 ② 잇몸소리, 파열음 ④ 잇몸소리, 마찰음 ⑤ 입술소리, 파열음

07 소리의 세기는 '예사소리<된소리<거센소리'의 순으로 강해진다. 된소리는 예사소리보다 더 강하고 단단한 느낌을 주고, 거센소리는 된소리보다 더 크고 거친 느낌을 준다. ④의 '터덜터덜'에서는 거센소리인 'ㅌ'이 사용되어 다른 단어들보다 더 세고 거친 느낌을 준다.

✖오답 풀이 ①의 '달랑달랑', ②의 '사박사박'에는 예사소리인 'ㄷ, ㅅ, ㅂ'이 사용되었고, ③의 '찌걱찌걱'과 ⑤의 '쏙닥쏙닥'에는 예사소리 'ㄱ, ㄷ'과 된소리 'ㅉ, ㅆ'이 사용되었다.

08 ㉠ 안울림소리이면서 입술소리인 자음은 'ㅂ, ㅃ, ㅍ'인데, 'ㅂ'은 예사소리, 'ㅃ'은 된소리, 'ㅍ'은 거센소리이다. 따라서 안울림소리이면서 입술소리인 것 중 예사소리인 것은 'ㅂ'이다. ㉡ 안울림소리이면서 여린입천장소리인 것은 'ㄱ, ㄲ, ㅋ'인데, 'ㄱ'은 예사소리, 'ㄲ'은 된소리, 'ㅋ'은 거센소리이다. 따라서 안울림소리이면서 여린입천장소리인 것 중 된소리인 것은 'ㄲ'이다. ㉢ 안울림소리이면서 잇몸소리인 것은 'ㄷ, ㄸ, ㅌ, ㅅ, ㅆ'인데, 'ㄷ, ㅅ'은 예사소리, 'ㄸ, ㅆ'은 된소리, 'ㅌ'은 거센소리이다. 따라서 안울림소리이면서 잇몸소리인 것 중 거센소리인 것은 'ㅌ'이다. ㉣ 유음은 'ㄹ' 하나뿐이다.

09 혀끝과 윗잇몸 사이에서 소리 나는 잇몸소리에는 'ㄷ, ㄸ, ㅌ, ㅅ, ㅆ, ㄴ, ㄹ'이 있다. ② '나사'에는 'ㄴ, ㅅ'이 사용되었으므로 혀끝과 윗잇몸 사이에서 소리 나는 자음으로만 이루어진 단어이다.

✖오답 풀이 ① ㄱ – 여린입천장소리, ㄹ – 잇몸소리 ③ ㄷ – 잇몸소리, ㅍ – 입술소리 ④ ㅁ – 입술소리, ㅊ – 센입천장소리 ⑤ ㅂ – 입술소리, ㅈ – 센입천장소리

10 여린입천장소리인 'ㄱ, ㄲ, ㅋ, ㅇ'이 포함된 단어는 '가지, 호박, 상추, 당근, 콩나물'의 5개이다.

✖오답 풀이 '토마토'에는 잇몸소리(ㅌ)와 입술소리(ㅁ)가 사

용되었다. '도라지'에는 잇몸소리(ㄷ, ㄹ)와 센입천장소리(ㅈ)가 사용되었다.

11 모음은 혀의 높낮이에 따라 고모음, 중모음, 저모음으로 구분된다. 전설 모음과 후설 모음은 혀의 최고점이 입 안의 앞쪽에 위치하는가 뒤쪽에 위치하는가에 따라 구분한 것이다.

12 'ㅜ, ㅗ, ㅟ, ㅚ'는 입술을 둥글게 하여 소리 내는 원순 모음이고, 'ㅓ'는 입술을 평평하게 하여 소리 내는 평순 모음이다.

13 소리 낼 때 입술 모양이나 혀의 위치가 달라지지 않는 모음은 단모음이다. 단모음은 'ㅏ, ㅐ, ㅓ, ㅔ, ㅗ, ㅚ, ㅜ, ㅟ, ㅡ, ㅣ'의 10개이다.

14 모음은 혀의 최고점의 앞뒤 위치에 따라 둘로 구분한다. 혀의 최고점이 앞쪽에 위치할 때 소리 나는 것은 전설 모음(ㅣ, ㅔ, ㅐ, ㅟ, ㅚ)이고, 혀의 최고점이 뒤쪽에 위치할 때 소리 나는 것은 후설 모음(ㅡ, ㅓ, ㅏ, ㅜ, ㅗ)이다.

✖오답 풀이 ① 모음은 발음할 때의 입술 모양에 따라 평순 모음과 원순 모음으로 나뉜다. ② 모음은 혀의 높낮이에 따라 고모음, 중모음, 저모음으로 구분된다. ③ 모든 모음은 소리 낼 때 목청이 울리는 울림소리이다. ④ 모음은 소리의 세기에 따라 나눌 수 없고, 일부 자음이 소리의 세기에 따라 예사소리, 된소리, 거센소리로 나뉜다.

15 혀의 최고점이 뒤쪽에 위치하여 발음되는 것은 후설 모음으로 'ㅡ, ㅓ, ㅏ, ㅜ, ㅗ'가 있다. 또한 혀의 위치를 낮춘 상태에서 발음되는 것은 저모음으로 'ㅐ, ㅏ'가 있다. 따라서 〈보기〉의 내용을 만족시키는 모음은 후설 모음이면서 저모음인 'ㅏ'이다.

✖오답 풀이 ②는 전설 모음이자 중모음, ③은 후설 모음이자 중모음, ④와 ⑤는 전설 모음이자 고모음이다.

16 제시된 모음들은 단모음 중 고모음에 해당한다. 이 중 'ㅣ, ㅟ'는 전설 모음이고, 'ㅡ, ㅜ'는 후설 모음이다. 그리고 'ㅣ, ㅡ'는 평순 모음이고 'ㅟ, ㅜ'는 원순 모음이다.

✖오답 풀이 ①은 저모음, ③은 후설 모음, ④는 원순 모음, ⑤는 이중 모음을 설명한 것이다.

17 원순 모음은 'ㅗ, ㅚ, ㅜ, ㅟ'이고 평순 모음은 'ㅏ, ㅐ, ㅓ, ㅔ, ㅡ, ㅣ'이다. ④의 '외', ⑤의 '출'에 원순 모음이 사용되었다.

18 단모음은 'ㅏ, ㅐ, ㅓ, ㅔ, ㅗ, ㅚ, ㅜ, ㅟ, ㅡ, ㅣ'이다. ④의 '쇠고기'에는 단모음 'ㅚ, ㅗ, ㅣ'가 사용되었다.

19 단모음 중 소리 낼 때 혀의 높이가 중간인 중모음은 'ㅔ, ㅚ, ㅓ, ㅗ'이다. ③의 '세모'에는 중모음 'ㅔ, ㅗ'가 사용되었다.

20 '섬'에서 'ㅁ'은 목청을 울리며 내는 소리인 울림소리이고, 'ㅓ'는 입술 모양을 평평하게 해서 소리 내는 평순 모음이다.

✖오답 풀이 ① 'ㅓ'는 후설 모음이다. ② 음운은 'ㅅ, ㅓ, ㅁ'이므로 모두 3개가 사용되었다. ④ 'ㅅ'은 윗잇몸과 혀끝 사이에서 소리 나는 잇몸소리이고, 'ㅁ'은 두 입술 사이에서 소리 나는 입술소리이다.

21 입술소리는 'ㅂ, ㅃ, ㅍ, ㅁ'이고 이 중 된소리는 'ㅃ'이다. 후설 모음에는 고모음인 'ㅡ, ㅜ', 중모음인 'ㅓ, ㅗ', 저모음인 'ㅏ'가 있다. 여린입천장소리는 'ㄱ, ㄲ, ㅋ, ㅇ'으로 이 중 울림소리는 'ㅇ'이다. 따라서 〈보기〉의 내용을 만족시키는 단어는 '초성 – ㅃ, 중성 – ㅏ, 종성 – ㅇ'이 결합된 '빵'이다.

22 ④는 파열음 중 거센소리를 소리 낼 때 발음 기관에서 일어나는 현상이다. '사랑'에는 파열음이나 거센소리가 포함되어 있지 않다.

✖오답 풀이 '사랑'의 음운을 분석하면 'ㅅ(잇몸소리, 마찰음), ㅏ(평순 모음, 후설 모음), ㄹ(잇몸소리, 유음), ㅇ(여린입천장소리, 비음)'이다.

03 품사의 종류와 특성

개념 확인 문제 p. 134~135

1 의미, 기능, 형태 2 ③ 3 동사, 형용사 4 (1) X (2) ○ (3) X (4) X 5 그, 집, 손, 사과, 하나 6 ③ 7 (1) ○ (2) X (3) ○ 8 (1) 동 (2) 동 (3) 형 (4) 형 9 ② 10 (1) 이, 새 (2) 아주, 더 (3) 은, 는, 보다, 을 11 ④

1 품사의 분류 기준은 의미, 기능, 형태이다. 의미에 따라 명사, 대명사, 수사, 관형사, 부사, 조사, 감탄사, 동사, 형용사의 9가지로 나뉘고, 기능에 따라 체언, 수식언, 관계언, 독립언, 용언의 5가지로 나뉜다. 형태에 따라서는 가변어와 불변어로 나뉜다.

2 용언은 '기능'에 따라 분류한 품사이고, 나머지는 '의미'에 따라 분류한 품사이다.

3 동사와 형용사를 통틀어 '용언'이라 한다.

✖오답 풀이 '부사'는 관형사와 함께 수식언이다. '감탄사'는 독립언, '조사'는 관계언, '대명사'는 명사, 수사와 함께 체언에 속한다.

4 (1) 체언은 문장에서 주로 주어나 목적어로 쓰인다. (3) 체언은 조사와 결합하여 쓰이거나 홀로 쓰일 수 있다. (4) 대명사는 사람뿐만 아니라 사물이나 장소를 대신 가리키기도 한다.

5 체언은 명사, 대명사, 수사를 포함한다. '그'는 대명사이고 '집, 손, 사과'는 명사, '하나'는 수사이다.

6 ③의 '하늘'은 명사이고 나머지는 모두 대명사이다.

7 (1) 용언에는 동사와 형용사가 있다. 동사는 움직임을 나타내므로 '어찌하다'와, 형용사는 상태나 성질을 나타내므로 '어떠하다'와 관련된다.
(2) 용언은 문장에서 쓰일 때 활용을 하는 가변어이다.

9 관형사는 조사와 결합하지 않지만, 부사는 '빨리도 왔다.'처럼 보조사와 결합할 수 있다.

10 (1) '이'와 '새'는 각각 뒤에 오는 명사 '책상'을 꾸미는 관형사이다. (2) '아주'는 '낡았지만'(동사)을, '더'는 '소중하게'(형용사)를 꾸미는 부사이다. (3) 조사는 체언과 결합하므로 '책상'(명사) 뒤의 '은, 보다', '나'(대명사) 뒤의 '는', '이것'(대명사) 뒤의 '을'이 조사이다.

11 제시된 문장을 분석하면 '하늘(명사)만큼(조사) 땅(명사)만큼(조사) 너(대명사)를(조사) 사랑해(동사).'이다.

실전 문제

p. 136 ~ 137

01 ③ 02 ③ 03 ⑤ 04 ② 05 ㉠ 관형사 ㉡ 수사 ㉢ 조사 06 ⑤ 07 ⑤ 08 ④ 09 ④ 10 네, 여보, 이런 11 ③ 12 ② 13 ⑤ 14 ③ 15 ⑤ 16 ①, ④ 17 ⑤ 18 ③ 19 대명사, 조사, 명사, 관형사, 동사 20 ②

01 우리말의 품사는 단어의 형태(형태 변화 여부), 기능(문장에서의 역할), 의미(공통된 의미)의 세 가지 기준에 따라 분류한다.

02 용언은 동사와 형용사를 통틀어 일컫는 말로, 문장에서 쓰일 때 형태가 변하는 가변어이다. 독립언과 관계언은 불변어에 해당하나, 관계언 중 서술격 조사 '이다'는 예외적으로 형태가 변한다.

03 〈보기〉에서 설명하는 품사는 명사이다. '사과, 서울'은 구체적인 대상의 이름이고 '행복'은 추상적인 대상의 이름이므로 모두 명사이다.

✖오답 풀이 ① 동사 ② 형용사 ③ 대명사 ④ 부사

04 문장의 주체를 서술하면서 형태가 변하는 단어는 용언, 즉 동사와 형용사이다. '빨리'는 다른 단어를 꾸며 주는 부사이다.

✖오답 풀이 ①, ⑤는 동사이고 ③, ④는 형용사이다.

05 '그'는 '사람'(명사)을 꾸며 주는 관형사이고, '하나', '둘'은 수량을 나타내는 수사이다. 수사 '둘' 뒤에 쓰인 '이'는 문법적 관계를 나타내는 조사이다.

06 ⑤의 '깨끗이'는 '빨았다'(동사)를 꾸며 주는 부사이다.

07 제시된 문장의 품사를 분석하면 '우리(대명사)는(조사) 이제(부사) 중학생(명사)이(조사) 되어(동사) 초등학교(명사)를(조사) 떠납니다(동사).'이다. 즉 이 문장에 관형사는 쓰이지 않았다.

08 ㉣의 '-은'은 용언이 활용하여 형태가 변한 부분으로, 조사가 아니다.

✖오답 풀이 ⑤ '이다'는 서술어를 만드는 조사로, 조사 중 유일하게 형태가 변화하는 즉 활용하는 조사이다.

09 ④의 '하얀'은 '하얗다'가 기본형인 형용사이다. 형용사는 사람이나 사물의 성질, 상태를 나타내는 말로 용언에 해당한다. 다른 말을 꾸며 주는 수식언에는 부사와 관형사가 있다.

✖오답 풀이 ①과 ⑤는 부사이고, ②와 ③은 관형사이다.

10 감탄사는 느낌이나 부름, 대답을 나타내는 말로, 문장에서 독립적으로 쓰이는 단어이다.

✖오답 풀이 '현우야'는 '명사 + 조사'로 이루어져 있으므로 감탄사가 아니다.

11 ③의 '저'는 '학생'(명사)을 꾸며 주는 관형사로 수식언에 속한다.

✖오답 풀이 ①의 '자네'와 ②의 '우리'는 대명사, ④의 '열'은 수사, ⑤의 '것'은 명사이다.

12 ②의 '살며시'는 '건네주었다'(동사)를 꾸며 주는 말로, 부사이다.

✖오답 풀이 ①의 '저런'은 명사 '옷'을, ③의 '온'은 명사 '세상'을, ④의 '헌'은 명사 '집'을, ⑤의 '모든'은 명사 '사람'을 꾸며 주는 관형사이다.

13 ㉤의 '깬'은 기본형이 '깨다'인 동사이고, ㉠~㉣은 모두 부사이다.

✖오답 풀이 ① ㉠의 '정말'은 형용사 '힘들다'를 꾸미는 부사이다. ② ㉡의 '꾸벅꾸벅'은 뒤의 동사 '졸다'를 꾸미는 부사이다. ③, ④ ㉢의 '갑자기'와 ㉣의 '확'은 동사 '달아나다'를 꾸미는 부사이다.

14 '사과'는 명사로 조사와 결합하여 쓰이거나 홀로 쓰인다. 문장에서 홀로 쓰이지 못하는 품사는 조사로, 〈보기〉에서는 '가'가 이에 해당한다.

✖오답 풀이 ① 〈보기〉에 쓰인 품사는 '와(감탄사), 사과(명사)가(조사) 모두(부사) 맛있네(형용사).'로 5가지이다. ② '와'는 문장에서 독립적으로 쓰이는 감탄사이므로 생략해도 문장이 성립한다. ④ '모두'는 '맛있네'를 수식하는 부사이다. ⑤ '맛있네'의 기본형은 '맛있다'이다.

15 〈보기〉의 문장을 분석하면 '오늘(명사)은(조사) 전교생(명사)이(조사) 경복궁(명사)으로(조사) 소풍(명사)을(조사) 가는(동사) 날(명사)이다(조사).'이므로, 조사는 5개가 사용되었다.

16 수량이나 순서를 표현하는 단어 뒤에 조사가 오면 수사이고, 체언이 오면 관형사이다. ①의 '한'은 뒤에 오는 '사람'(명사)을 꾸며 주고, ④의 '두'는 '조각'(명사)을 꾸며 주는 관형사이다.

17 품사는 문장에서 쓰일 때 형태가 변하는 가변어와 변하지 않는 불변어로 나눌 수 있다. 가변어에는 동사, 형용사, 조사 '이다'가 해당하고, 이 외에는 모두 불변어이다. ⑤의 '슬금슬금'은 부사로 불변어이다.

✖오답 풀이 ①의 '아름다운(아름답다)'은 형용사, ②의 '이다'는 조사, ③의 '작은(작다)'은 형용사, ④의 '사랑하는(사랑하다)'은 동사로 모두 가변어이다.

18 '슬기야'는 '슬기(명사)+야(조사)'로 이루어지므로, 감탄사가 아니다. 감탄사는 홀로 쓰일 수 있는 말로 조사가 붙지 않는다.

✖오답 풀이 ①의 '응', ②의 '여보세요', ④의 '어머나', ⑤의 '이크'는 모두 감탄사이다.

19 의미를 기준으로 하여 〈보기〉에 쓰인 품사를 분석하면 '나(대명사)는(조사) 오늘(명사)도(조사) 이(관형사) 비(명사)를(조사) 맞으며(동사) 당신(대명사)을(조사) 그리워하네(동사).'이다.

20 '행복하다'는 형용사이므로 명령형인 '행복해라'라는 표현은 어법에 어긋난다. '행복하길 바라.', '행복하게 지내.' 등으로 표현해야 한다.

✖오답 풀이 ①의 '일어나다', ③의 '가다', ④의 '먹다', ⑤의 '가지다'는 모두 동사이므로 명령형이나 청유형으로 표현할 수 있다.

04 어휘의 체계와 양상

개념 확인 문제 p. 138

1 (1) ○ (2) X (3) ○ (4) X 2 ⑤ 3 오늘, 잠, 눈 4 (1) 표준어 (2) 지역 방언 (3) 비밀 (4) 전문어 5 세대

1 (2) 어휘는 기원에 따라 고유어, 한자어, 외래어로 나눈다. (4) 외래어는 다른 나라에서 들어온 말 가운데 우리말로 인정되는 말이다.

2 '다섯'은 수량을 나타내는 고유어이다.

✖오답 풀이 정보(情報), 식탁(食卓), 미래(未來), 세상(世上)은 모두 한자어이다.

3 '오늘, 잠, 눈'은 고유어이고, '텔레비전(television), 드라마(drama)'는 외래어, '책(冊), 순간(瞬間)'은 한자어이다.

5 〈보기〉에 제시된 예는 청소년층과 노년층이 사용하는 어휘에 차이가 있음을 보여 준다. 즉, 세대에 따라 사회 방언이 발생할 수 있음을 알려 주고 있다.

실전 문제 p. 139

01 ① 02 ④ 03 (1) ㉣ (2) ㉠, ㉡, ㉤ (3) ㉢, ㉥, ㉦ 04 ④ 05 ② 06 ③ 07 ⑤ 08 ⑤ 09 아영이가 세대에 따른 어휘 차이를 고려하지 않고 할머니가 모르는 어휘를 사용하여 말했기 때문이다.

01 '어휘'는 개별적인 낱낱의 단어를 가리키는 말이 아니라 공통된 성격을 지닌 단어들의 집합을 가리키는 말이다.

02 〈보기〉에서 설명하는 말은 고유어이다. ④ '체육복(體育服)'은 한자어이고 나머지는 모두 고유어이다.

03 '낮'은 고유어이고 '토요일(土曜日), 등산(登山), 점심(點心)'은 한자어이다. '아르바이트(Arbeit), 스파게티(spaghetti), 아파트(apartment)'는 외래어이다.

04 〈보기〉는 색깔, 모양, 소리를 나타내는 고유어들이다. 이처럼 고유어는 감각을 생생하게 표현하는 말이 많다는 특성이 있다.

05 '고치다'는 〈보기〉의 밑줄 친 한자어들의 의미를 모두 갖고 있는 고유어이다. '고치다'에 대응하는 한자어가 많다는 것은 한자어가 고유어에 비해 세분화된 의미를 지닌다는 것을 보여 준다.

06 지역 방언이나 사회 방언은 해당 어휘를 모르는 사람과 대화할 때 사용하면 의사소통에 어려움을 겪을 수 있다. 그러나 사용자들끼리는 의사소통의 효율을 높이고 유대감과 친밀감을 형성하는 등 긍정적인 측면도 있으므로, 상황에 맞게 적절하게 사용하는 것이 좋다. 따라서 방언을 없애 나가야 한다는 설명은 적절하지 않다.

07 〈보기〉의 밑줄 친 말은 심마니들이 사용하는 은어이다. 은어는 다른 사람들이 알아듣지 못하도록 특정 집단의

구성원끼리만 사용하는 말로 암호의 성격이 있다. 그래서 외부에 알려지면 은어의 기능을 잃고 다른 말로 바뀌기도 한다.

✖오답 풀이 ④ 유행어의 특징이다.

08 〈보기〉에서 설명하는 어휘는 전문어이다. ⑤의 '줄리엔, 콩카세'는 요리라는 특정 분야에서 전문 개념을 명확하게 나타내기 위해 사용하는 전문어의 예이다.

✖오답 풀이 ③은 유행어의 예이고 ②, ④는 지역 방언의 예에 해당한다.

09 아영이가 사용한 '생선'(생일 선물)이라는 줄임말을 할머니는 먹는 물고기로 이해하여 서로 의미가 통하지 않았다. 이는 세대에 따른 어휘 차이를 고려하여 상대방이 이해할 수 있는 어휘를 사용해야 함을 보여 주는 예이다.

05 단어의 정확한 발음과 표기

개념 확인 문제 p. 140 ~ 141

1 (1) 표준어 (2) 실제 발음 2 단모음 3 ㅣ 4 ⑤ 5 ㄱ, ㄴ, ㄷ, ㄹ, ㅁ, ㅂ, ㅇ 6 ○ 7 (1) ○ (2) ○ (3) ○ (4) X (5) ○ (6) X 8 (1) 막따 (2) 말께 (3) 노코 (4) 노아 (5) 싼네 9 ③ 10 ○ 11 (1) X (2) X (3) X (4) ○ (5) ○ 12 ㉠ [을페] ㉡ [꼬츨] ㉢ [마딛께/마싣께] 13 (1) 되 (2) 않 (3) 안 (4) 돼

4 표준 발음법 제5항 '다만 4'에 따르면 조사 '의'는 [ㅔ]로 발음하는 것을 허용하므로 '나의'를 [나의/나에]로 발음할 수 있다.

✖오답 풀이 ① [유히] ② [혀븨/혀비] ③ [닝큼] ④ [민주주의/민주주이]

5 우리말 단어의 받침은 다양하게 표기될 수 있지만, 발음할 때에는 'ㄱ, ㄴ, ㄷ, ㄹ, ㅁ, ㅂ, ㅇ'의 7가지 중 하나로 바꾸어 발음해야 한다.

7 (4) 늙지[늑찌] (6) 넓죽하게[넙쭈카게]

9 표준 발음법 제12항 3에 따라 '쌓는'은 [싼는]으로 발음해야 한다.

11 (1) 낮이[나지], (2) 닭이[달기], (3) 늪 앞[느밥]으로 발음해야 한다.

12 ㉠은 표준 발음법 제14항, ㉡은 제13항, ㉢은 제15항에 근거한다.

실전 문제 p. 142 ~ 143

01 ④ 02 ③ 03 ④ 04 ㉠ [꼳] ㉡ [꼬체] ㉢ [꼬뒤] 05 ⑤ 06 ② 07 ① 08 ③ 09 ② 10 ④ 11 ⑤ 12 ④ 13 ③ 14 ㉠ [달글] ㉡ [닥] ㉢ [다가페] 15 ② 16 ②

01 〈보기〉에서 주은이 '빛이[비치]'를 [비시]라고 발음하자 희수가 '빛'을 '빗'으로 오해하여 의사소통이 잘 이루어지지 않았다. 이처럼 같은 단어라도 말하는 사람의 습관이나 특징에 따라 다르게 소리 날 수 있으므로, 의사소통을 원활하게 하려면 다양한 발음 가운데 표준을 정하고 이를 따라야 한다.

✖오답 풀이 ⑤ 표준 발음법은 '표기'가 아니라 '발음'의 표준을 정한 규범이다.

02 '쫓다'에서 받침 'ㅊ'은 대표음 [ㄷ]으로 발음해야 하므로 [쫃따]가 표준 발음이다.

03 '닳지'의 표준 발음은 [달치]로, 이는 받침 'ㅀ' 뒤에 'ㅈ'이 올 때 'ㅎ'이 뒤 음절 첫소리와 합쳐져 'ㅊ'으로 발음되는 예이다.

✖오답 풀이 ① '낳은[나은]', ② '싫소[실쏘]', ③ '놓는[논는]', ⑤ '쌓이다[싸이다]'는 'ㅎ(ㄶ, ㅀ)' 뒤에 'ㄱ, ㄷ, ㅈ'이 결합되는 경우가 아니다.

04 ㉠ 받침 'ㅊ'은 대표음 [ㄷ]으로 발음한다. ㉡ 홑받침에 모음으로 시작된 조사가 결합될 경우 제 음가대로 뒤 음절 첫소리로 옮겨 발음한다. ㉢ 받침 뒤에 모음 'ㅏ, ㅓ, ㅗ, ㅜ, ㅟ'들로 시작되는 실질 형태소가 연결되는 경우에는, 대표음으로 바꾸어서 뒤 음절 첫소리로 옮겨 발음한다.

05 '밟-'은 자음 앞에서 [밥]으로 발음하므로 '밟고[밥:꼬]'가 알맞은 발음이다.

06 겹받침 'ㄺ'은 자음 앞에서 [ㄱ]으로 발음해야 하므로, '늙지'는 [늑찌]로 발음해야 한다.

07 '몫은'의 올바른 발음은 [목쓴]이다. 겹받침이 모음으로 시작된 조사나 어미, 접미사와 결합되는 경우 뒤엣것만을 뒤 음절 첫소리로 옮겨 발음하고, 이때 'ㅅ'은 된소리로 발음한다.

08 〈보기〉에 제시된 '놓아, 않은, 닳아, 싫어도'는 모두 받침에 'ㅎ'이 있는 단어이지만 발음할 때는 이 소리가 나타나지 않는다. 즉 〈보기〉의 단어들은 'ㅎ(ㄶ, ㅀ)' 뒤에 모음으로 시작된 어미나 접미사가 결합될 경우 'ㅎ'을 발음하지 않는다는 규정을 뒷받침하는 예이다

09 제시된 규정의 '다만 3'에 따를 때, '희망'에서 'ㅢ'는 자음 'ㅎ'을 첫소리로 가지고 있으므로 [ㅣ]로 발음해야 한다.

즉 [히망]이 표준 발음이다.

10 제시된 규정의 '다만 4'에 따를 때, '우리의'에서 '의'는 조사이므로 [ㅔ]로 발음할 수 있다.

✖오답 풀이 ③ '의리'는 [의:리]로 발음하는 것이 올바르다.

11 '의의'는 [의:의/의:이]로 발음한다. [으:이]는 잘못된 발음이다.

✖오답 풀이 제시된 규정에 따를 때 '민주주의'는 [민주주의/민주주이]로 발음할 수 있고, 조사 '의'는 [의/에]로 발음할 수 있다.

12 쌍받침이 모음으로 시작된 조사나 어미, 접미사와 결합되는 경우에는, 제 음가대로 뒤 음절 첫소리로 옮겨 발음한다. 따라서 '밖으로'는 [바끄로]가 올바른 발음이다.

13 '옷이'는 홑받침 'ㅅ' 뒤에 모음으로 시작되는 조사 '이'가 결합한 경우이므로 제13항에 따라 [오시]로 발음하는 것이 올바르다.

14 ㉠ 겹받침이 모음으로 시작된 조사나 어미, 접미사와 결합되는 경우에는, 뒤엣것만을 뒤 음절 첫소리로 옮겨 발음한다.(표준 발음법 제14항) ㉡ 겹받침 'ㄺ'은 어말 또는 자음 앞에서 [ㄱ]으로 발음한다.(표준 발음법 제11항) ㉢ 받침 뒤에 모음 'ㅏ, ㅓ, ㅗ, ㅜ, ㅟ'들로 시작되는 실질 형태소가 연결되는 경우에는, 대표음으로 바꾸어서 뒤 음절 첫소리로 옮겨 발음한다. 겹받침의 경우에는, 그중 하나만을 옮겨 발음한다.(표준 발음법 제15항)

15 '넓지'의 올바른 발음은 [널찌]이다. 겹받침 'ㄼ, ㄽ, ㄾ'은 어말 또는 자음 앞에서 [ㄹ]로 발음한다. 다만, '넓-'은 ④, ⑤와 같은 경우에 [넙]으로 발음한다.

16 ②는 '되-'와 '-어'가 결합한 '돼'로 문장을 종결하였으므로 올바른 표기이다.

✖오답 풀이 ① '어이', ③ '나아서', ④ '않았다', ⑤ '받아들이기'가 올바른 표기이다.

06 문장의 짜임

개념 확인 문제

p. 144 ~ 145

1 ② 2 ⑤ 3 (1) 목적어 (2) 독립어 (3) 서술어 (4) 보어 (5) 부사어 4 홑문장, 겹문장 5 ④ 6 X 7 대등하게 8 (1) 대 (2) 종 (3) 종 (4) 대 9 (1) ○ (2) ○ (3) X 10 ㉠ 서술절 ㉡ 부사절 ㉢ 인용절 ㉣ 명사절 ㉤ 관형절

1 '반짝이는 별이 아름답다.'는 대상의 상태나 성질을 나타내는 형용사 '아름답다'가 서술어인 문장으로, '무엇이 + 어떠하다'의 기본 구조를 지니고 있다.

✖오답 풀이 ①, ③, ④ '누가/무엇이 + 어찌하다'의 기본 구조를 지닌 문장이다. ⑤ '누가/무엇이 + 무엇이다'의 기본 구조를 지닌 문장이다.

2 주성분은 주어, 목적어, 보어, 서술어이다. 주성분은 문장을 구성하는 데 꼭 필요한 성분이어서 필수 성분이라고도 한다.

5 ④는 '날이(주어) + 맑으면(서술어)', '빨래가(주어) + 마른다(서술어)'로 주어와 서술어의 관계가 두 번 나타나는 겹문장이다.

✖오답 풀이 ① 구름이(주어) + 많다(서술어) ② 아이들이(주어) + 뛴다(서술어) ③ 삼촌은(주어) + 사셨다(서술어) ⑤ 신지는(주어) + 청소했다(서술어)

6 둘 이상의 홑문장이 연결 어미로 결합한 것은 이어진 문장이다.

7 둘 이상의 홑문장이 나열, 대조, 선택 등의 대등한 의미 관계를 형성하면 대등하게 이어진 문장이고, 원인, 조건, 의도 등의 종속적 의미 관계를 형성하면 종속적으로 이어진 문장이다.

8 (1) 대등적 연결 어미 '-(으)나'가 붙어 대조의 의미 관계를 형성한다. (2) 종속적 연결 어미 '-어서'가 붙어 원인의 의미를 나타낸다. (3) 종속적 연결 어미 '-(으)면'이 붙어 조건의 의미를 나타낸다. (4) 대등적 연결 어미 '-고'가 붙어 나열의 의미 관계를 형성한다.

9 (3) '주어 + (주어 + 서술어)'의 형태로 실현되는 것은 서술절을 안은 문장이다.

10 ㉠ '가격이 저렴하다'가 문장 전체의 서술어 역할을 한다. ㉡ '빛깔이 곱게'가 용언인 '피었다'를 꾸며 주는 부사어 역할을 한다. ㉢ '내 생각이 옳다'에 조사 '고'가 붙어 인용절이 되었다. ㉣ '아침이 오다'에 명사형 어미 '-기'가 붙어 목적어로 쓰였다. ㉤ '민서가 집으로 간'이 명사 '사실'을 꾸며 주는 관형어 역할을 한다.

실전 문제

p. 146 ~ 147

01 ⑤ 02 ② 03 ⑤ 04 ④ 05 ①, ⑤ 06 ③ 07 ① 08 개나리가 피었네. 09 ② 10 (1) ㉠, ㉢, ㉣ (2) ㉡, ㉤ 11 ① 12 ① 13 ② 14 ② 15 나는 깨달았다. 나는 그를 사랑하고 있다. 16 ④ 17 ② 18 나는 빵을 먹고 동생은 우유를 마신다. 19 ⑤

01 독립어는 다른 성분과 관계를 맺지 않고 독립적으로 쓰이는 성분이다. 문장 전체를 수식하거나 문장이나 단어를 이어 주는 성분은 부사어이다.

02 주성분은 주어, 서술어, 목적어, 보어이다. 그러나 ②는 '경미는(주어) + 동물원에(부사어) + 간다(서술어)'로 분석되므로 부속 성분인 부사어가 사용되었다.

✖오답 풀이 ① 지훈이는(주어) + 영리하다(서술어) ③ 은수는(주어) + 회장이(보어) + 되었다(서술어) ④ 민지는(주어) + 중학생이(보어) + 아니다(서술어) ⑤ 고양이는(주어) + 생선을(목적어) + 좋아한다(서술어)

03 '계곡에는 깨끗한 물이 흘렀다.'에서 '물이'는 '누가/무엇이'에 해당하는 주어이다.

04 '어머니가 낡은 신을 버렸다.'에서 '낡은'은 체언 '신'을 꾸며 주는 관형어이다.

✖오답 풀이 ①, ②, ③, ⑤의 밑줄 친 말은 모두 부사어이다. ①의 '매우'는 뒤의 형용사 '빠르다'를 꾸며 준다. ②의 '펑펑'은 동사 '내린다'를 꾸며 준다. ③의 '참'은 뒤의 형용사 '가냘프다'를 꾸며 준다. ⑤의 '확실히'는 동사 '알았다'를 꾸며 준다.

05 〈보기〉의 문장들은 각각 '코끼리는(주어) + 코가(주어) + 길다(서술어)', '그것은(주어) + 무지개가(보어) + 아니었다(서술어)', '나는(주어) + 선생님이(보어) + 되고 싶다(서술어)', '그녀는(주어) + 진정한(관형어) + 친구가(보어) + 아니다(서술어)'로 분석된다. 따라서 〈보기〉의 모든 문장에 공통적으로 사용된 문장 성분은 주어와 서술어이다.

06 독립어는 부름, 감탄, 응답을 나타내는 문장 성분으로, 다른 성분과 직접적인 관계를 맺지 않고 독립적으로 쓰인다. ③의 '역시'는 문장 전체를 꾸미는 부사어이다.

✖오답 풀이 ①의 '아', ②의 '신이여', ④의 '어머나', ⑤의 '호동아'는 모두 독립어이다.

07 '연아는 뭘 먹니?'는 주어(연아는), 목적어(뭘), 서술어(먹니)로 이루어진 문장이다. '뭘'은 '무엇을'이 줄어든 말이다.

✖오답 풀이 ② 풍선이(주어) + 둥실(부사어) + 떠오른다(서술어) ③ 저(관형어) + 친구는(주어) + 빨리(부사어) + 달리는구나(서술어) ④ 착한(관형어) + 소희는(주어) + 경찰이(보어) + 되었다(서술어) ⑤ 엄마(독립어) + 동생이(주어) + 그릇을(목적어) + 깼어요(서술어)

08 제시된 문장은 '어머(독립어), 노란(관형어) 개나리가(주어) 꽃밭에(부사어) 예쁘게(부사어) 피었네(서술어).'로 분석된다. 이 문장에서 주성분은 주어와 서술어이므로 주성분만으로 문장을 만들면 '개나리가 피었네.'가 된다.

09 제시된 문장은 '날씨가(주어) + 무척(부사어) + 더워서(서술어) / 사탕이(주어) + 전부(부사어) + 녹았다(서술어)'로 분석된다. 즉 이 문장은 주어와 서술어의 관계가 두 번 나타나는 겹문장이다.

10 홑문장은 주어와 서술어의 관계가 한 번만 나타나고, 겹문장은 주어와 서술어의 관계가 두 번 이상 나타난다. ㉠ 이제야(부사어) + 손이(주어) + 따뜻하다(서술어) ㉡ 겨울이(주어) + 오면(서술어) + 눈이(주어) + 내린다(서술어) ㉢ 종소리가(주어) + 멀리멀리(부사어) + 울린다(서술어) ㉣ 부엌에서(부사어) + 자꾸만(부사어) + 냄새가(주어) + 난다(서술어) ㉤ 수현이는(주어) + 밥을(목적어) + 먹으며(서술어) + [수현이는(주어)] + 텔레비전을(목적어) + 본다(서술어)

11 ①은 서술절 '손이 차가워졌다'를 안은 문장이다.

✖오답 풀이 ②, ④는 종속적으로 이어진 문장이고 ③, ⑤는 대등하게 이어진 문장이다.

12 '눈이 많이 와서 버스가 연착되었다.'는 '눈이 많이 왔다.'와 '버스가 연착되었다.'가 이유를 나타내는 연결 어미 '-아서'로 연결된 종속적으로 이어진 문장이다.

✖오답 풀이 ②, ③, ④, ⑤는 각각 대등적 연결 어미 '-지만', '-(으)며', '-고', '-거나'로 연결된 대등하게 이어진 문장이다.

13 ②는 주어(나는)와 서술어(했다)의 관계가 한 번 이루어진 홑문장이다.

✖오답 풀이 ① '키가 크다'가 서술절로, ③ '나무가 잘 자라도록'이 부사절로, ④ '운동이 매우 중요하다고'가 인용절로, ⑤ '시험이 얼마 남지 않았음'이 명사절로 안겨 있다.

14 '마음이 곱다'라는 문장에 관형사형 어미 '-은'이 붙어 '도영이'를 꾸며 주는 관형어로 쓰였다.

15 제시된 문장은 목적어 기능을 하는 명사절 '그를 사랑하고 있음'을 안은 문장이다.

16 〈보기〉는 관형절을 안은 문장으로, '희진이가 직접 만들었다.'라는 홑문장이 전체 문장 속에서 '초콜릿'을 꾸며 주는 관형어 역할을 하고 있다.

17 ㉡은 부사절 '눈이 빠지게'를 안은 문장이다.

✖오답 풀이 ㉠ '귀가 참 길다'는 서술절이다. ㉢ '동생이 쓴'은 관형절이다. ㉣ '크리스마스가 빨리 오기'는 명사절이다. ㉤ '"내일부터 방학이야."라고'는 인용절이다.

18 대등하게 이어진 문장을 만드는 연결 어미 중 나열을 나타내는 것은 '-고'이므로 이를 사용하여 두 문장을 연결하면 '나는 빵을 먹고 동생은 우유를 마신다.'가 된다.

19 제시된 문장은 '길가의(관형어) 코스모스가(주어) 매우

(부사어) 아름답다(서술어)'로 분석된다. 이는 주어와 서술어의 관계가 한 번만 나타나는 홑문장이다.

✖오답 풀이 ② '길가의', '코스모스가', '매우', '아름답다'라는 네 개의 어절로 이루어져 있다. ③ '길가의'는 '코스모스'를 꾸미는 관형어이고 '매우'는 '아름답다'를 꾸미는 부사어이다. ④ 서술어가 '아름답다'로 대상의 상태를 나타내는 형용사이므로 '무엇이 어떠하다'에 해당하는 문장 구조이다.

07 담화의 개념과 특성

개념 확인 문제 p. 148

1 발화, 담화 2 ① 3 (1) ㉣ (2) ㉤ (3) ㉢ (4) ㉡ (5) ㉠ 4 ⑤ 5 ②

2 담화의 구성 요소는 화자, 청자, 발화, 맥락이다. 아직 음성 언어로 표현되지 않은 상태인 '생각'은 발화로 실현되어야만 담화를 구성할 수 있다.

4 지역, 세대, 성별, 문화 등과 같이 담화에 간접적으로 작용하는 맥락을 사회 · 문화적 맥락이라고 한다.

5 맥락을 고려하며 의사소통을 해야 상대방의 의도를 바르게 파악하고 원만한 관계를 유지할 수 있다. 그러나 대화할 때 맥락을 고려한다고 해서 전문적인 지식을 쉽게 쌓을 수 있는 것은 아니다.

실전 문제 p. 149

01 ⑤ 02 ⑤ 03 ④ 04 ④ 05 재희야, 추우니까 창문 좀 닫아 줘. 06 ⑤ 07 ③ 08 ⑤

01 언어 자체와 관련된 맥락은 '언어적 맥락'이다. '상황 맥락'은 말이나 글이 이루어지는 구체적인 상황이고, '사회 · 문화적 맥락'은 지역, 세대, 성별, 문화 등을 포함하는 맥락이다.

02 ⑤는 담화에 간접적으로 작용하는 세대 특성이므로 사회 · 문화적 맥락의 요소 중 '세대'에 해당한다.

03 제시된 담화에서 화자는 자신의 공약을 밝히며 학생회장으로 뽑아 달라고 호소하고 있다.

04 (나)는 병원에서 이루어지는 발화로 의사가 환자에게 몸 상태를 묻고 있는 것이다. 따라서 ④는 적절하지 않다.

05 〈보기〉에서 민서는 창문을 닫아 달라는 요구를 간접적으로 표현하였다.

06 ⑤는 재훈이가 지각한 상황에서 이루어진 대화이다. '지금이 몇 시야?'는 선생님이 시간을 알고 싶어서 한 말이 아니라 재훈이가 지각한 상황을 뚜렷하게 드러내고 꾸짖으려는 의도로 한 말인데, 재훈이는 상황 맥락을 파악하지 못한 채 대답을 하였다.

07 '미역국 먹다'는 한국에서 '시험에서 떨어지다.'라는 의미의 관용적 표현인데, 문화가 다른 나라에서 온 메리가 이를 잘 몰라서 의사소통이 원활하게 이루어지지 않은 것이다.

✖오답 풀이 ① 대화가 이루어지는 '시간'은 상황 맥락이다.

08 옷 가게에 '양심을 지켜 주세요.'라는 문구가 제시되어 있다면 이는 '물건을 훼손하거나 몰래 가져가지 말아 주세요.'와 같은 의미로 해석할 수 있다.

08 한글의 창제 원리

개념 확인 문제 p. 150

1 (1) 세종 대왕 (2) 28 (3) 애민 2 ③ 3 (1) X (2) X (3) ○ (4) ○ 4 하늘, 사람 5 ⑤ 6 ④

2 발음 기관의 모양을 본떠 만든 자음의 기본자는 'ㄱ, ㄴ, ㅁ, ㅅ, ㅇ'이다. 'ㄹ'은 이체자이다.

3 (1) 'ㅁ, ㅂ, ㅍ'은 입술소리이다. (2) 'ㅇ, ㆆ, ㅎ'은 목구멍 모양을 본떠 만든 글자이다.

5 기본자인 'ㅡ, ㅣ'에 'ㆍ'(아래아)를 한 번만 결합하여 만든 것은 초출자 'ㅗ, ㅏ, ㅜ, ㅓ'이다. 'ㅠ'는 초출자 'ㅜ'에 'ㆍ'를 다시 결합하여 만든 재출자이다.

6 'ㅸ'은 입술소리인 'ㅁ' 아래에 'ㅇ'을 잇대어 만든 글자이고(연서), 나머지는 둘 이상의 자음 글자를 가로로 나란히 붙여 만든 글자이다(병서).

실전 문제 p. 151

01 ② 02 ② 03 ① 04 ③ 05 ④ 06 ⑤ 07 ③ 08 ① 09 ② 10 김 11 ③

01 훈민정음은 한자를 바탕으로 만들어진 문자가 아니라, 한자로는 우리말을 올바로 표기할 수 없음을 인식하고 세종 대왕이 독창적으로 만든 문자이다.

02 28글자는 자음 17자(기본자, 가획자, 이체자)와 모음 11자(기본자, 초출자, 재출자)를 가리킨다. 'ㄸ'은 같은 자음

을 가로로 나란히 쓰는 병서의 운용 방법으로 만든 글자로 자음 17자에 해당하지 않는다.

03 익히기 쉽고 쓰기에 편하게 하려는 것에서 실용 정신이 드러난다.

04 입 모양을 본떠 만든 입술소리의 기본자는 'ㅁ'이다.

✖오답 풀이 ㉠ 어금닛소리 ㉡ 윗잇몸 ㉣ ㅅ ㉤ 목구멍소리

05 'ㅃ'은 병서(각자 병서)의 원리로 만든 글자이다.

✖오답 풀이 ① 'ㅋ'은 기본자 'ㄱ'에 가획하여 만든 글자이다. ② 'ㅂ'은 기본자 'ㅁ'에 가획하여 만든 글자이다. ③ 'ㆆ'은 기본자 'ㅇ'에 가획하여 만든 글자이다. ⑤ 'ㅈ'은 기본자 'ㅅ'에 가획하여 만든 글자이다.

06 'ㅇ'은 목구멍 모양을 본떠 만든 기본자이고, 'ㆆ, ㅎ'은 'ㅇ'에 획을 더하여 만든 가획자이다.

✖오답 풀이 ① 어금닛소리 ② 잇소리 ③ 가획자 ④ 이체자

07 재출자는 초출자에 '•'를 결합하여 만든 것으로 'ㅛ, ㅑ, ㅠ, ㅕ'가 이에 해당한다.

08 모음 'ㅛ'와 'ㅕ'는 각각 초출자 'ㅗ'와 'ㅓ'에 '•'를 합하여 만든 재출자이다.

09 'ㄷ'은 기본자 'ㄴ'에 획을 더하여 만든 가획자이고, 나머지는 모두 상형의 원리에 따라 만든 글자이다. 'ㅅ, ㅇ'은 자음의 기본자이고 'ㅡ, ㅣ'는 모음의 기본자이다.

10 자음의 기본자 중 어금닛소리인 것은 'ㄱ'이고, 사람이 서 있는 모양을 본떠 만든 모음 기본자는 'ㅣ', 입 모양을 본떠 만든 자음 기본자는 'ㅁ'이다.

11 혀가 윗잇몸에 붙는 모양을 본떠 만든 혓소리 'ㄴ'에 획을 더해 만든 가획자는 'ㄷ, ㅌ'이고, 땅의 평평한 모양을 본떠 만든 모음 기본자 'ㅡ'에 '•'를 결합하여 만든 초출자는 'ㅗ, ㅜ'이다. '태풍'에는 가획자 'ㅌ'과 초출자 'ㅜ'가 포함되어 있다.

✖오답 풀이 ① 가획자인 자음 'ㄷ'만 사용되고 모음 초출자 'ㅗ, ㅜ'는 사용되지 않았다. ②, ④ 모음 초출자 'ㅗ'만 사용되고 자음 가획자 'ㄷ, ㅌ'은 사용되지 않았다. ⑤ 〈보기〉에서 설명한 자음 가획자와 모음 초출자가 모두 사용되지 않았다.

memo

꿈틀 중학 국어 Ⅱ

필수 개념 · 대표 작품 · 다양한 문제로 기초를 튼튼하게!

- 문학, 비문학, 문법의 세 가지 영역을 한 권으로 모두 학습
- 중학생이 꼭 알아야 할 국어의 필수 개념 총정리
- 대표적인 문학 작품과 엄선된 지문으로 독해력 다지기
- 내신 대비를 위한 다양한 문제 유형 익히기